La gangrène et l'oubli

DU MÊME AUTEUR

Ouvrages

Messali Hadj, thèse de EHESS 1978, L'Harmattan, 1986 ; Hachette Littératures, 2004.

Dictionnaire biographique de militants nationalistes algériens, L'Harmattan, 1985.

Nationalistes algériens et révolutionnaires français au temps du Front populaire, L'Harmattan, 1987.

Les Sources du nationalisme algérien, L'Harmattan, 1989.

Histoire de l'Algérie coloniale (1830-1954), La Découverte, 1991.

Ils venaient d'Algérie. L'immigration algérienne en France, Fayard, 1992.

Aide-mémoire de l'immigration algérienne (1922-1962), L'Harmattan, 1992.

Histoire de la guerre d'Algérie (1954-1962), La Découverte, 1993, 1995, 2001, 2004.

Histoire de l'Algérie depuis l'indépendance (1962-1994), La Découverte, 1994, 2001.

L'Algérie en 1995, Michalon, 1995.

Imaginaires de guerre. les images dans les guerres d'Algérie et du Viêt-nam, La Découverte, Paris, 1997, 2004.

Le Transfert d'une mémoire : de l'Algérie française au racisme anti-arabe, La Découverte, 1999.

La Guerre invisible : Algérie, années 1990, Presses de Sciences Po, 2001.

Algérie, Maroc : histoires parallèles, destins croisés, Maisonneuve et Larose, 2002.

La Dernière Génération d'octobre, Stock, 2003.

En collaboration

200 Hommes de pouvoir en Algérie, avec Louis Blin, Nourredine Abdi, Ramdane Redjala, Indigo, 1992.

La France en guerre d'Algérie, avec Laurent Gervereau et Jean-Pierre Rioux (dir.), BDIC, 1992.

Ferhat Abbas, une utopie algérienne, avec Zakya Daoud, Denoël, 1995.

Audiovisuel

Auteur :

Les Années algériennes (1954-1962), France 2, 1991, 4 x 1 h.

Algérie, les années d'espoir, de cendres (1962-1994), FR3, 1995, 2 x 1 h.

Conseiller historique :

Indochine, de Régis Warnier (Oscar du meilleur film étranger), 1993.

Résistance et libération d'outre-mer, de Jim Damour, FR3, 1994.

Les Massacres de Sétif. Mai 1945, de Mehdi Lallaoui et Bernard Langlois, Arte, 1995.

Benjamin Stora

La gangrène et l'oubli

La mémoire de la guerre d'Algérie

La Découverte / Poche
9 *bis*, rue Abel-Hovelacque
75013 Paris

Cet ouvrage a été précédemment publié en 1991 aux Éditions La Découverte dans la collection « Cahiers libres ».

ISBN 978-2-7071-4626-7

Préface à l'édition de 1998

Les saignements de la mémoire

Cet ouvrage sur la mémoire de la guerre d'Algérie a été rédigé en 1990-1991. Trente ans après l'indépendance de l'Algérie, j'ai tenté de montrer comment cette guerre ne se finissait pas, dans les têtes et dans les cœurs. Parce que, de part et d'autre de la Méditerranée, elle n'a pas été suffisamment nommée, montrée, assumée dans et par une mémoire collective.

La mise en mémoire qui devait permettre l'apaisement par une évaluation rationnelle de la guerre d'Algérie a été « empêchée » par les acteurs belligérants. Le lecteur verra comment se sont mis en place les mécanismes de fabrication de l'oubli de ce conflit inavouable ; comment les « événements » qui se sont produits entre 1954 et 1962 ont structuré en profondeur la culture politique française contemporaine ; comment une frénésie de la commémoration de la guerre, en Algérie, a fondé une légitimité militaire étatique, appuyée sur un parti unique.

En France, un oubli de la guerre, et en Algérie, un oubli de l'histoire réelle pour construire une culture de guerre... Bref, cet ouvrage d'histoire, *La Gangrène et l'Oubli*, entendait ne pas perdre de vue l'injonction de Freud, « N'oubliez pas l'oubli! », en proposant une réflexion sur le décalage entre ceux qui doivent légitimement oublier pour continuer à vivre après la guerre d'Algérie, ceux qui souffrent de cruelles réminiscences, et ceux qui ne supportent plus, de part et d'autre de la

Méditerranée, les trous de mémoire voulu, volontaire de cette guerre.

Que s'est-il passé depuis la première publication de 1991 ?

En Algérie, les effets de mémoire se sont amplifiés de manière redoutable. Nous sommes passés d'une culture de guerre à la guerre ouverte qui a fait, depuis l'interruption du processus électoral en janvier 1992, au moins 70 000 morts[1]. L'effacement du politique dans la représentation du nationalisme algérien au profit de la séquence-guerre contre la France coloniale signifiait que seule la violence permettait d'obtenir une revendication ; ou, au contraire, de maintenir des positions acquises. Il y a eu passage à l'acte. Avec la terrible violence des groupes islamiques pour conquérir le pouvoir, et une violence également terrible de l'État algérien pour se maintenir.

Dans le même temps, en France, le Front national poursuit sa progression, s'alimentant aux sources du refoulé de cette guerre. La perte de l'Algérie française apparaît comme la justification *a posteriori* du système colonial, par construction d'une mémoire de la revanche. L'assassinat du président d'une association de rapatriés, le Recours, Jacques Roseau, le 5 mars 1993, a fait rejaillir le spectre meurtrier de l'OAS dans l'actualité. Ce que reprochaient ses meurtriers à J. Roseau, c'était sa volonté de rapprochement avec les Algériens, en effaçant les vieilles rancunes. Les milieux « ultras », nostalgiques de l'Algérie française, l'accusèrent d'être un « traître pro-arabe », « pro-FLN », d'autant qu'il s'opposait vigoureusement au discours raciste du lepénisme. Dans son livre paru en 1991, *Le 113e été*, il écrivait : « Assassiner les Arabes, c'est un peu nous assassiner, assassiner l'Algérie de nos villages, assassiner nos rêves. » La transgression du tabou de l'Algérie française fut fatale à Jacques Roseau. En réponse à sa « trahison », autour de l'implacable logique, « les Algériens nous ont chassés, pourquoi vivent-ils encore en France ? », l'un des trois assassins du président du Recours déclara après son arrestation : « Je suis un ancien de l'OAS, et je le serai jusqu'à ma mort. » Même profession de foi, à son procès, du meurtrier d'un jeune comorien assassiné à Marseille en 1997...

---

1. AMNESTY INTERNATIONAL, FÉDÉRATION INTERNATIONALE DES DROITS DE L'HOMME, HUMAN RIGHTS WATCH, REPORTERS SANS FRONTIÈRES, *Algérie, le livre noir*, La Découverte, Paris, 1997.

Mais derrière les « durcissements » de mémoire, en France et en Algérie, d'autres lignes se dessinent. Dans la nouvelle guerre que connaît l'Algérie, une autre nation émerge, et l'État perd progressivement le contrôle du monopole d'écriture de l'histoire. La presse algérienne rend compte de rencontres ou colloques organisés autour de personnages longtemps mis au secret, comme Ferhat Abbas ou Messali Hadj : « On pourrait être tenté d'opposer à cet ensemble de signaux leur modestie, leur fragilité. En vérité, et au-delà des cas Messali ou Abbas et de la forte charge affective et politique qui les entoure, c'est bien un processus en cours qui signale la virtuelle obsolescence du contrôle politico-policier sur des pans entiers de l'histoire du pays[2]. »

La France, de son côté, connaît depuis 1992 un accroissement considérable de travaux, publications, films de fictions et documentaires, expositions autour de la guerre d'Algérie. Cette connaissance s'accompagne d'une *reconnaissance* de cette guerre. Le secrétariat d'État aux Anciens Combattants entend promouvoir un « Mémorial », au centre de Paris, des soldats tués en Algérie. L'inauguration de ce lieu de mémoire, semblable dans sa conception à celui édifié à Washington pour les anciens du Viêt-nam, doit se faire en 2002. Les associations de rapatriés se félicitent des mesures d'indemnisation prises en leur faveur, et les chercheurs peuvent commencer à consulter les premières archives militaires françaises ouvertes depuis 1992. Ces « progrès » n'empêchent pas les saignements de mémoires.

Les enfants d'immigrés algériens réclament toujours justice pour leurs pères tués un soir du mois d'octobre 1961, et les fils de harkis se vivent toujours comme des « oubliés de l'histoire ». De l'autre côté de la mer, la jeunesse d'Algérie ne comprend pas pourquoi « on » a assassiné, le 29 juin 1992, un des pères de la révolution algérienne, Mohamed Boudiaf... Dans les urgences du présent, les exigences de mémoire restent. L'écriture de l'histoire de la guerre d'Algérie ne fait que (re)commencer.

Benjamin Stora

2. Chaffik Benhacène, « Le débat est ouvert sur les pères du nationalisme algérien », *La Tribune*, 21 mai 1998.

Avertissement

Cet ouvrage est né d'une rencontre avec François Gèze, en novembre 1988, à la suite de la publication d'un article dans *L'Express* (« Mémoires blessées »). Il a nécessité trois longues années de travail et s'appuie sur une documentation à la fois écrite (dépouillement de la presse française et algérienne, lecture de dizaines d'ouvrages consacrés à la guerre d'Algérie, étude sur archives policières et militaires disponibles) et orale, avec des entretiens réalisés pour mon *Dictionnaire biographique de militants algériens* (paru en 1985) et pour la série « Les Années algériennes » (1991), que j'ai conçue pour Antenne 2. De courts extraits des entretiens effectués par les coauteurs, Philippe Alfonsi, Bernard Favre et Patrick Pesnot, et par moi-même ont été reproduits ici pour la démonstration de ce livre. Je les remercie tout particulièrement.

Introduction

> « En proie à une rage aveugle, la guerre renverse tout ce qui lui barre la route, comme si, après elle, il ne devait y avoir pour les hommes ni avenir, ni paix. Elle rompt tous les liens faisant des peuples qui se combattent actuellement une communauté et menace de laisser derrière elle une animosité qui, pendant longtemps, ne permettra pas de les renouer. »
>
> Sigmund Freud,
> « La désillusion causée par la guerre »,
> *Essais de psychanalyse*, 1915.

De 1954 à 1962, plus de deux millions de soldats français se sont succédé en Algérie pour y faire une guerre. Pendant ces sept années, une République est tombée et une autre l'a remplacée, des centaines de milliers d'Algériens sont morts victimes de ce conflit, un million de « pieds-noirs » ont quitté le pays où ils vivaient depuis des générations.

La guerre d'Algérie fait bien partie de ces grands drames fondateurs, et cela doublement : de façon ouverte en Algérie, où elle a été présentée pendant trente ans comme l'essence même de la légitimité du pouvoir ; de façon cachée en France, où elle structure en profondeur la culture politique française contemporaine.

D'un côté, elle appartient à ce registre des affrontements franco-français, où l'imaginaire national prend l'habitude de confier ses blessures ou ses légendes. Mais à la différence de l'affaire Dreyfus ou de l'épisode vichyssois, si propices à la représentation d'un passé toujours inachevé, la séquence algérienne ne semble pas fonder une légitimité de circonstance. Ici, point d'hypothèses réconciliatrices, de reconstructions consensuelles, aucune généalogie d'une culpabilité collective. Dans ce pays, où les guerres de Vendée sont encore des discordes contemporaines, on cache ce passé tout récent. Tout un ensemble subtil de mensonges et de refoulements organise la « mémoire algérienne ». Et cette dénégation continue à ronger comme un cancer, comme une gangrène, les fondements mêmes de la société française.

De l'autre côté de la Méditerranée, un refoulement symétrique mine la société algérienne : l'histoire officielle oublie toujours des pans entiers de la guerre de libération. En Algérie, le mot « révolution » est utilisé pour caractériser cette période-fracture. Mais il s'agit d'une révolution sans visage, puisque les noms des principaux acteurs du nationalisme algérien ont été effacés : on donne à voir un peuple anonyme, unanime derrière le FLN, appuyant une armée victorieuse sur le terrain militaire.

Pour les Français, une « guerre sans nom » ; pour les Algériens, une « révolution sans visage » : un des plus durs conflits de décolonisation de ce siècle n'a vraiment jamais été « assumé » des deux côtés.

Méconnaissances volontaires des origines de cette guerre ; mensonges à propos des circonstances tragiques de son enchaînement ; dissimulation de ses effets profonds sur le fonctionnement actuel des sociétés... L'amnésie française des « événements » (qui se nourrit du refus à reconnaître la moindre culpabilité) et la frénésie algérienne de commémoration (qui fonde une légitimité militaire étatique) se sont combinées pour construire l'occultation de cette guerre.

Cet ouvrage se propose d'éclairer ces mécanismes de fabrication de l'oubli. Les deux premières parties montrent comment ils se sont mis en place *dès la guerre elle-même*. Du côté français, c'est la négation de l'existence même de la guerre — il ne s'agit que d'« événements » —, le refus obstiné de reconnaître la réalité de la torture et des exécutions sommaires ; du côté algérien, c'est la violence de la guerre civile secrète qui opposa le FLN et le MNA, au prix de milliers de morts, ou le massacre en masse des harkis à l'été 1962, perpétré par des ralliés de la vingt-cinquième heure.

Une troisième partie évoque comment les mensonges de la période 1954-1962 seront à leur tour, dans les décennies suivantes, enfouis dans les mémoires par les amnisties ou les non-dits d'une histoire éclatée, telle qu'elle ressort des livres et des films consacrés à la guerre. La mémoire de cette guerre doit alors trouver des refuges discrets lorsque les pouvoirs veulent la rendre captive ou l'abolir.

Ils sont nombreux, les drames et les déchirements de ces années de guerre que les deux sociétés, française et algérienne, veulent manifestement oublier, et cherchent à refouler. Et qui, pourtant, resurgissent épisodiquement, souvent dans la violence, entre 1962 et 1991. La guerre d'Algérie apparaît ainsi, sans cesse, à la fois comme objet étranger et partie du corps propre de ces sociétés. Elle nous lègue des problèmes non réglés : place de la France dans le monde, enfants d'immigrés ou de harkis toujours à la recherche d'une intégration ; en Algérie, définition d'une identité nationale et sortie du parti unique forgé dans le cours de la guerre d'indépendance.

Il a fallu attendre trente ans, le temps d'une génération, pour que le film *Le Chagrin et la Pitié* incite les Français à accepter une histoire moins mythique de la collaboration et de la résistance pendant l'occupation allemande. De la même façon, à la veille du trentième anniversaire des accords d'Évian, il est temps aujourd'hui, en France comme en Algérie, d'assumer dans tous ses aspects l'histoire de cette guerre.

Cet ouvrage veut contribuer à ce dévoilement*.

B.S., septembre 1991.

* Le lecteur trouvera à la fin de ce livre une double chronologie (française et algérienne) de l'« après-histoire » de la guerre d'Algérie, de 1962 à 1990. Pour la chronologie de la guerre d'Algérie elle-même, on pourra se reporter à *La Guerre d'Algérie*, dossier et témoignages réunis et présentés par Patrick Éveno et Jean Planchais, La Découverte/*Le Monde*, Paris, 1989 ; et Mohammed Harbi, *Les Archives de la Révolution algérienne*, Jeune Afrique, Paris, 1981.

I

France, 1954-1962
La noire violence des secrets familiaux

1

La guerre sans nom

On a souvent dit, et écrit, à propos de la guerre d'Algérie qu'elle était une « guerre ne voulant pas dire son nom[1] ». Elle a effectivement pris, successivement, les appellations rassurantes d'« événements » après le déclenchement des actions armées du Front de libération nationale (FLN) en novembre 1954 ; d'« opérations de police », jusqu'au soulèvement paysan du 20 août 1955 dans le Nord-Constantinois ; d'« actions de maintien de l'ordre » après le vote des pouvoirs spéciaux en Algérie en mars 1956, qui généralise l'envoi du contingent en Algérie ; d'« opérations de rétablissement de la paix civile », dans la terrible bataille d'Alger, au cours de l'année 1957 ; et d'« entreprises de pacification », tout au long des années conduisant à l'indépendance algérienne. Dans les « Actualités » présentées au cinéma, jamais de trace de guerre dans les titres. Tout au plus évoque-t-on « le drame algérien ».

1. Ainsi l'ouvrage de John TALBOTT qui porte pour titre *The War without a Name, France in Algeria, 1954-1962*, Alfred A. Knopf, New York, 1980 ; Faber and Faber, Londres, 1981, 306 p.

« Nous éviterons tout ce qui pourrait apparaître comme une sorte d'état de guerre »

Dans la nuit du 31 octobre au 1er novembre 1954, des commandos passent à l'attaque en différents points du territoire algérien. La France découvre en même temps, à la une des journaux, la naissance du Front de libération nationale (FLN) et l'existence de la ville de Khenchela où viennent de tomber les premiers morts de la guerre d'indépendance qui commence.

Ce n'est pourtant pas de guerre qu'il s'agit dans les comptes rendus. Dans le journal *Le Monde* daté du 2 novembre 1954, on peut lire sous la plume de Pierre Albin Martal : « Tout se passe comme si une main invisible cherchait à ruiner les solidarités invisibles France-Afrique du Nord dans l'instant même où l'on paraît pouvoir les renforcer. Les animateurs de cette œuvre de destruction doivent être combattus, les exécutants doivent être découverts, poursuivis, châtiés. » *Le Monde* évoque la répression inévitable, mais ne suggère pas la mise en place d'un état de guerre.

Cette insistance au refus du nom trouve son origine dans la non-déclaration de guerre. Cet acte de déclaration, s'il avait été prononcé, enregistré, aurait signifié un bouleversement considérable, un éclatement de la « famille », fermée et contraignante, franco-algérienne. Le général Spillmann, responsable militaire du Constantinois, là où les « événements » ont été les plus sérieux en novembre 1954, écrira d'ailleurs à l'historien Claude Paillat : « Il est parfaitement exact qu'une information était ouverte chaque fois que "les forces de l'ordre" avaient en Algérie un engagement avec des éléments rebelles. Et c'était parfaitement normal, car nous n'étions pas en guerre[2]. »

Mais on nous objectera que cette guerre a été dite, dès son commencement de novembre 1954, avec la fameuse formule — « En Algérie, la seule négociation, c'est la guerre » — du ministre de l'Intérieur de l'époque, François Mitterrand. Au risque de s'attaquer à une idée largement répandue, fortement ancrée dans les esprits (en France, et surtout en Algé-

2. Claude PAILLAT, *La Liquidation*, éd. R. Laffont, Paris, 1972, p. 154-155.

rie), l'historien Charles-André Julien écrit à ce propos en 1982 : « La phrase attribuée à F. Mitterrand sur l'Algérie, "La seule négociation, c'est la guerre", je n'ai jamais trouvé un seul témoin qui l'authentifiât. Ceux qui répètent le propos se réfugient derrière un "on" introuvable. Les pires erreurs se répandent de bouche à oreille et paraissent des vérités quand elles sont recueillies par la presse[3]. »

Dans un ouvrage paru en 1977, le journaliste Franz-Olivier Giesbert explique comment cette formule sur la guerre a pu être « construite » : « Le 5 novembre 1954, F. Mitterrand déclare ainsi devant la commission de l'Intérieur de l'Assemblée nationale que "l'action des fellaghas ne permet pas de concevoir, en quelque forme que ce soit, une négociation". Et d'ajouter : "Elle ne peut trouver qu'une forme terminale, la guerre." Phrase terrible qui a très vite été resserrée en cette formule lapidaire : "La seule négociation, c'est la guerre[4]." »

Beaucoup plus explicite, et révélateur, est le discours enregistré, filmé, que François Mitterrand, *en tournée dans l'Aurès*, prononce à la fin du mois de novembre 1954. Il y exprime tout à fait clairement la volonté de ne pas admettre « l'état de guerre » : « Il semble bien qu'à travers toute l'Algérie, et spécifiquement dans ces lieux, en direction de Biskra, de Khenchela, et de Batna, on ait voulu lever le peuple contre celui qu'on appelait l'étranger, l'occupant, le Français. La population n'a pas compris ce langage, car elle est française. Sans le concours des populations, rien n'est tout à fait possible, sans aucun doute. Mais les premières victimes, si elles n'agissent pas dans ce sens, ce seront elles. Et comme notre devoir est de les en prévenir, nous ne manquerons pas une occasion de le faire.

« Nous ne frapperons donc pas d'une manière collective. *Nous éviterons tout ce qui pourrait apparaître comme une sorte d'état de guerre, nous ne le voulons pas* [souligné par nous]. Mais nous châtierons d'une manière implacable sans

3. Charles-André JULIEN, « Mitterrand et l'Algérie », *Le Nouvel Observateur*, 2 janvier 1982.

4. Franz-Olivier GIESBERT, *François Mitterrand ou la tentation de l'histoire*, Le Seuil, Paris, 1977, p. 131. On trouvera la première utilisation polémique de cette phrase, sans référence de sources, dans l'ouvrage de Francis et Colette JEANSON, *L'Algérie hors-la-loi*, Le Seuil, Paris, 1955, p. 183. Elle sera reprise par un partisan de l'Algérie française, Pierre LAFFONT, dans son livre *Histoire de la France en Algérie*, Plon, Paris, 1980.

autre souci que celui de la justice, et, en la circonstance, la justice exige la rigueur, les arrestations des responsables[5]. »
Le ton est donné pour toute la suite : « dire la guerre », pour la France, ce serait déjà admettre la possible séparation de corps, la dislocation de la « République une et indivisible ». Ce que toute la classe politique de l'époque (à l'exception des minorités trotskistes et anarchistes) se refuse à considérer.

Quelques jours auparavant, devant le Parlement, le président du Conseil, Pierre Mendès France, avait déclaré : « Qu'on n'attende de nous aucun ménagement à l'égard de la sédition, aucun compromis avec elle. On ne transige pas lorsqu'il s'agit de *défendre la paix intérieure de la nation et l'intégrité de la République* [souligné par nous]. » Effectivement, ce même mois de novembre 1954, six bataillons de la 25e division aéroportée (soit 4 200 hommes) sont envoyés en Algérie sous le commandement du colonel Ducourneau. Ils procéderont aux premières opérations de « ratissage » dans les Aurès.

En vain. Terrain privilégié des « hors-la-loi », le massif des Aurès se révèle incontrôlable, malgré des succès ponctuels des militaires français. L'armée commence à protester : l'Algérie, partie intégrante de la France, reste évidemment régie par le droit commun ; dès lors, tout suspect interpellé doit être présenté devant un tribunal civil, qui le relâchera s'il n'y a pas contre lui de charges suffisantes. Est-on en guerre, oui ou non ?

Oui, puisque le 3 avril 1955, l'Assemblée nationale donne satisfaction à l'armée. L'état d'urgence est instauré dans les Aurès et la Grande Kabylie (il sera étendu à toute l'Algérie en novembre 1955). Désormais, c'est à l'autorité militaire de réprimer directement crimes et délits. Un mois plus tard, s'ouvre le premier camp d'internement à Khenchela. Cent soixante personnes y sont parquées.

Il faudra pourtant attendre le soulèvement paysan du 20 août 1955 pour voir les autorités civiles basculer définitivement dans la répression de guerre. Ce jour-là, plusieurs milliers de « rebelles » massacrent dans des conditions effroyables cent vingt-trois personnes, hommes, femmes,

5. Archives INA, séquence diffusée dans *Les Années algériennes*, série pour Antenne 2, 1991.

enfants, dont 71 Européens, dans l'Est algérien. L'armée procède à de gigantesques rafles. Plusieurs centaines de « suspects » seront exécutés, s'ajoutant aux meurtres en série, perpétrés par des milices privées formées d'Européens. On dénombrera, officiellement, 1 273 morts. Le FLN, après enquête minutieuse, avancera le chiffre, jamais démenti, de 12 000. Convaincu de la nécessité de rétablir l'ordre avant tout dialogue, le gouverneur général de l'Algérie, Jacques Soustelle, laisse désormais carte blanche à l'armée.

Une armée dont les effectifs sur le terrain vont être multipliés par dix en six mois. Le 22 août 1955, soit deux jours après l'insurrection, le gouvernement Edgar Faure décide le rappel d'une fraction des disponibles de la classe 1952/2. Huit mois plus tard, en avril 1956, le gouvernement Guy Mollet rappelle l'ensemble des disponibles.

De moins de 60 000 hommes en Algérie le 1er novembre 1954, on passe à une véritable armée de plus de 400 000 hommes, auxquels viennent s'ajouter les formations supplétives européennes et musulmanes. Cette « sorte d'état de guerre », dont parlait F. Mitterrand, ne peut plus être évité. Il sera pourtant dissimulé, derrière la maxime martelée par une classe politique française quasi unanime : « L'Algérie, c'est la France. »

A son congrès d'Asnières, le 30 juin 1955, la SFIO proclame : « Le sort de la France se joue actuellement dans les territoires d'outre-mer. » Michel Debré, en 1956, explique avec passion les enjeux : « Le destin de la France sera scellé d'une manière décisive en Algérie. » Les gaullistes ne sont pas les seuls à propager cette vision. Une association lancée en avril 1956, l'Union pour le salut et le renouveau de l'Algérie française (USRAF), fait placarder deux millions d'affiches où l'on peut lire : « L'Algérie est et doit rester partie intégrante de la République, plus d'Algérie française, plus de France[6]. »

La France envoie ses policiers et ses soldats dans un territoire qui lui appartient en propre, au « sud ». L'affaire algérienne a toujours été conçue comme une histoire intérieure française. L'État prend la figure d'un fonctionnement

---

6. Cité par Charles-Robert AGERON, « L'Algérie, dernière chance de la puissance française », *in Relations internationales*, n° 57, printemps 1983, p. 113-139.

familial qui arbitre le déchirement entre « frères » ennemis. En 1947, le député MRP P.E. Viard ne disait-il pas, déjà : « La métropole abandonnera-t-elle ses enfants[7] ? »

Violent divorce

Il n'y aura donc jamais de déclaration de guerre. Car nommer la guerre, ce serait reconnaître une existence séparée de l'Algérie, ce serait admettre une « autre histoire ». Dire la guerre, ce serait évoquer « la ruine du ménage », son fonctionnement inégalitaire. Mais l'Algérie faisait-elle vraiment partie de « la famille française » ?

Certes, elle représente trois départements français, dépendant directement du ministère de l'Intérieur. Beaucoup plus, donc, qu'une colonie lointaine comme le Sénégal, l'Indochine, ou la Tunisie, simple protectorat. Il semble hors de question d'abandonner un territoire lié directement à la France depuis cent trente ans, avant même la Savoie rattachée en 1860 ! Près d'un million d'Européens, ceux que l'on appellera plus tard les « pieds-noirs », y travaillent et y vivent depuis des générations. Ce ne sont pas tous des « grands colons » surveillant leurs domaines. Ils habitent, dans leur grande masse, dans les villes. La plupart ont un niveau de vie inférieur aux habitants de la métropole. Cette colonie de peuplement, en partie prolétarisée, se trouve représentée par les partis traditionnels de l'Hexagone (de gauche et de droite) dont le fonctionnement et les conceptions relèvent du modèle de la centralisation jacobine[8]. Mais les Algériens musulmans, les plus nombreux, majoritaires, sont, dans cette Algérie française, de faux citoyens d'une République assimilationniste. Pendant longtemps, ils ne peuvent accéder à la pleine citoyenneté qu'en abandonnant leur « statut personnel » de musulman. Une série de décrets, de lois, de mesures, relevant d'un droit parallèle, les place en porte à faux vis-à-vis de la République, pourtant décrite comme « une et indivi-

7. *Ibid.*
8. Sur le nationalisme exacerbé des Français d'Algérie, cf. Benjamin STORA, *Histoire de l'Algérie coloniale, 1830-1954*, La Découverte, coll. « Repères », Paris, 1991.

sible ». Les ordonnances de 1944, le statut de 1947 concernant l'Algérie instituent enfin le droit de vote. Mais dans le cadre d'un « double collège » : une voix d'Européen vaut huit voix d'Algériens. Le principe républicain d'égalité, « un homme, une voix », n'est pas respecté. Il faut le déclenchement des « hostilités » pour que soit envisagée l'intégration de l'Algérie dans la République française. Le nouveau gouverneur général, Jacques Soustelle, annonce à son arrivée, le 15 février 1955 : « Un choix avait été fait par la France : ce choix s'appelle l'intégration[9]. »

Reconnaître la guerre, cela obligerait à s'interroger sur le cheminement d'une démocratie française qui n'a pas jugé utile, à temps, d'exporter ses principes universels hors de l'Hexagone. Expliquer qu'une guerre se déroule, ce serait raconter l'histoire pleine de vacarme des Français et des Algériens qui ont si longtemps vécu ensemble, puis ont décidé de rompre. Une vie tissée de complicités, mais aussi de heurts, d'insatisfactions, ponctuée de trahisons, surchargée de circonstances tragiques, comme les massacres de mai 1945 dans le Constantinois, de violences, mais aussi de passions. A quoi ressemble cette insupportable « vie conjugale » qui se refuse à exister plus longtemps, puisque l'un des partenaires est « mauvais » ? A quelle attente idéale n'a pas répondu ce partenaire indigne ? Le lien France-Algérie qui se dénoue brutalement en 1954 est aussi un lien de rapports de forces économiques, d'une mésentente affective. Le « mariage » n'a jamais signifié alliance égalitaire entre communautés, mais étroite dépendance de l'une par rapport à l'autre.

Quand se rompt le pacte, avec la demande de sortir des bidonvilles à la périphérie des villes, d'en finir avec la misère dans les campagnes (la « clochardisation », selon le mot lancé par Germaine Tillion dans *L'Algérie en 1957*), et avec la revendication de dignité, s'amorce la déchirure définitive de ce « couple mixte ». La demande de séparation formulée par les Algériens indépendantistes, avec le souci d'obtenir de l'autre repentir ou pardon, porte accusation de sévices.

9. La doctrine d'intégration, « différente de l'assimilation », avait été étudiée par un juriste, Me Bée, dès mai 1946. La formule avait été reprise, le 4 février 1955, par... Me F. Mitterrand (cf. C.-R. AGERON, « L'Algérie, dernière chance de la puissance française », *art. cit.*, p. 117).

Dans les textes des écrivains, des intellectuels, Kateb Yacine *(Nedjma)*, Mohammed Dib *(La Grande Maison)*, Mostefa Lacheraf *(Psychologie d'une conquête)*, et surtout de Frantz Fanon *(Les Damnés de la terre)*, la violence décrite est spectaculaire, témoignage d'un long chemin de meurtrissures et d'humiliations. Ceux qui ont été victimes n'ont plus rien à perdre en exposant ainsi ce que fut cette cohabitation avec la France. Il n'y a pas de situation intermédiaire dans une guerre. Tant que le divorce, par l'indépendance, n'est pas obtenu, la plaidoirie pour la séparation se plaira à noircir le tableau colonial.

En France, il faudra, au contraire, estomper une possible culpabilité personnelle dans la demande de divorce. On ne tolère pas l'abandon, à la faveur d'une guerre annoncée par les seuls Algériens.

Des adversaires sans nom

L'armée est la première concernée par cette guerre. Elle ne cesse de demander (et d'obtenir) des moyens et des hommes supplémentaires (les effectifs seront portés à environ 405 000 en juillet 1956). Pour la plupart des officiers, il n'y a pas de guerre, d'insurrection algérienne, mais action des « terroristes » venus et dirigés de l'extérieur. Dans ce sens, la bataille des idées a plus d'importance que la guerre des armes. Le programme est simple : éliminer les influences extérieures nocives, neutraliser les « suspects » en les enfermant dans des « centres d'hébergement », et recréer partout un sentiment francophile grâce à des séances d'explication. L'action psychologique, jugée essentielle par l'armée, sert à dissimuler la guerre réelle.

L'ennemi est donc invisible. Il prend successivement les appellations de « suspect », « hors-la-loi », « rebelle ». On le devine sans vraiment l'apercevoir, se déplaçant la nuit, se cachant le jour. « La guerre est nulle part... et partout », racontent de nombreux soldats interviewés pour la série de télévision *Les Années algériennes.* Cet adversaire dont la parole reste inaudible, la silhouette fugitive, est d'autant moins visible que les Algériens n'ont pas de « nom » au temps de la colonisation. Comment, en effet, parler des Algériens avant et pendant ces années de guerre ?

Au temps de la colonisation française, l'« Arabe » était un « Nord-Africain ». Le Nord-Africain n'était pas alors considéré comme un habitant d'Afrique, car l'« Africain » était noir (sauf le Sud-Africain, vu toujours comme un blanc...). Ce n'était pas non plus un habitant d'Afrique du Nord, sinon les « pieds-noirs » se seraient logiquement appelés des Nord-Africains. De ces non-citoyens vivant dans un territoire considéré comme français, faut-il dire qu'ils sont « algériens », « musulmans », ou « algériens musulmans », ou encore « français musulmans » ?

Et les immigrés algériens en France ? Ils n'existent pas distinctement, n'apparaissent pas dans les statistiques officielles de l'immigration. C'est normal, puisque « l'Algérie, c'est la France », et l'on voit mal comment faire figurer des « Algériens » dans la rubrique « étrangers ». Les choses se compliquent avec les ordonnances de 1944, qui permettent l'attribution de la nationalité française à un grand nombre d'« indigènes », et surtout avec le statut de l'Algérie en 1947, qui donne aux travailleurs algériens en France *tous les droits du citoyen français*. Cette possibilité n'a pas cours en Algérie : les « musulmans » y votent dans un collège séparé.

Dans un article étonnant paru en 1954 dans la revue *Esprit*, sur « la criminalité nord-africaine dans la région parisienne », le rédacteur dénonce les clichés diffusés par certains journalistes (présentant l'immigration maghrébine comme une « armée du crime ») et poursuit : « Quant au vol, voilà la grande délinquance des Nord-Africains. Donnons du travail aux immigrants du Maghreb et cette délinquance de la misère deviendra inexistante. » Et cette remarque conclusive de l'auteur : « Pour enrayer cette délinquance, il faudrait contrôler l'immigration algérienne puisque cette mesure appliquée aux Tunisiens et aux Marocains a donné des résultats appréciables. *Mais contrôler — donc freiner — cette immigration pose un problème constitutionnel puisque, depuis le 7 février 1944, les indigènes algériens se sont vu attribuer la nationalité française*[10]... »

10. Pierre-Bernard LAFFONT, « La criminalité nord-africaine dans la région parisienne », *Esprit*, 1954. Souligné par nous.

Esprit réagit contre le fantasme de l'invasion de la misère porteuse de délinquance, le cliché du faciès, cette irruption du « tiers monde » immigré comme l'on dira bientôt, et pose bien le problème : pourquoi le racisme à l'encontre d'une catégorie de « nationaux français » ? L'image qui s'impose dans « l'opinion » d'alors est, déjà, celle de la hantise de la *montée en nombre* de l'immigration coloniale. C'est le thème de l'invasion nord-africaine qui se vulgarise, l'intrusion des colonisés, sous-citoyens, dans la nation française, au cœur même des cités et de Paris. Dans les usines, « hostilité, méfiance, indifférence, dans le meilleur des cas sympathie, voilà l'attitude des ouvriers français vis-à-vis des Nord-Africains. Elle n'aboutit qu'exceptionnellement à la solidarité véritable », note Daniel Mothé en évoquant le climat à l'usine Renault, en 1957[11].

Dans les usines et dans la société, circulent les « surnoms » infligés aux Algériens (« ratons », « melons », « bougnoules »...), en usage de l'autre côté de la Méditerranée. Par l'intermédiaire de soldats démobilisés, de certains « pieds-noirs » qui commencent à s'installer en France avant 1962 ? C'est en tout cas au moment de la guerre qu'apparaissent en France ces appellations racistes. Mais revenons au « nom ».

Symptomatique est l'ambiguïté sémantique, relevée par le sociologue Abdelkader Djeghloul, du communiqué de la police française en 1961 imposant un couvre-feu aux Algériens à Paris (et qui sera à l'origine de la tragique manifestation du 17 octobre 1961). On y emploie, successivement, les termes d'« Algériens » et de « Français musulmans[12] »... C'est aussi à cette époque qu'arrivent en France des « Algériens » qui n'avaient jamais été appelés des Algériens (mais des Européens ou des pieds-noirs) et d'autres qu'on appelait ainsi, et qui n'avaient plus ce droit (les harkis).

En fait, cette question de noms renvoie à l'organisation de la société coloniale en Algérie : la citoyenneté y est accordée *en fonction de la communauté d'appartenance* (définie par la religion). Il s'agit là d'une négation des principes de la

11. Daniel MOTHÉ, « Les ouvriers français et les Nord-Africains », *Socialisme ou barbarie*, mars-mai 1957.

12. Abdelkader DJEGHLOUL, « Analyse d'un refoulement », *in Mémoire d'une communauté*, Éd. Actualité de l'émigration, Paris, 1987, p. 37-41.

République, dans un territoire conçu pourtant comme un simple prolongement de la France. Les principes de 1789 dissocient en effet l'existence des hommes de leur fonction, de leur caste, de leur ethnie, ou de la religion pour l'octroi des droits civiques. Mais les différents barrages qui sont édifiés pour interdire l'accès à la cité française s'opèrent sous le prétexte du caractère inassimilable des « communautés autochtones[13] ». Les « indigènes » ne peuvent accéder à la citoyenneté française qu'en renonçant à leur statut personnel de musulman. En d'autres termes, c'est l'assimilation radicale ou le rejet. En ce sens, se naturaliser revenait à renier sa condition (religieuse) d'origine.

Placés en situation de moindre droit, les « hommes sans nom » tenteront de récupérer, par la guerre, une nationalité qui leur appartienne en propre. Cent trente ans de vie commune, et puis le fil se casse, le temps a trop duré, le supportable ne l'est plus, le seuil est dépassé. Démentant le célèbre mot de Maurice Thorez, cette fois le droit au divorce trouve à s'exercer dans l'obligation de divorcer[14]. La fausse image d'une cohabitation harmonieuse se brise dans la guerre, un groupe affectif et économique se disloque. Tous les secrets de famille, jalousement dissimulés, se trouvent alors divulgués : injustices inadmissibles, sévices, misères économiques, fonctionnement politique inégalitaire... Les deux parties ne s'affrontent pas seules. Elles drainent avec elles leur réseau propre de relations sociales qui témoignent pour elles. Dans la cruauté de la séparation se découvre l'évidence : la vie impossible d'une « famille » construite sur des haines, dans les passions.

---

13. Rappelons quelques dispositions. Le *senatus consulte* du 14 juillet 1865 définit l'indigène musulman comme Français, mais ce dernier doit en faire la demande, et abandonner son « statut personnel » (loi musulmane) ; le décret du 16 mai 1874 institue un « permis de voyage » pour les candidats algériens musulmans à l'émigration (décret abrogé le 18 juin 1913) ; le « Code de l'indigénat », en 1881, soustrait l'indigène musulman au droit commun français pour le soumettre à un « régime spécial ». Ce Code prévoyait une liste d'infractions pouvant être modifiée par des arrêtés préfectoraux. Cette procédure livre l'Algérien musulman, sans pouvoir d'appel, à la discrétion de l'administrateur. Il faut attendre le 7 mars 1944 pour qu'une ordonnance ouvre aux musulmans, pour la première fois, l'accès aux emplois civils et militaires, et élargisse leurs représentations dans les assemblées locales.

14. Au IXᵉ Congrès du PCF, en décembre 1937 à Arles, Maurice Thorez proclama à propos des colonies « que le droit au divorce ne signifiait pas l'obligation de divorcer ».

Mais, jusqu'au bout, il faudra protéger, par la censure, cette noire violence des secrets familiaux. Ceux qui refusent la séparation, l'abandon, ne diront pas qu'une guerre existe. Ceux qui s'en vont diront que la vie menée n'a été qu'un enfer, mettront entre parenthèses toute cette longue existence commune. D'un côté comme de l'autre, on recherchera l'oubli.

2

La protection des secrets

Dans toute guerre, l'État exige de ses citoyens le maximum d'obéissance et de sacrifices, tout en faisant d'eux des sujets mineurs par un secret délibéré, et une limitation des communications et des expressions d'opinions. La guerre suscite ainsi des restrictions importantes de la liberté de la presse, d'édition, de représentations visuelles, la censure y est instituée de façon massive. Cette censure se manifeste également par la production d'atténuations, d'approximations, pour éviter de dire ce qui est authentique.

L'État censure ses conduites

Pendant la guerre d'Algérie, l'État français ne perd pas ses prérogatives. Il édicte progressivement le permis et l'interdit. La loi du 3 avril 1955 déclarant « l'état d'urgence » habilite les autorités administratives, ministre de l'Intérieur, gouvernement général et préfets, à « prendre toutes les mesures pour assurer le contrôle de la presse et des publications de toute nature ainsi que celui des émissions radiophoniques, des projections cinématographiques et des représentations théâtrales » (article 11 de la loi du 3 avril 1955, déclaré applicable par cette loi). Le décret du 17 mars 1956, dans le cadre des « pouvoirs spéciaux », reprend une formule analogue, étendue « à l'ensemble des moyens d'expression ». Les écrits imprimés peuvent faire l'objet de saisies administratives et judiciaires, mesures de police ou peines complémentaires.

Les multiples saisies de journaux et d'ouvrages pratiquées par les préfets s'opèrent en vertu de l'article 10 du code d'instruction criminelle, devenu ensuite l'article 30 du code de procédure pénale. Cet article permet au préfet de saisir, à titre provisoire, les ouvrages ou périodiques qui contiennent une infraction de presse, visée par la loi du 29 juillet 1881, si elle constitue aussi « une atteinte à la sûreté de l'État ». Dans son chapitre consacré aux crimes et délits commis par voie de presse, la loi du 29 juillet 1881 limite la liberté d'opinion par la répression de la provocation aux crimes et délits contre la chose publique. L'article 25 de cette loi, utilisé de nombreuses fois pendant la guerre d'Algérie, « réprime la provocation des militaires à la désobéissance, même demeurée sans effet ». Une décision du 27 avril 1961 définit les motifs pouvant justifier une interdiction : l'appui à une entreprise de subversion dirigée contre les autorités ou les lois de la République, ou la diffusion d'informations secrètes, d'ordre militaire ou administratif.

En fait, entre 1955 et 1962, les saisies, les interdictions, les censures sont pratiquées sans qu'une règle, une doctrine bien définie déterminent leur exécution. Un observateur note : « Il est bien difficile de trouver une quelconque logique derrière bien des saisies[1]. » Car la guerre d'Algérie, on l'a vu, n'est pas reconnue, dite comme une guerre. Officiellement, l'information reste libre, les partis en France autorisés. On peut donc évoquer l'Algérie et les « événements » qui la secouent : près de 250 ouvrages, non interdits, seront publiés sur ce sujet entre 1955 et 1962. Ce qui sera censuré, ce sera d'inscrire ces « événements » dans une logique, l'ordre d'une guerre. Le « sens » de la censure se trouve là : en dissimulant le secret d'une guerre qui s'accomplit, on entretient l'illusion qu'elle pourrait être courte, propre, se terminer autrement que par l'indépendance de l'Algérie.

1. *The Times*, cité par *Le Monde*, 17 septembre 1960.

Entre 1958 et 1962, sous la Ve République, la censure frappe près de 14 % des titres consacrés à la guerre d'Algérie. Deux maisons, les Éditions de Minuit et les Éditions François Maspero, sont particulièrement visées :

Années	*Nombre de livres saisis*	*Principaux éditeurs visés*	
		Minuit	*Maspero*
1958	1	1	—
1959	3	2	1
1960	4	3	1
1961	13	5	7
1962	4	—	4

L'historien américain Martin Harrison a recensé 586 saisies de journaux et périodiques en Algérie, et 269 saisies en métropole, pendant la durée de la guerre d'Algérie[2]. Son travail, précieux, appelle quelques réflexions.

Les saisies de journaux en métropole et en Algérie ont été beaucoup plus importantes sous le régime gaulliste que sous la IVe République : 179 journaux saisis en métropole du 1er juin 1958 à juin 1962 (soit une moyenne annuelle de 44 saisies), contre 60 saisies en métropole du 1er novembre 1954 au 31 mai 1958 (soit 13 saisies par an en moyenne). En Algérie, il y a eu 133 saisies de 1954 au 13 mai 1958 (soit une moyenne de 32 saisies par an), alors que du 13 mai 1958 à juin 1962, 313 journaux ont été saisis (soit une moyenne annuelle de 69 saisies).

Que ce soit en Algérie ou en métropole, les années de plus forte censure seront 1960 (154 saisies), 1961 (127 saisies) et 1962 (120 saisies). Ce qui amène Martin Harrison à expliquer que la saisie devient de moins en moins un moyen de contrôle de l'information et des idées, et de plus en plus une contribution au problème de la loyauté militaire. De nombreux officiers étaient en effet convaincus que « la presse défaitiste » sapait le moral, aidait les rebelles et compromettait des victoires. Pour Martin Harrison, les saisies de journaux

2. Martin HARRISON, « Government and Press in France during the Algerian War », *The American Political Science Review*, n° 2, vol. LVIII, juin 1964, p. 273-295.

permettaient, dans ce contexte, d'apaiser les militaires. (Cette hypothèse est assez vraisemblable, mais il faut néanmoins souligner — on y reviendra dans le chapitre 4 — que cette orientation de la politique de censure n'a elle-même jamais été appliquée de façon totalement cohérente et systématique ; signe sans doute de la relative indifférence d'une partie de l'appareil d'État face à la question algérienne.)

Si la censure laisse passer des œuvres qui dénoncent la guerre au plan moral, ou rendent compte de la réalité coloniale, elle se montre donc intraitable sur un point : elle ne peut admettre la critique de l'armée dans ses méthodes de « pacification ». Dans les livres interdits, on y reviendra, on trouve des témoignages contre la torture *(La Question, La Gangrène)*, la démonstration des crimes de pacification *(Nuremberg pour l'Algérie, Les Égorgeurs)*. Avec la description sans maquillage de la réalité vécue par les immigrés algériens en France *(Ratonnades à Paris)*, des voix demandent justice pour les militants algériens condamnés à mort *(La Mort de mes frères)*. Des avocats démontent les mécanismes d'une justice aux ordres *(Défense politique)*. D'autres ouvrages interdits, à partir de 1960, font du déserteur ou de l'insoumis un héros dont l'exemple reste à imiter *(Le Refus, Le Déserteur, Le Désert à l'aube)*.

La torture, ou l'inavouable secret

Employée comme un procédé ordinaire de « pacification » pendant la « bataille d'Alger », qui commence en janvier 1957, la torture est bien la grande affaire qui secoue ces « années algériennes ». Elle apparaît au grand jour à travers l'affaire Maurice Audin. Assistant à la faculté des sciences d'Alger, M. Audin est arrêté le 11 juin 1957 par des parachutistes. Pendant quatre jours, sa femme est séquestrée dans sa maison, avec interdiction d'user du téléphone, donc de prévenir qui que ce soit. Le 22 juin, elle est avisée que son mari est en bonne santé, et qu'elle pourrait prochainement communiquer avec lui ; le 1er juillet, un rapport officiel indique qu'il s'est évadé le 21 juin, au cours d'un transport vers un lieu d'interrogatoire. Aucune précision ne peut être obtenue depuis, on ne retrouvera plus Maurice Audin vivant.

Un comité se forme, sous l'impulsion de l'historien Pierre Vidal-Naquet. Le mathématicien Laurent Schwartz écrit, en novembre 1957 : « Il est facile de se réfugier derrière le manque d'informations, les raisons d'État, l'opinion à l'étranger. Les ministres ont poursuivi leurs activités ministérielles ; la disparition d'un universitaire est d'importance secondaire. La dictature d'Alger est d'ailleurs tellement puissante qu'on peut fort bien imaginer que le président du Conseil lui-même n'ait pas pu connaître le sort d'Audin ; ce qu'on peut dire dans ce cas, c'est qu'il n'a pas trop essayé. Pendant l'Occupation, nous avons tous connu cette atmosphère étouffante : un ami disparaissait, on savait qu'il serait impossible d'avoir la moindre nouvelle de lui ; c'est cela qu'on veut nous faire revivre aujourd'hui[3]. »

Maurice Audin a été torturé, jusqu'à la mort. Henri Alleg, qui publiera *La Question* en 1958, dira l'avoir vu dans un état pitoyable. Cette torture est presque partout présente, pratiquée par les DOP (détachement opérationnel de protection), unités spéciales chargées des interrogatoires, *mais également par des unités du contingent*. Un appelé, dans un régiment d'infanterie à Cherchell en 1957, explique : « J'étais dans une unité de quadrillage, dont le travail consistait à faire un peu de surveillance, pour éviter les attentats, que les vignes soient abîmées, etc. Cette unité de quadrillage, lorsqu'elle n'était pas en opération, était chargée de faire des vérifications d'identité, des visites de douars, on était des supergendarmes en quelque sorte [...]. J'ai été confronté au problème de la torture, dans le cadre du quadrillage, pas dans le cadre d'opérations. On m'avait donné la responsabilité du renseignement au niveau d'une compagnie, ce qui est minime. Cela se jouait à très petite échelle, c'était de la torture... bon... je n'ose pas employer le mot, parce que c'est un peu honteux de le dire, mais enfin artisanale. Les DOP [''détachements opérationnels de protection''], c'étaient des professionnels. Nous, c'était un problème du renseignement.

---

3. Laurent SCHWARTZ, « A propos de l'affaire Audin », *in La Commune*, n° 5, novembre 1957. Le petit livre de Pierre VIDAL-NAQUET, *L'affaire Audin*, publié en mai 1958 par les Éditions de Minuit, est à la fois un dossier d'instruction extrêmement précis et un réquisitoire implacable contre les méthodes mises en œuvre par l'armée française pour cacher le meurtre de Maurice Audin (nouvelle édition augmentée : Éditions de Minuit, Paris, 1990).

Et, si je dis ça, ce n'est pas pour justifier ce que j'ai fait, ou ce que j'ai cautionné. Il était connu que tous les paysans de la région, les petits épiciers, les commerçants versaient chaque mois une certaine somme qui doit représenter, à peu près, cinq francs par mois. Donc, le jeu était simple : on passait dans les douars, on ramassait quelques suspects, et il y avait un petit interrogatoire poussé... Ce sont des méthodes assez lamentables. D'abord, on commence par déshabiller les gars, pour les humilier. Ensuite, il y a toujours quelques sadiques pour donner quelques coups de poing, quelques gifles, quelques coups de pied. Bon... Et puis après... dans certains cas limites, il y avait utilisation de la gégène[4]... »

La torture est généralisée. Elle a pour but de démasquer un adversaire non identifié, habile à se fondre dans la population. Elle est destinée, par son indistinction et son arbitraire mêmes, à inspirer une crainte supérieure à celle que l'adversaire est capable de susciter. Elle est le sous-produit d'une *guerre inavouable dans ses procédés, plus encore que dans ses objectifs*. Ce que nous enseigne la guerre d'Algérie, c'est que la torture (qui ne se contente pas d'une obéissance des corps, mais requiert l'adhésion des âmes à une « œuvre civilisatrice ») ne représente ni l'exotisme ni l'exception. Elle est institution, d'abord policière, puis militaire. Pierre Vidal-Naquet, dans *La Torture dans la République*[5], a montré comment trois ministres du gouvernement Guy Mollet, Robert Lacoste, Max Lejeune, Maurice Bourgès-Maunoury, ont donné l'ordre de torturer, mais sans jamais le faire par écrit (cette naïveté étant réservée aux militaires). Guy Mollet a toujours opposé le démenti le plus formel, le général de Gaulle s'est tu, envoyant des lettres secrètes de protestation, ce qui n'empêche nullement l'institution de se durcir, s'organiser, surtout autour des DOP[6].

On ne nomme pas les bourreaux ayant officiellement le droit de faire souffrir, de prendre à partie le corps. Pourquoi l'État refuse-t-il avec autant de vigueur d'admettre que ses représentants — militaires ou policiers — torturent et

4. Témoignage enregistré d'un appelé pour *Les Années algériennes*.

5. Pierre VIDAL-NAQUET, *La Torture dans la République*, La Découverte-Maspero, 3e édition, Paris, 1983, 205 p.

6. Voir sur ce point Jean-Pierre VITTORI, *Les Confessions d'un professionnel de la torture*, Ramsay, Paris, 1980, 234 p.

mutilent les corps des opposants ? « Pourquoi, demande Miguel Benasayag, dans *Utopie et Liberté*, la torture constitue-t-elle cette ultime frontière au-delà de laquelle l'État sort du cadre de sa légitimité ? » Pour ce psychanalyste argentin, qui a subi lui-même l'épreuve de la torture, ce n'est pas seulement pour protéger les exécuteurs des basses œuvres. Il explique que le « corps à corps » est la négation de l'instance symbolique constitutive de la cohésion sociale. Le passage à une civilisation humaine suppose le renoncement à la présence du corps (principe de plaisir), pour parvenir au principe de la réalité, l'État de droit moderne énonçant l'idée que la liberté de chacun est limitée par celle des autres[7] : l'État intervient comme instance symbolique, en interdisant la violence d'homme à homme. Dès lors, comment cet État faisant fonction de « tiers », qui réglemente et limite les rapports entre les individus, peut-il lui-même admettre qu'il torture, au risque de laisser les hommes livrés à la seule alternative possible, fondée sur la loi du plus fort ? L'État ne peut reconnaître cette réalité sans se nier, et porte donc un masque.

Il est ainsi prohibé de parler de « tortures » ou d'« atrocités » commises par l'armée française en Algérie, de mettre en cause l'attitude du gouvernement dans sa conduite de la guerre. Dans le même temps, des journaux publiant des articles qui expriment les points de vue de nationalistes algériens font l'objet d'une saisie, alors qu'il n'y a pas, officiellement, d'état de guerre (les journaux les plus touchés sont *L'Express, France-Observateur, L'Humanité, Témoignage chrétien*). Pour démontrer jusqu'au bout l'absurdité d'une telle situation, un collectif d'avocats n'hésite pas à écrire dans *Défense politique* : « Le seul remède, le plus simple, le plus honnête, c'est de mettre un terme à l'arbitraire des fonctions juridiques et des législations d'exception ; c'est de renoncer à la terreur judiciaire ; c'est d'appliquer enfin les lois de la guerre[8]. »

---

7. Miguel BENASAYAG, *Utopie et Liberté* (préface de Pierre Vidal-Naquet), La Découverte, Paris, 1986, p. 45.

8. A. BENABDALLAH, M. COURRÉGÉ, M. OUSSEDIK, J. VERGÈS, M. ZAVRIAN, *Défense politique*, Maspero, coll. « Cahiers libres », n° 15, Paris, 1961, p. 75.

Les plus hautes autorités savaient

Les « secrets » de cette guerre circulent dans les sommets de l'appareil d'État. Dès le 2 mars 1955, un inspecteur général de l'administration, Roger Willaume, remet au gouverneur général de l'Algérie, Jacques Soustelle, un rapport d'où il ressort clairement que la torture était pratiquée couramment sur les suspects. Il propose d'en réserver l'usage aux officiers de police judiciaire, qui seraient seuls habilités à user du tuyau d'eau et de l'électricité. Le 13 décembre 1955, le président du Conseil, Edgar Faure, reçoit un rapport dû à Jean Mairey, directeur de la Sûreté nationale, qui parvenait aux mêmes constatations : « C'était un point, hélas !, constaté et trop généralement admis, lorsqu'il n'était pas officiellement préconisé, que la police algérienne, comme la gendarmerie, d'ailleurs, se livraient sur les inculpés suspects ou simples prévenus à des méthodes d'investigations relevant beaucoup plus de la Gestapo que d'une police démocratique.

« Dans ces excès, la police a sa part, l'armée la sienne.

« Chef responsable de la Sûreté nationale, il m'est intolérable de penser que les polices françaises puissent évoquer par leur comportement les méthodes de la Gestapo. De même, officier de réserve, je ne puis supporter de voir comparer les soldats français aux sinistres SS de la Wehrmacht. »

Les plus hautes autorités du pays savaient donc. En 1957, Paul Teitgen, secrétaire général de la police à Alger, signe, pendant les sept premiers mois de la « bataille d'Alger », vingt-quatre mille assignations à résidence. C'était le seul moyen de connaître le nom des arrêtés, de savoir où ils étaient, et, en cas de disparition, de retrouver les responsables. Sur ce total, 3 024 personnes ne devaient jamais être retrouvées. Qui peut imaginer ce qui se passait au cours des interrogatoires « poussés » ? Paul Teitgen, ancien déporté, lorsqu'il donne pour la première fois sa démission au président du Conseil Guy Mollet, écrit : « En visitant le centre d'hébergement, j'ai reconnu sur certains assignés les traces profondes des sévices ou de tortures qu'il y a quatorze ans je subissais personnellement dans les caves de la Gestapo à Nancy[9]. »

---

9. Cité par P. VIDAL-NAQUET, *La Torture dans la République, op. cit.*

En septembre 1957, une *Commission de sauvegarde des droits et des libertés individuels*, composée de personnalités telles que l'ambassadeur André François-Poncet, le général André Zeller, l'avocat Maurice Garçon, le président du Conseil de l'ordre des médecins, Robert de Vernejoul, remet au gouvernement Bourgès-Maunoury son rapport sur la situation en Algérie. En voici un extrait : « A trois reprises, à quelques jours d'intervalle, à Aïn-Isser (préfecture de Tlemcen), à Mercier-Lacombe (préfecture de Mascara) et à Mouzaïa-Ville (préfecture de Blida), des indigènes, arrêtés comme suspects, ont été enfermés dans des caves à vin, contraints d'y passer la nuit, et une partie d'entre eux ont été mortellement intoxiqués par l'anhydride carbonique.

« Le 14 mars 1957, à Aïn-Isser, la énième compagnie du énième régiment d'infanterie arrête une centaine d'indigènes suspects, qui sont ainsi détenus dans un chai en attendant d'être interrogés.

« Ils appellent au secours durant la nuit, mais en vain. Le lendemain on découvre une cinquantaine de cadavres.

« Le lieutenant X..., commandant la compagnie, ordonne, affolé, à une corvée de charger les cadavres et de les disperser à une cinquantaine de kilomètres de là dans les broussailles, en zone interdite. Le commandant est toutefois avisé. Un ordre d'informer est délivré contre le lieutenant X... pour homicide par imprudence.

« Les mêmes faits se produisent à Mercier-Lacombe. Dans la soirée du 16 avril 1957, vingt-trois suspects sont écroués dans une cave à vin. On constate au matin l'asphyxie de seize d'entre eux. Le sous-lieutenant Y... et le commandant Z..., du énième régiment d'infanterie, sont punis d'arrêts de rigueur et une information est ouverte.

« Le 27 juin 1957, dans des conditions en tous points semblables, vingt et un hommes sont encore asphyxiés pendant la nuit dans une cave à vin à Mouzaïa-Ville.

« Si je m'arrête à ce cas particulier et particulièrement regrettable, c'est qu'il sera sans doute évoqué devant l'ONU. »

En 1959, le délégué général du gouvernement en Algérie, Paul Delouvrier, ordonne une enquête à propos du « regroupement » forcé des populations civiles algériennes par l'armée, dans les campagnes. L'enquête se déroule en mars

1959, et le rapport officiel fait état « d'un million de regroupés » (*in Le Monde*, 18 avril 1959). Le rapport officieux donne un chiffre plus élevé. Michel Rocard, alors stagiaire de l'ENA, écrit : « La politique de pacification fait qu'il y a actuellement deux millions d'Algériens en camp de concentration[10]. »

Au début de l'année 1959, dans le grand salon blanc de l'hôtel Matignon, les principaux responsables du « maintien de l'ordre en métropole » tiennent un « mini-conseil de guerre ». Objectif : comment modifier les règles de procédure pour interner plus facilement les « suspects » algériens immigrés en France ? Le directeur de la Sûreté nationale plaide pour l'internement par décision administrative, sans passer par les cours de justice. Un inconvénient : les camps d'internement sont déjà trop pleins. Faut-il en ouvrir d'autres ? « "Il m'est impossible de financer plus de cinq camps", s'obstina Giscard d'Estaing [à l'époque ministre des Finances]. Je ne sais plus qui proposa alors de faire travailler les détenus. "Cela remettra de l'ordre", s'extasia Vié [le directeur des Renseignements généraux]. "Une bien légère amélioration financière", grommela Giscard[11]. »

Grâce à l'obstination du garde des Sceaux, Edmond Michelet, la proposition de faire travailler les détenus ne fut pas retenue. Mais elle révèle l'état d'esprit qui régnait à l'époque, le zèle de certains fonctionnaires, la dynamique d'une répression pratiquée à grande échelle (44 282 Algériens ont été arrêtés en France pendant la durée du conflit) — toutes choses risquant d'entraîner progressivement le gouvernement à sortir de l'État de droit.

L'enfermement, sans jugement

Au cours des années 1956-1957, la police ne cesse en effet de prôner l'assignation à résidence des militants nationalistes algériens en métropole. Des camps d'assignation existaient

10. Sur ce rapport de M. Rocard, voir Kathleen EVIN, *Michel Rocard ou l'art du possible*, J.-C. Simoën, Paris, 1979, p. 48-50. Les extraits du rapport officiel publiés dans *Le Monde* sont reproduits dans *La Guerre d'Algérie*, dossier établi par Jean PLANCHAIS et Patrick ÉVENO, *op. cit.*, p. 224-228.

11. Constantin MELNIK, *Mille jours à Matignon*, Grasset, Paris, 1988, p. 19-20.

bien en Algérie, en vertu de la loi du 16 mars 1956, les fameux « pouvoirs spéciaux », mais pas en France. Cette mesure devait être élargie à la métropole, « c'est-à-dire qu'à tout moment, en tout lieu, elle puisse être mise à exécution sans condition préalable » (note interne des Renseignements généraux, « L'action répressive en métropole », mars 1961).

La loi du 26 juillet 1957 permet d'étendre à la France les dispositions fixées par la loi dite des « pouvoirs spéciaux ». Elle prévoit la possibilité d'astreindre à résidence, dans les lieux qui lui seront fixés sur le territoire métropolitain, toute personne qui sera condamnée en application des « lois sur les groupes de combat et milices privées ».

L'assignation à résidence ainsi instituée ne prévoit qu'une modalité d'application : l'internement dans un centre de séjour surveillé. On installe donc progressivement en métropole, entre 1956 et 1959, quatre centres d'assignation à résidence surveillée : Mourmelon-Vadenay (Marne), Saint-Maurice-l'Ardoise (Gard), Thol (Ain) et le Larzac (Aveyron). On achemine dans ces centres, dès l'expiration des peines dont ils ont été frappés, les militants considérés par les services de police comme les « plus actifs de la rébellion [dont le] retour à la liberté, c'est-à-dire aux menées séparatistes, présente un danger sérieux ». L'utilisation optimale de ces dispositions légales permettra d'obtenir, en deux ans, la signature de 6 707 arrêtés d'assignation à résidence, dont 1 860 seront mis à exécution.

L'offensive déclenchée en France par le FLN, en août 1958, est l'occasion d'un renforcement de ces dispositions[12]. L'ordonnance du 7 octobre 1958 comble alors les « lacunes » de la loi de 1957. Elle prévoit en effet « que les personnes dangereuses pour la sécurité publique, en raison de l'aide matérielle, directe ou indirecte, qu'elles apportent aux rebelles des départements algériens », peuvent, par arrêté du ministre de l'Intérieur, être astreintes à résider dans une localité

12. La Fédération de France du FLN décide l'ouverture d'un « second front » en portant la guerre en France (attaques de commissariats en région parisienne, incendies de raffineries de pétrole dans le Midi, sabotages de voies ferrées). Devant l'ampleur de la désapprobation de l'opinion publique française, le FLN fera marche arrière et suspendra les « actions militaires ». Sur cet aspect de la guerre, et les camps d'internement en France, *cf.* Benjamin STORA, *Histoire politique de l'immigration algérienne en France*, thèse d'État, 1991, chap. XVII.

spécialement désignée ou bien être internées administrativement dans un établissement pénitencier. Dans les départements, les préfets sont habilités à prononcer un internement analogue pour une durée de quinze jours. Enfin, en accord avec le délégué général du gouvernement en Algérie, le ministre de l'Intérieur peut assigner à résidence dans des départements algériens les personnes visées par l'article 1er de l'ordonnance.

Par rapport aux textes antérieurs, cette ordonnance présente plusieurs « avantages ». Les services des Renseignements généraux en métropole la commentent ainsi : « En premier lieu, il convient d'enregistrer la suppression, depuis longtemps souhaitée, de toute condition préalable, d'ordre judiciaire, à l'internement. Cette exigence paralysante a définitivement disparu. En second lieu, l'application de l'ordonnance offre d'indiscutables garanties de rapidité et d'efficacité. » (Note des Renseignements généraux, mars 1961.)

Le 16 septembre 1959, au moment où le général de Gaulle prononce son discours sur l'autodétermination algérienne, 11 018 militants algériens sont sous le coup de mesures répressives : 5 971 purgent des peines de prison et 5 047 sont internés dans des camps en métropole.

Entre 1957 et 1962, on peut estimer à environ 10 000 le nombre d'Algériens qui, après avoir été jugés, ont passé entre un et deux ans dans les camps en France. Ils ne sont pas comptabilisés dans les statistiques officielles concernant la détention algérienne pendant cette période. Les 5 000 internés de février 1961 sont répartis dans les différents camps de la manière suivante : 3 000 au Larzac, 900 à Thol, 600 à Saint-Maurice-l'Ardoise, 500 à Mourmelon-Vadenay. En 1962, les harkis et leurs familles seront hébergés dans certains de ces camps.

Tortures, déplacements massifs de population, internements arbitraires, l'État ordonne, mais s'avance masqué. Ruses autorisées, mensonges conscients, tromperies délibérées : les gouvernements successifs interdisent au citoyen de voir, de découvrir l'injustice, non parce qu'ils veulent l'abolir, mais parce qu'ils veulent en conserver le monopole. Cette politique sera particulièrement ferme dans le domaine du cinéma et de la télévision. On s'étonne aujourd'hui de la rareté relative des images d'archives relatives à la guerre d'Algérie, qui contraste spectaculairement avec l'abondance d'outre-Atlantique sur la guerre du Vietnam. C'est qu'il s'agit là de l'un des mécanismes majeurs d'occultation de la réalité de la guerre, très tôt mis en place par la censure, l'autocensure et la fabrication d'images de propagande.

3

Des images qui fabriquent la paix

Dans une émission de télévision diffusée en avril 1991, le réalisateur Philippe de Broca, qui fut reporter au Service des armées pendant la guerre d'Algérie, raconte : « Si je filmais des soldats français commettant des actes de violence, l'officier censurait immédiatement ces séquences. Alors, petit à petit, je ne les filmais plus[1]. »

Le cinéma sous la censure

En Algérie, c'étaient les « événements », et cette minimisation langagière d'une guerre s'impose au niveau de l'image. Elle se devait d'être à la mesure de la situation voulue, appréciée par le discours étatique français. Ni tragique ni légère, l'image est décrétée simplement « événementielle » ou « non événementielle ». Au cinéma, les films qui veulent donner à réfléchir, montrer une autre réalité, raconter des histoires différentes se trouvent écartés, censurés. *Le Petit Soldat*, de

1. Émission de télévision, « La vérité sur les mensonges », documentaire diffusé sur M6, le 17 avril 1991.

Jean-Luc Godard, tourné en 1959, ne pourra sortir qu'en 1963, après la fin de la guerre d'Algérie. En septembre 1960, le député Jean-Marie Le Pen demande l'expulsion du cinéaste suisse, et Louis Terrenoire, ministre de l'Information, justifie ainsi l'interdiction du film : « A un moment où toute la jeunesse française est appelée à servir et à combattre en Algérie, il paraît difficilement possible d'admettre que le comportement contraire soit exposé, illustré, et finalement justifié[2]. »

En mars 1959, le *Muriel* d'Alain Resnais, qui tournait autour de la torture, est également censuré. Il en est de même des films de René Vautier, *Afrique 50* et *Algérie en flammes* (tournés en 1957 avec l'aide du FLN) ; et de celui de Jacques Panijel, *Octobre à Paris*, qui traite des ratonnades d'immigrés algériens le 17 octobre 1961. Et de *Les statues meurent aussi*, cet autre film sobrement anticolonialiste d'Alain Resnais. Plus exemplaire encore est le sort réservé au film d'un instituteur marseillais, Paul Carpita, *Rendez-vous des quais*. Fils d'un docker et d'une poissonnière, Carpita raconte une histoire d'amour toute simple, tournée en plus d'un an avec des acteurs non professionnels, avec la grève des dockers et la guerre d'Indochine pour toile de fond[3]. Et c'est là que le bât blesse : on ne peut aborder une guerre coloniale, alors qu'une autre commence. Le 12 août 1955, le film est interdit par le ministère de l'Industrie et du Commerce (alors en charge du CNC) avec le motif suivant : « Ce film retrace (ce dont ne fait pas état le synopsis) une grève déclenchée par les dockers de Marseille, sous un prétexte syndical, pour mener une action contre la guerre d'Indochine. Il contient des scènes de résistance violente à la force publique. Sa projection est de nature à présenter une menace pour l'ordre public. »

Paul Carpita sera oublié par les professionnels du cinéma qui le considéraient en général comme un « amateur ». Son film disparaît jusqu'en 1989, où le cinéaste J.-P. Daniel en retrouve une copie dans les archives du cinéma de Bois-

2. Thomas SOTINEL, « Algérie, la guerre sans images », *Le Monde*, 26-27 août 1990.

3. Des extraits de ce film ont été diffusés sur FR3, le 13 février 1991, dans le cadre de l'émission « La Marche du siècle » consacrée à la censure de guerre.

d'Arcy[4]. Cette interdiction brutale, qui intervient dès le début de la guerre d'Algérie, aura pour conséquence d'entraver toute production grand public autour du thème de l'Algérie en guerre. Il faudra attendre, quatre ans plus tard, l'émergence de la « nouvelle vague », équipe groupée autour des *Cahiers du cinéma*, pour que l'on sente, devine une guerre qui dure. Leur cinéma traduit, exprime, les « déconstructions » politiques, idéologiques, culturelles qui travaillent alors la société en profondeur.

Le vrai choc vient d'*A bout de souffle* de Jean-Luc Godard, en 1960. A l'image des bouleversements que vit la France, un « héros » marche vers son destin inéluctable... On sait que tout est joué dès les premières séquences. Mais cette tragédie baigne dans l'air de la désinvolture, dans l'odeur des Gitanes papier maïs que fume l'une après l'autre, comme s'il ne voulait pas que ce soit la dernière, un Belmondo qui va mourir. *A bout de souffle* racontait-il l'histoire de ceux qui allaient rejoindre les Aurès ? Il était, en tout cas, pour la « génération algérienne », un film-miroir. On retrouvera, parmi les signataires du célèbre « Manifeste des 121 » pour le droit à l'insoumission, publié en 1960, plusieurs membres de l'équipe des *Cahiers du cinéma*, dont Jacques Doniol-Valcroze, le fondateur de la revue, et Pierre Kast[5]. On verra dans la même liste Alain Resnais, François Truffaut, entourés par les membres de la rédaction d'une autre revue, *Positif*, Robert Benayoun, Raymond Borde, Gérard Legrand, Louis Seguin.

Comme il se doit, à défaut d'avoir pu se faire le reflet direct de cette guerre, le cinéma de l'époque en est profondément marqué. *Muriel, ou le temps d'un retour*, d'Alain Resnais, a pour personnage central un jeune homme qui ne peut oublier les atrocités qu'il a vues en Algérie. Jean Cayrol, l'auteur du scénario, explique : « Ce film est une tentative de toutes mes forces pour reprendre le monde à l'endroit précis où l'actualité, la politique, la vie sociale, l'abandonnent.

---

4. Édouard WAINTROP, « Le deuxième rendez-vous des quais », *in Libération*, 13 février 1990. Paul Carpita « récidivera » en 1960, avec *Récréation*, où un instituteur évoque ses souvenirs d'enfance en songeant à son meilleur ami récemment tué en Algérie.

5. Antoine DE BAECQUE, *Histoire d'une revue, Les Cahiers du cinéma*, Éd. des Cahiers du cinéma, Paris, 1991, 315 p.

C'est un essai de réhabilitation de l'homme au cœur de ses épreuves. Ce film veut témoigner que "jamais rien n'est pire". L'histoire vraie peut commencer à la fin du film[6]. »

Et c'est précisément ce que l'écrivain algérien Rachid Boudjedra reproche à *Muriel*. Ce film, qui révèle l'attitude des Français face aux « événements », ne veut pas traiter de l'histoire vraie. Il montre la guerre comme un souvenir encombrant : « *Muriel* n'est pas un film sur l'Algérie, mais un film où il est question d'Algérie comme une pensée gênante que chacun cherche à oublier. Comme le dit l'ami tortionnaire au protagoniste : "Tu veux raconter Muriel ? Muriel, ça ne se raconte pas[7]." »

Cette expérience de la guerre qui provoque l'impossibilité de communiquer avec les autres se retrouve également dans *Adieu Philippine*, de Rozier (1961). « Dédé », revenant d'Algérie, face aux questions d'une famille bien intentionnée, répond : « Je n'ai rien à dire. » Dans *La Belle Vie*, sorti en 1963, Robert Enrico fait dire à son personnage, Frédéric : « Vingt-sept mois, ça ne vous suffit pas, et à Pontoise, hein, le bled, les pistons, la trouille... Vingt-sept mois, y a intérêt que ça finisse, non ? » Lui aussi ne veut plus rien dire. La réalité, dans *La Belle Vie*, apparaît, de manière fugitive, à travers les sons d'une radio. On y entend un commentateur déclarer, à propos de la manifestation du 17 octobre 1961, d'une voix neutre que « cette manifestation s'est soldée par onze mille cinq cents arrestations et [que] mille cinq cents musulmans seront rapatriés dans leur douar d'origine... ».

Les films qui montrent la guerre, directement, sans fard, comme ceux de Yann Le Masson, *J'ai huit ans* (la guerre d'Algérie vue à travers le psychodrame qu'animent des enfants algériens par leurs dessins), ou de René Vautier (qui tourne des documents sur le bombardement de Sakiet-Sidi-Youssef), ne sont pas du tout diffusés en France. Ils emprunteront le circuit du cinéma parallèle.

Aucun film n'évoquera donc directement la guerre d'Algérie pendant qu'elle se déroule. D'où vient alors cette impression diffuse que l'image de la guerre d'Algérie a existé dans

---

6. *Encyclopédie du cinéma*, tome 5, Grammont, Lausanne, 1977, p. 259.
7. Rachid BOUDJEDRA, *Naissance du cinéma algérien*, Maspero, Paris, 1971, p. 27.

les esprits, a pénétré dans les familles françaises ? Et comment expliquer que la première phase du conflit (1954-1958), bien qu'elle ait été couverte par des journalistes de talent (on pense à Robert Barrat, Jean Daniel, Albert-Paul Lentin, Serge Bromberger...), bien que les deux bords (Français et Algériens) aient alors cherché à mobiliser l'opinion, n'ait pas eu le retentissement que connut la seconde, après l'arrivée au pouvoir du général de Gaulle (1958-1962) ? L'irruption massive de la télévision y est sans doute pour beaucoup.

La télévision propagande

Il n'existe alors qu'une seule chaîne qui diffuse en noir et blanc une cinquantaine d'heures de programmes par semaine (aujourd'hui sept chaînes proposent environ 800 heures de programmes en couleurs par semaine). De 800 000 postes en 1958, on passe à près de trois millions en 1962. Certes, un homme-tronc, coincé par l'étroitesse d'un studio banal, récite des « nouvelles », quelquefois illustrées d'images, généralement muettes. Mais surtout, cette période est celle où le général de Gaulle apprend à jouer de l'instrument cathodique à son profit. Multipliant les conférences de presse, prenant à partie le téléspectateur qu'il regarde « les yeux dans les yeux », maniant la boutade et la métaphore, il n'y a pas alors d'autre star du petit écran que « le grand homme ». Pendant la première phase de la « république gaullienne », il n'existe pas non plus d'autre information audiovisuelle que celle qu'il contrôle de près[8], comme s'il avait tenté de compenser l'influence de la presse écrite, jugée malveillante à son égard.

L'idéologie qui préside à l'information se veut « apolitique ». Selon Alain Peyrefitte, alors ministre de l'Information, « le journal télévisé doit être le journal de tous les Français. Il doit être dépolitisé en ne donnant que les faits, les images, les dialogues, *sans commentaires* » (souligné par nous). Ce qu'il oubliait de préciser, c'est que le menu du journal du soir était préétabli, chaque jour, par le Service de liaisons interministérielles (SLI), composé de douze membres

8. Sur cet aspect, voir le documentaire de Jérôme BOURDON et Marcel TEULADE, « La télé du Général », diffusé sur Antenne 2 le 17 octobre 1990.

du gouvernement ; cet organisme suivait les journalistes considérés comme peu sûrs. L'analyse politique avouée et la censure précèdent l'information distillée.

Le journal télévisé illustre, au plan formel, les préceptes de l'information. Deux attitudes se dessinent alors au niveau de l'image et de son commentaire. La première, jusque vers la fin de l'année 1959, insiste sur la puissance militaire française déployée en Algérie (défilés de troupes, prises d'armes aux cérémonies, présence de bateaux de guerre mouillant dans les ports...). La litanie de la force de frappe, et de la supériorité sur les « rebelles » algériens, s'égrène, insistante. Mais toutes ces armes montrées servent à expliquer justement que l'on ne s'en sert pas : l'armée est victorieuse, protège les populations civiles. La seule image possible de nationalistes algériens arrêtés est celle de « chefs rebelles », de « meneurs », visages défaits, entourés de spectateurs passifs. La guerre n'existe pas (plus ?). Les soldats français n'ont du soldat que l'uniforme. On les voit toujours soigner, construire, enseigner.

En 1956, c'est la création des SAS (sections administratives spéciales). Les SAS « instruisent, soignent, conseillent, ramènent la confiance et gagnent les cœurs des populations[9] ». L'image que l'on veut donner des SAS, on peut la retrouver à la une du journal d'information militaire, *Le Bled*, distribué à 200 000 exemplaires. On y voit, le 1er juin 1956, la photographie d'un officier des SAS avec deux enfants algériens qui lui sourient. La légende explique : « Vous êtes les meilleurs éléments de contact avec la population. »

Le Service cinématographique de l'armée (SCA), qui fournit l'essentiel des informations visuelles à la télévision balbutiante, ignore la qualité de combattant : les soldats français protègent et pacifient face à des insurgés algériens qui détruisent et sèment la terreur. Les images de la tuerie de Melouza (300 villageois assassinés par une unité de l'ALN pour « sympathies messalistes ») sont ainsi largement diffusées en juin 1957. Images d'une guerre invisible qui oppose les Algé-

9. *Le Bled*, n° 81, 29 octobre 1957, p. 10-11. Bimensuel à ses débuts, *Le Bled* devient hebdomadaire en juillet 1956. Dans une enquête publiée en 1961, ce journal affirme bénéficier « d'un noyau de lecteurs assidus de 270 000 militaires ».

riens entre eux (et pas à la France), confortant l'idée d'un ennemi sanguinaire, extérieur à la paix qui règne en Algérie[10].

Dans le journal télévisé diffusé en Algérie, il n'y a pas, non plus, de guerre. En pleine « bataille d'Alger », les séquences se distribuent ainsi : 10 janvier 1957, le général Massu, nommé préfet militaire, parade aux côtés de Robert Lacoste ; 12 janvier, décoration d'officiers et de mutilés de guerre ; 24 janvier : arrivée au port d'Alger de bateaux militaires... Au hasard encore, toujours dans cette même période : le 21 mai 1957, alors que Guy Mollet démissionne, distribution de cadeaux à des militaires blessés ; le 9 juin, alors qu'une bombe explose au casino de la Corniche, images de Robert Lacoste inaugurant un chantier de logements et assistant à une fête scolaire ; le 20 juillet, toujours en pleine « bataille d'Alger », visites aux blessés et inauguration de chantier... Et à l'extérieur de la capitale, les images paisibles d'une vie quotidienne qui se poursuit : une messe à Ketchaoua le 14 avril 1957, une deuxième, toujours à Ketchaoua le 23 juin, une troisième à Staouili le 20 avril, une quatrième à Sidi-Ferruch le 21 avril, et une autre à Douéra. La conception d'une armée de non-bataille, capable de dissuader l'adversaire par sa maîtrise technique, s'impose.

Après le discours du général de Gaulle du 16 septembre 1959 sur l'autodétermination, une deuxième période s'ouvre. Les séquences clés du journal télévisé préparent l'opinion à une « Algérie nouvelle » liée à la France. L'accent est mis sur les réalisations : « Plan de Constantine », infrastructures pétrolières, construction de réseaux routiers. Des images de machines agricoles et d'ouvrages d'art viennent illustrer ces propos. On voit beaucoup l'officier SAS qui incarne, avec l'infirmière, l'œuvre de l'armée : chantiers de construction, assistance médicale, mise en culture des terres. La guerre, encore une fois, n'est jamais traitée à l'image.

---

10. Images visionnées par l'auteur pour le documentaire *Les Années algériennes*, diffusion Antenne 2, 1991. Sur le journal diffusé en Algérie, voir Mouny BERRAH, « Le Journal télévisé colonial ou le comment faire », *in Algérie-Actualité*, n° 942, 3-9 novembre 1983 ; sur les images de l'armée, voir Évelyne DESBOIS, « Des images en quarantaine. Guerre d'Algérie, une mémoire amputée de ses images », *in La Guerre d'Algérie et les Français*, sous la direction de Jean-Pierre RIOUX, Fayard, Paris, 1990.

Elle fait son apparition, et c'est cela la grande nouveauté qui frappe l'opinion, avec le magazine « Cinq colonnes à la une ». Elle pénètre pour la première fois en force dans le salon, dans l'intimité de la salle à manger... Toute une génération de téléspectateurs n'oubliera jamais ces images incroyables. Les voilà qui suivent une journée du « sergent Robert », dès la première émission, le 16 janvier 1959. On le voit assurer des cours dans l'école du village, et partir en opération... Premières images de guerre, crépitement des mitraillettes sur la bande-son, survol d'avion... Trente ans après, le « sergent Robert », très ému, nous expliquera que cette opération-là était en fait simulée pour les besoins de la caméra... Les téléspectateurs sont bouleversés par ce médecin pied-noir, interviewé en contre-jour, après le putsch des généraux d'Alger d'avril 1961, exprimant son désespoir entre deux sanglots. C'est l'apparition de la réalité « pied-noir », mais toujours l'absence de la figure des Algériens.

Gommé dans les films de fiction, supprimé dans l'information, le colonisé apparaît en revanche curieusement au premier plan dans les documentaires de l'armée. Évelyne Desbois note à ce propos : « En opération, le soldat et *a fortiori* la caméra ne voient jamais l'ennemi. Ici, loin des combats, il se dérobe encore à l'occupant et à sa caméra. Quand l'image ne fait pas son devoir, c'est au son de la remplacer. Dans ce film (de l'armée), si l'image ne réussit pas à rendre compte de la paix, le commentaire vient corriger la mauvaise impression. Dans la scène du marché, pendant que la caméra balaie des visages détournés et des paupières baissées, on nous dit que "la confiance et la détente sont revenues à Sidi-Yokba, et l'activité de ce marché en témoigne"[11]. »

Les seules images d'une vraie guerre étaient diffusées aux États-Unis par Fox Movietone, jamais en France. On ne les verra que trente ans plus tard, dans le documentaire anglais de Peter Baty, *La Guerre d'Algérie*, diffusé en 1990[12] ; et dans le premier documentaire français sur la question, *Les Années algériennes*, diffusé en 1991.

---

11. Évelyne DESBOIS, *art. cit.* ; voir également Abdelghani MEGHERBI, *Les Algériens au miroir du cinéma colonial. Contribution à une sociologie de la décolonisation*, SNED, Alger, 1982, 282 p.

12. Et accompagné de la parution de l'ouvrage de Peter BATY, *La Guerre d'Algérie*, Barrault, Paris, 1989.

4

La divulgation des secrets, l'indifférence des Français

Les « secrets » de cette guerre jamais nommée se divulguent nécessairement. Il y a ce qui relève de la volonté de l'État, pour qui les secrets constituent des fondements de la stabilité sociale, nationale (car si tout se savait, tout volerait en éclats...) ; et ce qui relève des consciences individuelles.

Les camps d'internement où sont placés ceux qui n'ont pas été jugés, ces prisons remplies de détenus politiques, ces lieux où sont regroupés les populations civiles constituent le ventre sombre destiné à engloutir à jamais le secret, l'abjection. Les protestations contre cet état de fait construisent des réseaux de divulgation, des connivences de solidarité.

Premiers réseaux

Le 15 janvier 1955, l'écrivain François Mauriac publie dans *L'Express* un article qui s'intitule, déjà, « La question ». Dans le même temps, le journaliste Claude Bourdet dénonce lui aussi ce qu'il appelle « Votre Gestapo d'Algérie » dans *France-Observateur*. L'information sur cette guerre circule très vite, grâce, notamment, aux militants de l'extrême gauche française, essentiellement les groupes anarchistes et trotskistes. Partisans résolus de l'indépendance algérienne, ces premiers « porteurs de valises » ne se montrent pas surpris par l'insurrection du 1er novembre 1954. Depuis des années, les militants de cette mouvance ne cessent de dénoncer le fait colonial, prédisent des explosions inévitables. Ils défendent activement la thèse de l'indépendance algérienne, expliquant que la désagrégation de la puissance coloniale française crée une situation politique favorable à la lutte révolutionnaire en France. En soutenant sans condition les nationalistes algériens, ils placent au centre de leur argumentation l'idée que la lutte des Algériens a valeur d'exemple, car les revendications des colonisés « expriment une contestation radicale de l'exploitation, un besoin d'humanisation de la société, bref, une universalité qui déborde les conditions particulières de la lutte, les rattachant au mouvement socialiste, les rendant contemporaines des revendications ouvrières[1] ». Ces groupes portent les débuts d'une conception « tiers-mondiste », qui se développera sur une grande échelle dans les années soixante.

Dans les milieux intellectuels anticolonialistes, la guerre d'Algérie devient une nouvelle « affaire Dreyfus ». Déjà, au début de 1953, Daniel Guérin se voit ouvrir les colonnes des *Temps modernes* pour traiter des problèmes nord-africains[2]. Déjà, la colonisation est radicalement condamnée. Déjà, il est affirmé que « le drame nord-africain, c'est, en dernière analyse, un peu aussi le drame de la gauche française[3] ». Claude Bourdet intervient aussi dans la revue sur les problèmes du Maroc. En novembre 1953, le leader tunisien Habib Bourguiba écrit un article[4].

En 1954-1955, Pierre Mendès France est âprement critiqué sur sa politique algérienne. En octobre 1955, l'éditorial des *Temps modernes* consacré à l'Algérie s'intitule « Refus d'obéissance[5] » : « La France, en Afrique du Nord, doit

1. « Prolétariat français et nationalisme algérien », *Socialisme ou barbarie*, mai 1958.

2. Daniel Guérin, « Pitié pour le Maghreb », *Les Temps modernes*, n° 87. janvier-février 1953, p. 1191-1219.

3. *Ibid.*, p. 1219.

4. Habib Bourguiba, « Le syndicalisme tunisien de M'Hamed Ali à Ferhat Hached », *Les Temps modernes*, n° 96, novembre 1953, p. 897-908.

5. Éditorial signé « Temps modernes », « Refus d'obéissance », *Les Temps modernes*, n° 119, octobre 1955.

aujourd'hui régner par la terreur, ou s'effacer. » Le numéro suivant, consacré à la guerre, porte pour titre général : « L'Algérie n'est pas la France[6]. »

Les militants d'extrême gauche, peu nombreux, connaissent fort bien la trajectoire compliquée du nationalisme algérien depuis l'entre-deux-guerres, suivent avec attention la crise qui secoue le PPA/MTLD à partir de 1952[7]. La plupart ont pris position pour Messali Hadj, symbole à leurs yeux de la continuité de la lutte nationaliste depuis 1926, contre ses adversaires, les « centralistes », jugés trop « réformistes ». Il n'est donc pas étonnant de trouver, après le 1er novembre 1954, les multiples déclarations de Messali Hadj et de son mouvement, le MNA (Mouvement national algérien), reproduites dans les journaux trotskistes, ou anarchistes[8]. C'est pourquoi, dès novembre 1954, le journal *Le Libertaire*, organe de la Fédération communiste libertaire, et *La Vérité* du PCI (trotskiste) sont systématiquement saisis à leur arrivée en Algérie. Procès, amendes financières, saisies se succèdent en France.

Tout au long de l'année 1955, les organisations d'extrême gauche, les intellectuels impulsent de nombreux comités pour soutenir la cause de l'indépendance algérienne :

— le Comité pour la libération immédiate de Messali Hadj et de toutes les victimes de la répression, créé en novembre 1954 ; y participent, entre autres, Jean Cassou, Marceau Pivert, André Breton, Yves Dechezelles, Alexandre Hebert, Yves Jouffa ;

— le Comité de lutte contre la répression colonialiste, créé le 9 décembre 1954, animé par Daniel Guérin, des membres de *Socialisme ou barbarie*, des trotskistes ;

---

6. *Les Temps modernes*, n° 120, novembre 1955.

7. Voir Benjamin Stora, *Nationalistes algériens et révolutionnaires français au temps du Front populaire*, L'Harmattan, Paris, 1987. Rappelons que le Parti du peuple algérien (PPA) avait été fondé en 1937 par Messali Hadj, à la suite de la dissolution, par le gouvernement français, de L'Étoile nord-africaine, organisation dont il était le secrétaire général et qui réclamait, depuis sa fondation à Paris, en 1926, l'indépendance de l'Algérie. Interdit en 1939, le PPA se reconstitua à la Libération sous l'appellation Mouvement pour le triomphe des libertés démocratiques, MTLD (cf. *infra*, IIe partie).

8. Ainsi dans *Le Libertaire*, n° 410, 23 décembre 1954, on trouve un long message de Messali Hadj pour un meeting (interdit) de décembre 1954. *Le Libertaire*, n° 423, du 24 mars 1955, retrace l'histoire de la presse du nationalisme algérien, et met l'accent sur la *Voix du peuple*, journal du MNA.

— le Comité pour la libération de Pierre Morain et pour la défense des libertés démocratiques, fondé en août 1955, sous l'impulsion de Claude Bourdet, Georges Fontenis, Claude Gérard, Louis Houdeville, Daniel Renard ; il publie, à l'automne 1955, une brochure : *Un homme, une cause : P. Morain, prisonnier d'État* ;
— le Comité contre l'exécution de Ben Boulaïd, créé en juillet 1955 à l'initiative de Robert Cheramy, avec Robert Barrat. On y trouve les signatures de Gilbert Cesbron, François Mauriac, Jean-Marie Domenach, Jean Rous, Laurent Schwartz.

D'autres comités, impulsés par des militants de gauche et d'extrême gauche, se développent :
— le Comité d'action des intellectuels contre la poursuite de la guerre en Afrique du Nord, avec Laurent Schwartz, qui organise un meeting à la salle Wagram le 27 juin 1955 ;
— le Comité pour l'amnistie aux condamnés politiques d'outre-mer, animé par le professeur Massignon, qui « invite le chef de l'État à suspendre l'exécution des peines capitales », le 11 juillet 1955 ;
— le mouvement pour la justice et la liberté outre-mer, avec Jean Rous, Louis Houdeville, Marceau Pivert, qui demande « l'arrêt des hostilités », en 1955.

A la fin de l'année 1955, une interview et un livre bousculent les idées reçues, brouillent la conception du nationalisme algérien que la gauche française pouvait avoir jusque-là. L'interview réalisée dans les maquis de Kabylie par Robert Barrat, pour *France-Observateur*, fait connaître le FLN en France[9]. Krim Belkacem et Amar Ouamrane y expliquent comment est née l'organisation clandestine FLN, comment se structurent les maquis, comment Messali Hadj a perdu son emprise sur les maquis constitués sur le sol algérien : « Quant à Messali, il a encore des partisans en France ; en Algérie son nom demeure populaire mais son autorité n'existe pratiquement plus. Le peuple algérien fait de plus en plus bloc avec nous. » Les deux responsables insistent sur le fait que c'est le FLN, seul, qui a déclenché l'insurrection du 1er novembre 1954.

---

9. Robert BARRAT, « Un journaliste français chez les "hors-la-loi" algériens », *France-Observateur*, 15 septembre 1955.

En Algérie donc, c'est le FLN qui sélectionne les cadres et constitue les hiérarchies, impose dans les esprits le primat de la révolution, établit les filières, réinvente la guerre, bref, met le pays en état d'insurrection. Et, surtout, le FLN a organisé le 1er novembre 1954, ses militants ont « tiré les premiers ». Il doit donc être considéré comme le seul interlocuteur, sans autre justification que l'antériorité et l'audace d'avoir déclenché le conflit. Au cours des mois et des années suivantes, cette conception va s'affirmer de plus en plus dans la gauche française.

Après l'entretien de Robert Barrat, qui « lance » le FLN en France, le débat va s'amplifier avec la sortie, en décembre 1955, du livre de Francis et Colette Jeanson, *L'Algérie hors-la-loi*[10]. Cet ouvrage prend nettement parti pour le FLN.

Un positionnement envers l'une ou l'autre des deux organisations nationalistes algériennes commence à s'opérer dans l'intelligentsia française anticoloniale. Cela se traduit dans le meeting organisé par le Comité d'action des intellectuels, à la salle Wagram, le 27 janvier 1956, présidé par Jean-Jacques Mayoux. La tribune, composée de Daniel Guérin, Jean Rous, Me Stibbe, André Mandouze, Jean Dresch, Jean-Paul Sartre, Aimé Césaire, Robert Barrat, se divise lorsqu'il s'agit de donner la parole à un représentant du MNA, Moulay Merbah. Ce dernier réussit, après de multiples tractations, à prendre la parole « comme représentant du nationalisme algérien ». Mais c'est là une victoire à la Pyrrhus. La plupart des orateurs français, à l'exception de Jean Rous et de Daniel Guérin, ont déjà fait valoir leur préférence pour le FLN.

Pour une grande partie de la « gauche nouvelle » et intellectuelle, le FLN a le mérite, essentiel en la circonstance, d'avoir su organiser les maquis, la lutte armée. Plus politisée, la lutte du MNA est moins immédiatement efficace, seulement sensible dans l'immigration en France. Pour André Mandouze, « Messali, dépourvu de cadres en Algérie, ne pouvait rivaliser avec le FLN sur le plan de la lutte réelle[11] ».

10. Francis et Colette JEANSON, *L'Algérie hors-la-loi*, *op. cit.*

11. André MANDOUZE, *Consciences maghrébines*, réédition en mars 1956 par le FLN.

La gauche nouvelle et la gauche intellectuelle font un véritable transfert de combativité et d'affectivité révolutionnaires : la lutte armée du FLN est compensatrice de l'absence de perspectives révolutionnaires en France. A un certain moment, on en viendra même à imaginer que la lutte politique en France puisse se développer en prolongement de l'action du FLN, et en alliance avec celui-ci. Ce que suggère Jean-Paul Sartre lorsqu'il prend la parole au meeting du 27 janvier 1956 : « La seule chose que nous puissions et devrions tenter, mais c'est aujourd'hui l'essentiel, c'est de lutter aux côtés du peuple algérien pour délivrer à la fois les Algériens et les Français de la tyrannie coloniale. »

On voit combien toute l'orientation politique des *Temps modernes* sur l'Algérie en 1960 est déjà impliquée par ces phrases prononcées en 1956. Maurice Clavel, favorable au MNA, mettra en garde « les anticolonialistes contre un idéalisme sentimental momentané qui, par fraternité avec le peuple algérien, mènerait à un flirt exclusif avec le FLN[12] ».

Mais il n'est pas écouté. Le comportement d'une partie de la gauche à l'égard du FLN répond à une exigence plus morale que politique. La démarche est affective, sous-estime les facteurs politiques et idéologiques, ne retient que l'aspect « lutte armée » avec d'autant plus d'exaltation qu'elle ne trouve pas d'exutoire dans le contexte français.

Des polémiques entre intellectuels ou à l'intérieur de petits cercles politiques ; l'existence de multiples comités pour les libertés ; des articles dans *France-Observateur* ou *L'Express*, la sortie du livre des Jeanson (lui répondront, en 1956, le général Boyer de la Tour, avec *Vérités sur l'Afrique du Nord*, et, surtout, Jacques Soustelle, avec *Aimée et souffrante Algérie...*), tout cela ne doit pas faire illusion. L'impact des débats reste faible dans l'opinion publique. Au total, comme le souligne Pierre Vidal-Naquet, il faut attendre le retour en France des premiers soldats, leurs témoignages, pour que tout commence à changer[13].

12. Sur l'attitude de Maurice Clavel pendant la guerre d'Algérie, voir Benjamin STORA, *Messali Hadj*, L'Harmattan, Paris, 1986, 301 p.

13. Pierre VIDAL-NAQUET, « Une fidélité têtue, la résistance française à la guerre d'Algérie », *XXe Siècle*, juin 1986, p. 14. (Repris dans Pierre VIDAL-NAQUET, *Face à la raison d'État*, La Découverte, Paris, 1990.)

Les soldats, ou le trouble dans les familles

Les premiers rappelés étaient partis en septembre 1955. Après le vote des « pouvoirs spéciaux » le contingent est envoyé massivement à partir de Pâques 1956. Le service militaire est porté à vingt-sept mois. Cette fois, l'onde de choc de la guerre d'Algérie traverse toute la société française. Des jeunes de vingt ans, des pères de famille venus des quatre coins de la France, de toutes les couches sociales, des centaines de milliers de Français sacrifient jeunesse, métier, femme et enfants, pour « pacifier » trois départements de la République.

A l'époque, explique Jean-Pierre Vittori, qui écrira un ouvrage de référence sur les soldats d'Algérie[14], « le service militaire n'était pas remis en question comme de nos jours. En 1956, c'était un devoir. Sur place, le contingent était passif. Il obéissait aux ordres, sans plus. Personne ne comprenait les raisons essentielles du conflit. C'était la guérilla. On ne savait pas sur qui on tirait. L'ennemi était invisible. Confusion générale. Chacun d'entre nous se laisse entraîner dans l'engrenage infernal de la guerre. Un civil égorgé. Un camarade tué à côté de soi dans une embuscade. Il fallait défendre notre peau. On avait peur[15] ». Ce qui n'empêche pas Max Lejeune, secrétaire d'État aux Forces armées chargé des affaires algériennes, de clamer : « Tous nos soldats ont accepté avec courage la mission définie par le gouvernement[16]. »

Mais ce contingent, si « passif » en 1956, ne s'était-il pas révolté à la fin de l'année 1955 ? Par milliers, les soldats n'avaient-ils pas, à ce moment, demandé « la paix en Algérie », et refusé d'embarquer dans les bateaux, fait arrêter les trains ? Pour Jean-Louis Hurst, qui désertera de l'armée française, cette grande colère des soldats rappelés en 1955 ne s'explique pas par une prise de conscience politique anticoloniale ; plutôt par un : « Je veux me marier, j'en ai rien à foutre de vos colonies[17] ! » Explication largement corro-

14. Jean-Pierre VITTORI, *Nous, les appelés d'Algérie*, Stock, Paris, 1977, 320 p.
15. Pierre-Philippe THIBAULT, « Vingt ans après, les soldats d'Algérie sont regroupés dans trois puissantes associations », *Le Matin de Paris*, 23 mars 1977.
16. *Le Bled*, n° 12, 15 juin 1956, p. 3.
17. Jean-Louis HURST, « Déserter pour l'Algérie... et la France », *Révolution*, octobre 1988.

borée par de nombreux témoignages, dont celui de Maurice Nave : « Rappelé le 25 août 1955 alors que je viens tout juste de terminer mon service, je participe aux manifestations de rappelés de la gare de Lyon, simplement pour retrouver ma femme, mon job. Je suis loin de songer à l'Algérie indépendante. D'ailleurs, je ne serai jamais tout à fait pour. Il y avait tout de même des Français là-bas[18]. »

Pourtant, certains qui se sont engagés dans un conflit qui les dépasse réclament une cure de vérité. Un immense besoin de dire ce qui a été tu, et supporté dans le secret des cœurs, s'empare de quelques-uns d'entre eux.

A partir de la mi-février 1957, l'hebdomadaire *Témoignage chrétien* publie ainsi « Le dossier Jean Müller », rappelé en Algérie : « Nous sommes loin de la pacification pour laquelle nous aurions été rappelés ; nous sommes désespérés de voir jusqu'à quel point peut s'abaisser la nature humaine et de voir des Français employer des procédés qui relèvent de la barbarie nazie. » En mars 1957, certains rappelés font paraître une brochure, *Des rappelés témoignent*, sous l'égide d'un « Comité de résistance spirituelle ». On y découvre des témoignages qui disent : « Je pensais au gamin que j'imaginais terrorisé au fond de la remorque de jeep où il avait été enfermé la nuit. Or, c'était le gosse qu'on torturait. » En avril, la revue *Esprit* fait paraître le récit accablant de Robert Bonnaud, « La paix des Nementchas » : « Si l'honneur de la France peut aller avec ces tortures, alors la France est un pays sans honneur. »

En mai, face à ces terribles récits de soldats, l'armée tente une contre-offensive. Elle publie dans son journal d'information, *Le Bled*, en pleine « bataille d'Alger », d'autres textes de rappelés. On trouve ainsi cet échange de lettres entre deux frères. Un soldat rappelé répond à son frère qui, dans une lettre, faisait illusion à un article de *Témoignage chrétien* (« Sur les atrocités commises par les militaires ») : « Partout, le soldat est humain que je sache, aussi je me demande comment le peuple français, dont chaque famille a ici, soit un fils, soit un parent, peut admettre que l'on traite son

---

18. Claudine DELARUE, « 20 ans dans les Aurès, aujourd'hui, ils se souviennent », *Les Nouvelles littéraires*, 19 mars 1982.

armée de massacreurs, et de vandales sur un vulgaire feuilleton de journal, quel qu'en soit le titre ou la tendance[19]. »

Mais la publication de témoignages qui accusent, dénoncent, se poursuit. Dans *L'Express*, Jean-Jacques Servan-Schreiber publie ses souvenirs de « Lieutenant en Algérie ». Il y aura ensuite les récits de Maurice T. Maschino, Jean-Louis Hurst (*alias* Maurienne), Daniel Zimmermann, condamné avec son éditeur Robert Morel en 1961, pour *80 exercices en zone interdite*...

Et puis, surtout, il y a ces lettres, envoyées par les soldats à leurs familles. Lisons celles d'un appelé de 21 ans, Gilles Caron (qui deviendra un grand reporter photographe). Incorporé dans un régiment de parachutistes coloniaux, il écrit, en 1960, à sa mère à Paris[20] : « 5 août 1960. [...] Au bout de deux jours, le village était saignant, jonché de cadavres de chèvres égorgées dans lesquelles nous taillions nos beefsteaks. Notre sergent, en slip blanc, pieds nus, courait partout avec un sabre et jouait au matador avec les ânes. Un véritable déchaînement de violence, de cruauté aussi. Des chèvres bastonnées pour le plaisir, des poulets plumés vivants. Pourquoi ? Les femmes étaient fouillées dans les mechtas une à une. A la première, j'ai eu un choc. C'était une vieille, elle est rentrée en relevant ses jupes pour me montrer qu'elle connaissait nos mœurs sans doute. Ensuite, elle a ouvert tout grand sa bouche, afin que je constate qu'il n'y avait pas de dents à en arracher. Le matin, nous nous sommes levés à 5 heures, et nous avons tout brûlé.

« 12 août 1960. La veille, j'avais vu un vieux de soixante ans pendu la tête en bas à un arbre, accroché par un pied. On le tabassait sans ménagement, à coups de poing, chaussure, ceinture. Il était à moitié mort quand on l'a redescendu. C'était trop frais dans ma tête, et j'ai éclaté. »

Il y a dans ces lettres de soldats des récits de guerre, et autre chose. Les lettres disent, aussi, cette découverte des paysages, l'Algérie resplendissante de la beauté dépouillée des rivages méditerranéens. La senteur entêtante des asphodèles

---

19. *Le Bled*, n° 59, 25 mai 1957, p. 2.

20. Gilles CARON, « 1960 : lettres d'un parachutiste du contingent », *L'Express*, 27 octobre-3 novembre 1979. Grand reporter photographe, Gilles Caron a disparu en mission au Cambodge, à l'orée d'une nouvelle guerre, le 5 avril 1970.

de Camus. Jacques Higelin, dans *Lettres d'amour d'un soldat de vingt ans*, écrit : « Extraordinaire voyage vers le sud, le long de la frontière tunisienne. Là où, il y a encore peu de temps, les combats faisaient rage. [...] Et puis, un paysage fabuleux, sauvage, couvert de vignobles secs et arides en allant vers le sud. » Avec la vision du « scandale du tiers monde », selon le mot de l'un d'entre eux, le désir plus ou moins confus de se rendre utile : « Dans tous les détails, dans toutes les rues, la misère pousse comme une fleur sauvage, avec une beauté sans égale. farouche, mystérieuse, nue » (Jacques Higelin).

Également, la camaraderie et l'ennui ; la routine et la peur ; la chaleur et la soif ; le froid et la solitude... Dès 1956, la hiérarchie militaire devine le danger, tente de tracer des limites à cette correspondance, qui raconte un quotidien où l'héroïsme est absent. *Le Bled* recommande aux soldats qui écrivent à leurs familles : « N'employez pas, pour faire bien, des mots beaucoup trop forts, et très loin de la réalité[21]. »

Mais par le « secret de la correspondance », le « secret » de la guerre est su alentour, devient écharde lancinante au sein du groupe familial, que ne peuvent ignorer les autres dans le village, le quartier de la ville, et aussi les corps de métier.

La torture révélée

Des textes paraissent dans *Esprit* et *Témoignage chrétien*, dans *L'Express* et *France-Observateur*, dans *Le Libertaire* et *L'Humanité*, qui révèlent les conduites d'une guerre (après *Témoignage chrétien*, *L'Humanité* est saisi le 26 février 1957 pour avoir reproduit le témoignage de Jean Müller, responsable du scoutisme français mort en Algérie). Mais n'est-ce pas là une presse engagée pour la décolonisation, militante, donc partisane ? Cet éventail de journaux représente pour les autorités militaires la « presse défaitiste ». André Morice, le ministre de la Défense, l'homme du barrage électrifié le long de la frontière tunisienne en 1957, annonce qu'il poursuivra les « diffamateurs des soldats d'Algérie », et dénonce ceux

21. *Le Bled*, n° 15, 18 juillet 1956, p. 5.

qui « consciemment ou insconsciemment jouent la carte de la décadence française[22] ».

Dans cette année 1957, un livre fait sensation. Il sera bien difficile de ranger son auteur dans le camp de ceux qui veulent « poignarder dans le dos nos soldats », ou « détruire l'honneur de la France ». L'écrivain catholique Pierre-Henri Simon dans *Contre la torture* (éd. du Seuil) explique qu'il ne réprouve pas l'engagement militaire français mais les méthodes utilisées : « Ce qui est condamnable et déplorable, c'est, dans la conduite de la guerre, un esprit de cruauté et de vengeance qui, loin de préparer les réconciliations nécessaires, les a rendues plus difficiles. »

A la suite de ce livre, pour la première fois, une « autre presse » bouge. En particulier, *Le Monde*. Son éditorialiste Sirius, pseudonyme d'Hubert Beuve-Méry, écrit : « Pierre-Henri Simon a la tranquille audace de rappeler les principes et de citer, parmi d'autres, quelques faits. [...] Dès maintenant, les Français doivent savoir qu'ils n'ont plus tout à fait le droit de condamner dans les mêmes termes qu'il y a dix ans les destructeurs d'Oradour, et les tortionnaires de la Gestapo[23]. »

En novembre, l'avocat Jacques Vergès et l'écrivain Georges Arnaud font paraître, aux Éditions de Minuit, *Pour Djamila Bouhired*. Ils relatent l'itinéraire de la jeune fille accusée d'être partie prenante dans les attentats meurtriers qui ont secoué Alger. Ils dénoncent la torture dont elle a été l'objet, sa condamnation à mort au terme d'un procès marqué par d'incessantes entraves à l'exercice de la défense.

Le 2 décembre 1957, un jury de la Sorbonne fait docteur ès sciences Maurice Audin, le jeune assistant d'Alger dont le cadavre a été « égaré » par les paras de Massu. Une frange significative du monde étudiant entre en effervescence autour de la torture ; une assistance passionnée, frémissante, suit la soutenance de thèse à la Sorbonne.

Le 8 février 1958, l'aviation française bombarde le village de Sakiet-Sidi-Youssef, en Tunisie, qui abrite une base de l'ALN, ce qui provoquera des protestations dans le monde entier. Quatre jours plus tard, les Éditions de Minuit publient

---

22. *Le Bled*, n° 49, 16 mars 1957 ; n° 73, 31 août 1957.
23. *Le Monde*, 13 mars 1957.

La Question d'Henri Alleg. Ce sera le premier ouvrage saisi, ouvertement censuré. Événement d'une incalculable portée dont l'éditeur avait perçu toutes les conséquences : « Je reçois un coup de fil de Julliard qui m'indique qu'il ne peut pas faire l'ouvrage. Je reçois Mme Alleg qui m'apporte le manuscrit *Interrogations sous la torture.* Je m'interroge sur la publication, sur les moyens de savoir si cela va marcher. De toute manière, à cause des noms cités, des officiers impliqués, je vais être mis en difficulté, attaqué en justice. Un procès aura lieu à Alger, je serai condamné, avec le risque de la faillite financière, la mise au chômage des personnes qui travaillent avec moi et les jeunes auteurs privés d'éditeur. Mais en même temps, je me dis : ce livre est vrai, c'est du domaine de l'écriture, c'est une écriture qui ne ment pas. Je prends, seul, la décision de le publier[24]. »

Et, en effet, la franchise brutale du récit déchire les premières années de mensonge de la guerre, bouleverse les consciences. Le 12 février 1958, le livre *La Question* est diffusé pour la première fois au cours d'une conférence de presse du Comité Maurice-Audin. 60 000 exemplaires sont vendus en quelques semaines, on fait la queue devant les Éditions de Minuit. Plus d'un mois après sa parution, le gouvernement de Félix Gaillard s'avise que ce livre est subversif. La saisie est ordonnée le 27 mars.

Autour du livre *La Question*, et du Comité Maurice-Audin, commence « l'Affaire » qui va déchirer l'opinion, les familles, les partis : oui ou non, l'armée française met-elle en pratique sur une grande échelle, et pas seulement pendant la « bataille d'Alger », la pratique de la torture ?

Sous la Vᵉ République, le débat n'est pas clos. Le Comité Audin publie un mémorandum, *Nous accusons !*, qui cite un assez grand nombre de tortures postérieures au 13 mai 1958. Le livre *Les Égorgeurs* (interdit) de Benoist Rey, qui se termine en octobre 1960, le rapport du Comité international de la Croix-Rouge de décembre 1959, l'affaire Djamila Boupacha de mai 1960 démontrent que la torture existe encore. En avril 1961, le Comité Audin publie des informations sur « la ferme Ameziane », où sont conduits tous les suspects du Constantinois : « De janvier 1957 à février 1961, pendant

---

24. Témoignage de Jérôme LINDON à l'auteur, 30 décembre 1986.

quatre ans, 108 175 personnes sont passées par la ferme Ameziane (sûrement toutes n'ont pas été torturées, et certaines sont restées un temps très court ; probablement toutes ont vu la torture) ; 11 518 ont été fichées comme nationalistes (nous ne savons pas ce qu'ils sont devenus) ; 787 ont été internées comme suspects (le nombre de tués ou disparus n'est pas connu). [...] La capacité de cette ferme, véritable usine à tortures, était de 500 à 600 personnes[25]. »

La censure encourage la défiance d'une partie des intellectuels envers le pouvoir installé en 1958. Lorsque Michel Debré, à propos du livre *La Gangrène*, lance à la tribune de l'Assemblée nationale : « En ce qui concerne le livre qui a été saisi, je tiens à dire que ce livre constitue une affabulation totale [...]. Ce livre infâme, rédigé par deux auteurs infâmes, ne représente en quoi que ce soit la vérité. » Maurice Nadeau répond dans les *Lettres nouvelles*, en apostrophant André Malraux : « Ce n'est plus en Allemagne, en Espagne, en Chine, que l'on torture, mais à votre porte, chez vous et vous n'auriez pas un mot contre ceux que vous avez autrefois voués à la vindicte[26] ? »

L'Église, une autre circulation des secrets

L'Église, elle aussi, est fortement secouée par la tragédie algérienne. Secouée et divisée. Dès le 17 janvier 1955, Mgr Duval, archevêque d'Alger, dénonce le recours à la torture dans un communiqué lu en chaire dans toutes les églises du diocèse. D'autres membres du clergé catholique apportent leur soutien à l'action des forces de « pacification ». Ainsi, Mgr Chappoulie, évêque d'Angers : « [C'est] un devoir certain de protéger la société contre la rage des fanatiques d'un prétendu honneur racial... [Il faut] vaincre et désarmer [...] par les moyens permis par la guerre, et seulement ceux-là[27]. »

L'aumônier de la 10e DP, l'unité de parachutistes engagée dans la « bataille d'Alger », va, lui, beaucoup plus loin.

---

25. Laurent SCHWARTZ, « Le problème de la torture dans la France d'aujourd'hui 1954-1961 », publié pour le Comité Audin par *Les Cahiers de la République*, n° 38, novembre 1961.
26. Maurice NADEAU, *Les Lettres nouvelles*, 1er juillet 1959.
27. *Le Bled*, n° 9, 1er mai 1956, p. 3.

Il n'hésite pas, en 1957, à déclarer que « l'on ne peut lutter contre la guerre révolutionnaire qu'avec des méthodes de l'action clandestine »... La torture, en particulier, divise l'Église. Alain Maillard de la Morandais, officier des SAS dans le Sud-Oranais, et prêtre : « Pour un chrétien, cette question en Algérie de la torture était cruciale, car on était au pied du mur. C'était, là, la façon de vérifier si on avait la foi aux tripes, si nos idées et nos actions pouvaient être en accord. Pour un humaniste, de type kantien ou laïc, c'est vrai aussi. C'est encore plus fort pour nous, parce que c'est l'image même du Christ qui est dans le prisonnier, dans le torturé. Et en même temps, cela a été exclu d'une certaine forme de morale scolastique, c'est-à-dire une morale trop intellectuelle, fondée sur des principes — Aristote et saint Thomas d'Aquin, c'est merveilleux ! —, mais sur le terrain, pas très efficace. La fin justifie les moyens, vous savez, on n'en sort jamais[28]... »

Dans le face à face de la confession, l'Église apprend l'étendue des passions, et des catastrophes, en Algérie. Mais suffit-il, pour être « heureux », se sentir soulagé, de franchir le seuil du discours, de murmurer les secrets d'une guerre livrée, et subie ? La parole restera-t-elle confinée dans l'espace réduit du confessionnal ? Et il y a, aussi, les enterrements, le retour, discret, du corps de l'enfant d'un village, d'un quartier : « Quant à nous, les habitants du village de Vattetot, nous savons maintenant que cette lointaine guerre d'Algérie existe réellement », dit un curé de campagne[29].

Mais entre les chrétiens appartenant au camp d'un nationalisme français exacerbé sur la foi catholique, en lutte contre le « croissant », et ceux qui se rangent derrière les persécutés, les « affamés » algériens, il y a « les gros bataillons de la majorité dite silencieuse, dont on ne sait pas grand-chose, qui suivent probablement les autorités religieuses dans leur lente et prudente évolution vers l'apaisement d'une solution négociée sans déshonneur[30] ».

A la suite des écrivains, des intellectuels catholiques, Fran-

28. Alain MAILLARD DE LA MORANDAIS, entretien pour *Les Années algériennes*.
29. Bernard ALEXANDRE, *Le Horsain*, Plon, Paris, 1988, p. 329.
30. Étienne FOUILLOUX, « Chrétiens et juifs : comme les autres ? », *in La Guerre d'Algérie et les Français*, sous la direction de Jean-Pierre RIOUX, *op. cit.*, p. 110.

çois Mauriac, André Mandouze, Pierre-Henri Simon, André Frossard, des prêtres se montrent particulièrement actifs dans la circulation des « secrets » de la guerre. Beaucoup appartiennent à la Mission de France, installée à Pontigny dans l'Yonne, en août 1954, placée sous le contrôle du cardinal Lienart. Le prêtre François Doussot, membre d'un réseau de soutien au FLN, donnera les motivations de cet engagement, au moment de son arrestation : « Je suis allé à la Mission de France parce que je pensais y trouver la possibilité de réaliser mon idéal. Comme je ne suis pas un contemplatif, je pense que l'on doit être près de la vie des gens. Mon idéal est d'écouter les autres pour mieux les comprendre [...]. J'attendais de la Mission de France qu'elle me donne la possibilité d'aller travailler manuellement, c'est-à-dire d'être en contact avec la classe ouvrière, ou avec un monde déchristianisé auquel je pourrais apporter le témoignage de l'Église. Mais ceci, jamais seul, avec une équipe, car le jugement est meilleur lorsqu'il est confronté avec celui des autres[31]. »

Dans ce réseau de prêtres qui entendent « souffrir avec ceux qui souffrent » (selon l'expression du père Jean Vinatier, vicaire général de la Mission), on trouve l'abbé Robert Davezies, qui sera arrêté le 30 janvier 1961 à Lyon ; l'abbé Barthez, prêtre de la Mission de France à Hussein-Dey et aumônier des enseignants ; l'abbé Carteron, de Lyon, qui s'occupait de l'action sociale nord-africaine à la demande du cardinal Gerlier ; l'abbé Bernard Boudouresque ; l'abbé Michel Ackermann, animateur de la Mission de France dans le département du Calvados ; l'abbé Lehman, qui installe, en 1957, un centre d'hébergement pour travailleurs algériens près de Grenoble...

Par leur intermédiaire, s'opère un premier travail de l'Église en direction de l'immigration maghrébine en France, pendant la guerre d'Algérie.

31. Procès-verbal d'interrogatoire publié dans un document des Renseignements généraux, « L'aide matérielle et morale apportée au FLN par des éléments métropolitains », février 1961.

Motivations des « diffuseurs »

Le durcissement de la situation de guerre, la crise de la IVe République, la découverte de la torture et des méthodes de guerre balayent les points de vue intermédiaires dans « l'affaire algérienne ». A partir de 1957, deux tendances se dessinent nettement. L'une développe les thèmes de coexistence entre les deux communautés en Algérie, de *l'intégration*, du devenir social et culturel des populations. Progressivement, elle va se muer en une exaltation de l'Algérie française, dernier rempart de la civilisation. Pour Robert Lacoste, gouverneur général de l'Algérie, « qu'on ne compte pas sur nous pour sacrifier, de l'autre côté de la Méditerranée, une nouvelle Alsace-Lorraine ».

Et les militaires d'expliquer que l'œuvre française a fait passer l'Algérie « de la tente au building[32] ». Avec les militaires, et pour l'Algérie française, une cohorte importante d'intellectuels répandent une vérité sur la guerre, conçue comme défense de la civilisation, ou de la République, et même, de la laïcité. Thierry Maulnier, Jules Romains, Roland Dorgelès, Michel de Saint-Pierre, Jean Dutourd, Roger Nimier, Pierre Nord font valoir une détermination, un engagement, où se lisent la défense d'un ordre, et aussi la volonté de progrès face à un nationalisme algérien assimilé au « fanatisme ».

Le 21 avril 1956, *Le Monde* publie un appel « pour le salut et le renouveau de l'Algérie française ». Cet appel dénonce « les instruments d'un impérialisme théocratique, fanatique et raciste », et s'interroge : « Qui, sinon la patrie des droits de l'homme, peut frayer pour les populations d'Algérie une voie humaine vers l'avenir ? » La réponse est fondée sur une conviction « absolue » : « Oui, le déploiement de la force française est juste pour protéger les uns et les autres contre la terreur. Et il faut que cette force juste aille jusqu'à la vraie victoire : la pacification des cœurs. » L'appel est signé, notamment, par Albert Bayet, le cardinal Saliège, Georges Duhamel, Paul Rivet.

En face, le choc moral causé par la découverte de la tor-

32. Citations de Robert Lacoste dans *Le Bled*, n° 66, 8 juin 1957 ; l'argumentation sur l'œuvre civilisatrice : n° 48, 9 mars 1957.

ture, notamment pendant la « bataille d'Alger » en 1957, incite à agir, à publier, à refuser la passivité. Les premières manifestations de divulgation de la vérité, d'opposition se réclament des valeurs de tolérance et de liberté, de la responsabilité morale (en particulier les comités animés par Pierre Vidal-Naquet et Laurent Schwartz). D'autres, qui s'engagent et construisent les premiers réseaux (Francis Jeanson, Henri Curiel), veulent aller plus loin, ne plus attendre d'autorisation pour s'interroger sur les causes de la guerre, attitude qui traduit un état de révolte contre les structures coloniales.

Le réseau le plus important d'aide au FLN est celui animé par Francis Jeanson. Espérant pendant longtemps un sursaut de la gauche française que le « peuple » avait portée au pouvoir en 1956 sous l'étiquette du Front républicain, lassé des meetings, des affiches et des pieuses motions d'une gauche qui « ne cessait de freiner un mouvement qu'elle se targuait de promouvoir », constatant que « tous ceux qui parlaient de mettre fin à une guerre qu'ils déclaraient eux-mêmes absurde n'admettaient pas qu'on pût aider les jeunes Français à refuser de s'y perdre », prenant acte qu'« ils dénonçaient le colonialisme, mais tenaient pour criminelle toute forme de solidarité pratique avec les colonisés », Jeanson en tire ses conséquences : l'aide directe au FLN[33].

L'indifférence des communistes et des socialistes devant la tentative de refus des « rappelés », en 1955, stoppant les trains qui les emmenaient vers l'Algérie, renforce la conviction des premiers membres du réseau Jeanson. C'est en octobre 1957 (date de la fusion avec le réseau des prêtres de la Mission de France) que Jeanson entre dans une clandestinité quasi totale.

Le réseau Jeanson se place sous l'autorité du FLN pour les missions essentielles : transport, exportation des fonds et choix des refuges. Mais, composé de citoyens français, il entend conserver une certaine autonomie qu'il compte mettre à profit pour publier un journal, continuer inlassablement

33. Francis Jeanson, entretien pour *Les Années algériennes*. Sur ce point, voir les analyses de Claude Liauzu, dans « Les intellectuels français au miroir algérien », *in Les Cahiers de la Méditerranée*, n° 3, 1984, chap. II, p. 53-112. Également Jean-François Sirinelli, « Guerre d'Algérie, guerre des pétitions ? Quelques jalons », communication à la table ronde *La Guerre d'Algérie et les intellectuels français*, 22 avril 1988, IHTP, 42 pages dactylographiées.

un travail de propagande dont les fondements tiennent dans l'explication de la guerre d'Algérie en terme de luttes de classes. C'est ce que Francis Jeanson appellera précisément *Notre guerre*.

A partir de 1958, sous l'impulsion du nouveau comité fédéral du FLN qui siège en Allemagne, le réseau s'étoffe. Si, à ses débuts, il était presque uniquement composé d'intellectuels, professeurs, avocats, universitaires, artistes, dans l'année 1959, des ouvriers et des employés le rejoignent[34]. On ne pourra sans doute jamais dénombrer la « minorité agissante » qui apporte une aide au FLN. Car, avant et pendant le réseau, de nombreux Français ont « rendu des services » de façon individuelle à un Algérien ami, sans rien ignorer de son activité. C'était tantôt un hébergement, tantôt une garde de tracts ou un transport.

Les motivations de ceux qui apportaient leur aide au FLN étaient fort différentes. On connaît le découpage, désormais classique, établi par Pierre Vidal-Naquet : les « dreyfusards », héritiers du grand mouvement laïc, à dimension religieuse pourtant, pour la défense des droits de l'homme ; les « bolcheviks », héritiers d'octobre 1917 et qui espèrent « par-delà la parenthèse stalinienne renouer avec Lénine et la pureté révolutionnaire » ; et les « tiers-mondistes[35] ». Cette typologie, précieuse, peut être croisée avec celle ébauchée par l'historien Robert Bonnaud, qui distingue la gauche coloniale (SFIO, FEN, FO), la gauche anticolonialiste respectueuse (PCF, CGT, CFTC, une partie de l'extrême gauche), et la gauche anticolonialiste irrespectueuse « pour qui la légalité façonnée par l'armée et la droite n'était pas un tabou inviolable[36] ».

Unis par une soif de vérité et le mépris de la servilité, ceux

34. Voir Hervé HAMON et Patrick ROTMAN, *Les Porteurs de valises*, Albin Michel, Paris, 1979, 434 p.

35. Pierre VIDAL-NAQUET, « Une fidélité têtue, la résistance française à la guerre d'Algérie », *art. cit.* Notons que le courant tiers-mondiste comporte au moins deux composantes : à côté d'un tiers-mondisme laïc, incarné notamment par Jean-Paul Sartre et sa revue *Les Temps modernes*, s'est développé un tiers-mondisme chrétien, représenté notamment par les prêtres de la Mission de France et des prêtres ouvriers, qui travaillaient d'une manière ou d'une autre pour les réseaux de soutien ; des pasteurs de l'Église réformée s'engagèrent aussi dans « l'aide » et entraînèrent de nombreux protestants.

36. Robert BONNAUD, « Barbares, barbarie, barbaresques », *La Quinzaine littéraire*, 1er-15 décembre 1989.

qui s'engagent entendent tous, à des degrés divers, mettre à nu les racines de la guerre d'Algérie, dénoncer sa violence, expliquer en quoi l'indépendance de l'Algérie est inéluctable. Mais ils ne forment pas pour autant un milieu homogène, ne se situent pas tous sur le même plan. Il existe la protestation d'ordre moral d'une génération élevée dans l'antifascisme, la résistance à l'occupation étrangère restant encore bien présente dans tous les esprits. Cette génération découvre « les méthodes de guerre utilisées pour lutter contre le terrorisme, dont l'usage généralisé de la torture [...]. Rude choc pour les enfants de la République[37] ».

Robert Davezies, prêtre de la Mission de France, physicien qui s'engage dans le réseau Jeanson en 1957 et publie en 1959 *Le Front* après sa fuite de France en 1958, donne le sens de sa démarche : « C'était une sorte de haine qui était née en moi à cause de ce gosse, des femmes et des vieillards torturés, tués, sans abri, à cause d'un peuple auquel il était interdit d'être libre, ou une sorte d'amour, comme on voudra. Jusqu'au jour de l'indépendance de l'Algérie, j'étais avec eux aussi, à la vie, à la mort[38]. » Une meilleure connaissance de l'autre, l'adversaire algérien qui fait peur parce que peu connu, peut permettre de surmonter les obstacles, aider au dénouement d'une situation devenue inextricable.

André Mandouze, spécialiste de saint Augustin et de l'histoire des Pères de l'Église, professeur d'histoire de l'Afrique ancienne à l'université d'Alger, emprisonné puis expulsé d'Algérie pour ses opinions, adopte la logique de l'historien qui traite de l'histoire en train de s'accomplir. Il livre au public français les « textes de la révolution algérienne » et présente ainsi son travail : « A un Français universitaire de son métier, spécialiste de l'Afrique ancienne et ayant passé dix ans en Algérie, il est apparu pour le moins étrange qu'il

37. G. CHALIAND, *Les Faubourgs de l'histoire*, Calmann-Lévy, Paris, 1984. Sur l'état d'esprit de cette génération, voir le beau livre de Michel WINOCK, *La République se meurt : chronique 1956-1958*, Le Seuil, Paris, 1975, 446 p. Il écrit (p. 170) : « Dans le contexte de la guerre d'Algérie, la torture était doublement scandaleuse : parce qu'elle était le fait d'une armée censée victorieuse de l'Allemagne nazie (que de films n'avait-on vus depuis 1945 sur les tortures infligées aux résistants par les SS !) ; parce qu'elle était couverte par le gouvernement d'un pays qui a fait sa révolution au nom des droits de l'homme et du citoyen. »

38. Robert DAVEZIES, *Le Temps de la justice*, éd. de la Cité, Lausanne, 1961, p. 62.

fût constamment débattu de "la question algérienne" sans qu'on éprouvât de ce côté-ci de la Méditerranée le souci de connaître l'identité du peuple d'en face. Il convient d'ailleurs de remarquer chez les Français que la plupart des défenseurs aussi bien que des adversaires de ce peuple se trouvent sensiblement dans la même ignorance et que la sympathie naturelle ou la haine instinctive tiennent trop souvent lieu d'intelligence des êtres ou de connaissance des choses[39]. »

D'autres, dénonciateurs d'une gauche trop « respectueuse » envers la situation de guerre[40], veulent faire de cette situation le levier d'une révolution en France s'investissant pratiquement dans l'aide aux nationalistes algériens : « Découvrir de nouveaux damnés de la terre, autres qu'un mouvement ouvrier contrôlé par le communisme, c'était tout à la fois retrouver une force historique incarnant la révolution et trouver une issue à la crise des intellectuels », observe ainsi Claude Liauzu dans une étude récente[41].

Les problèmes touchant à l'insoumission, à la désertion, attirent la censure (avec *Le Refus* ou *Le Droit à l'insoumission*), suscitent des polémiques, provoquent des divergences à l'intérieur du camp des adversaires de la guerre. Dans un éditorial de *L'Express*, J.-J. Servan-Schreiber écrit le 16 juin 1960 : « Il est inefficace, il est politiquement aberrant, il est inadmissible d'aider le FLN comme le proposent M. Francis Jeanson et ceux parmi nos professeurs qui l'approuvent [...]. Cette forme d'action [...] va finalement à l'encontre même de l'idéal poursuivi. »

A l'opposé encore, et à partir de 1960, ceux qui veulent le maintien de l'Algérie française contre la politique d'autodétermination du général de Gaulle tissent des réseaux dont la violence est quasi égale à la force de conviction. Ils désirent, eux aussi, maintenant, répandre le secret d'une guerre qu'ils n'avaient jamais voulu voir. A la veille de l'indépendance — on y reviendra — les leaders les plus extrémistes de l'OAS lancent un programme de guerre, celui de la politique de « la terre brûlée » : « On leur laissera l'Algérie de

39. André MANDOUZE, *La Révolution algérienne par les textes*, Maspero, Paris, 1961, 287 p.

40. « La gauche respectueuse » est le titre d'un article célèbre de Marcel PÉJU dans *Les Temps modernes*, avril-mai 1960 (numéro saisi).

41. Claude LIAUZU, *art. cit.*, p. 155.

1830 ! » A leur tour, ils peupleront les camps d'internement et les prisons ; à leur tour, certains subiront la torture. L'État, par l'amnistie de mars 1962, puis celle de juillet 1968, enfouira cet autre secret pour permettre une nouvelle naissance de ces « parents » égarés.

Les acteurs du combat pour l'Algérie française n'apparaissent pas seulement comme des militants dans ce qu'ils font, mais plus profondément comme des hommes qui prennent peu à peu conscience d'une situation, de leur propre responsabilité dans cette situation, et qui décident, en leur âme et conscience, de l'assumer pleinement. C'est aussi pour eux, par-delà les faits, un itinéraire existentiel.

Incohérence des censeurs, la société savait

Toute guerre suscite des limitations importantes de la liberté de presse, d'édition, la censure y est instituée de façon quasi automatique. Mais la guerre d'Algérie présente cette particularité de n'être pas reconnue comme telle et d'être pourtant menée par des militaires. Et, paradoxalement, dans la perspective d'imposer ses points de vue, ses manières de penser, la période de la guerre d'Algérie voit l'affirmation de la part de l'opposition d'une véritable stratégie d'utilisation de toutes les potentialités expressives de l'imprimé.

De 1955 à 1962, on l'a vu, plusieurs dizaines d'ouvrages ont été publiés (et des centaines d'articles dans la grande presse et les revues), touchant directement à cette guerre. Il est vrai que l'importance du sujet, la multiplicité de ses incidences et de ses répercussions, comme de ses résonances politiques et affectives, justifiaient l'entreprise : « Nous souhaitions que tous ces textes paraissent dans la presse : par exemple, dans un journal comme *Le Monde* qui tirait à 300 000 exemplaires. Mais la presse hésitait quelquefois. Alors je me suis dit : nous avons la chance de jouir dans le pays d'une réelle liberté, les risques n'étant pas comparables avec ceux de la Seconde Guerre mondiale. Pourquoi ne pas en user ? » (Jérôme Lindon.)

Rapidité de fabrication, variété des thèmes proposés, volonté évidente de parler pour un large public : dans le domaine de la transcription écrite de l'information ou de l'analyse, l'édition — ou du moins une petite partie d'entre elle — se hisse à la hauteur de l'événement. Le livre devient source d'informations, s'impose comme un média où l'histoire des faits et leurs commentaires s'y lisent à pleine page. La guerre d'Algérie inaugure ainsi le genre de « l'histoire immédiate » qui ira en se développant, surtout à partir de 1968. En provoquant la réflexion sur le pourquoi de cette situation conflictuelle (au plan sociologique, historique ou ethnologique...), elle favorisera le développement des collections de sciences humaines qui, également, connaîtront leurs heures de gloire après 1968.

On a vu précédemment comment cette floraison de publications s'était heurtée à la censure, principalement exercée par des saisies et des interdictions. Appuyées sur un dispositif légal réduit et peu explicite, ces mesures sont appliquées de façon assez peu cohérente.

L'éditeur Jérôme Lindon témoigne : « Le commissaire de police, M. Mathieu, très courtois, venait dans le magasin et prenait les exemplaires de l'ouvrage interdit. Puis, avec d'autres officiers de police, il allait dans certaines librairies, mais pas dans toutes. En fait, si je me retrouvais inculpé pour chacun des livres saisis, l'instruction n'allait jamais jusqu'au bout. Un seul procès a eu lieu, pour *Le Déserteur.* »

Ce procès, d'ailleurs, permet d'indiquer que, sur le plan judiciaire également, une confusion peut être notée entre le jugement d'un ouvrage et celui de l'ensemble d'une publication. L'auteur de l'ouvrage *Le Déserteur* (Jean-Louis Hurst, qui signe sous le pseudonyme de Maurienne) et les Éditions de Minuit sont accusés de provocation de militaires à la désobéissance. Pour établir l'intention coupable, la cour d'appel se réfère à « la ligne générale » des ouvrages publiés par les Éditions de Minuit. Ce « procès de tendance » fait à un éditeur encourut de ce fait la cassation. « Je n'ai jamais été condamné, et pour ce livre, j'ai été amnistié », nous dira Jérôme Lindon.

En fait, les saisies avaient des répercussions financières qui peuvent être considérées, parfois, comme leur principal objet. François Maspero, dans un texte de présentation de sa maison d'édition, proteste ainsi contre ce procédé, en 1962 : « Durant le mois de janvier, trois livres ont été saisis par la police en vertu de l'article 30 du code de procédure pénale concernant la répression d'urgence des délits d'atteinte à la sûreté de l'État [...]. Rappelons qu'une dizaine d'ouvrages ont été saisis depuis deux ans dont cinq publiés par nous [...]. Rappelons que si certaines saisies sont suivies d'une inculpation (une dizaine contre nous à ce jour), aucune n'a jamais été suivie de *procès*, tant l'éclat, et la gravité du débat *sur le fond* qu'il faudrait y aborder, est contraire à la volonté d'étouffement pur et simple du pouvoir. Rappelons également que les conséquences d'une saisie sont toujours très lourdes : c'est en fait, outre le préjudice matériel immédiat, perte du stock pris au siège de l'éditeur et remboursement aux libraires des livres qu'ils ont remis à la police, le boycott définitif de l'ouvrage dans tout le circuit commercial[42]. »

Dans l'ordre de l'incohérence, un autre élément doit être signalé. Curieusement, l'inculpation pour publication de fausses nouvelles, délit prévu et réprimé par l'article 27 de la loi du 29 juillet 1881, n'est pas spécialement utilisée. Pourtant, les saisies de périodiques ou d'ouvrages contenant des articles relatifs à la torture et aux méthodes pratiquées par l'armée en Algérie auraient dû normalement viser ce texte. Ce qui fait dire à François Maspero : « J'ai tenté d'informer en diffusant ou en publiant des dossiers de plus en plus accablants pour le pouvoir. Si mes inculpations et celles de certains de mes confrères se sont multipliées, pourra-t-on me citer quels démentis nous ont été apportés ? Où en sont les instructions concernant les faits extrêmement détaillés rapportés dans les ouvrages suivants : *La Question, L'Affaire Audin, La Gangrène, Les Égorgeurs* publiés par les Éditions de Minuit ; *Les Disparus, La Pacification*, publiés aux Éditions de la Cité à Lausanne par mon ami Nils Andersson, qui s'est vu de ce fait interdire l'accès du "pays de la liberté" ; et enfin *L'An V de la révolution algérienne, Officiers en Algérie, La Mort de mes frères, Défense politique*, que j'ai moi-même édités[43] ? »

La censure s'exerce selon des critères qui paraissent aux chercheurs, près de trente ans après l'événement, quelquefois incompréhensibles, voire contradictoires. Pourquoi saisir

42. Texte de François MASPERO qui annonce le sommaire de *La Révolution algérienne par les textes, op. cit.*

43. François MASPERO, « Lettre au juge d'instruction », dans *Nuremberg pour l'Algérie, II*, Maspero, Paris, 1961.

La Question, le 27 mars 1958, et autoriser *L'Affaire Audin* de Pierre Vidal-Naquet, qui paraît le 12 mai 1958, où l'auteur « démontre que tout porte à croire qu'à des actes de tortures ayant entraîné la mort de M. Audin s'ajoute le scandale d'un simulacre de tentative de fuite pour égarer la justice[44] » ? Pourquoi interdire *La Gangrène* en juillet 1959 et ne pas saisir *Les Disparus* en décembre de la même année ? Lors d'un procès en 1961, Pierre Vidal-Naquet, coauteur des *Disparus*, expliquait : « En décembre 1959, j'ai publié, en collaboration avec M. Vergès, *Les Disparus*. On pouvait y lire qu'avec le concours d'éminentes personnalités, dont le général Massu, le colonel Trinquier avait organisé le massacre de trois mille Algériens. Aucun démenti n'a été apporté. Le livre n'a même pas été saisi[45]. »

Et, quelquefois, la censure s'abat sur un ouvrage, tout simplement à la suite d'un article paru dans la presse. C'est le cas de *Saint Michel et le dragon* après une critique élogieuse parue dans *L'Express*[46]. Cette situation met en évidence l'incohérence de l'attitude des censeurs confrontés à un état de guerre qu'ils se refusent à qualifier clairement.

Mais plus la censure sévit, et plus elle est contournée. La circulation des ouvrages interdits s'opère par des chemins détournés, hors des circuits officiels de distribution. Le Centre d'information et de coordination pour la défense des libertés et de la paix, lancé en octobre 1957 par Robert Barrat et Maurice Pagat, publie dans son mensuel, *Témoignages et documents* (dont le premier numéro date de janvier 1958), des pages entières d'ouvrages saisis dont *La Question*, *La Gangrène* ou *Notre guerre*. A partir de 1960, *Vérité-Liberté*, dont le gérant est Paul Thibaud, va publier également les textes de livres interdits. Dans les réseaux de soutien à la lutte du FLN, circulent les livres censurés, pour s'informer mais aussi parce que passer l'ouvrage « sous le manteau » devient acte de protestation morale, de résistance à la poursuite de la guerre d'Algérie. La presse clandestine (*Vérités pour* de F. Jeanson), le Comité Maurice-Audin, animé par Pierre Vidal-Naquet, certains groupes de militants qui se retrouvent

44. F.N. ANDERSON, « Appel au Comité international de la Croix-Rouge », *La Gangrène*, Éd. de la cité, Lausanne, 1959, p. 83-84.
45. Georges ARNAUD, *Mon procès*, Minuit, Paris, 1961, p. 91.
46. Entretien avec Jérôme LINDON.

dans le PSU « portent » également le livre censuré. Des sommes d'argent sous forme de dons parviennent aux éditeurs.

« Une sorte d'oreiller de silence »

La censure et l'autocensure donnent un sens à cette guerre : « préserver » les Français, menacés d'être confrontés à cette chose épouvantable, la réalité. Mais cette censure fonctionne dans cette période comme une survivance, un retard dans un monde qui opère un basculement vers la communication intense entre citoyens. En particulier par l'image de la télévision naissante. Retarder l'information, freiner la circulation des idées exprimées par l'écrit (et aussi l'image) est bien une forme d'archaïsme, comme était archaïque le conflit lui-même. A cette époque, la France pénètre en modernité, et la censure s'exerce comme en décalage avec cette réalité. Dans ce sens-là, les censeurs ne peuvent plus donner de la valeur à l'œuvre censurée.

L'impressionnant dispositif judiciaire, en particulier les « pouvoirs spéciaux » de mars 1956 en Algérie (déplacements massifs des populations rurales, quadrillage des zones urbaines, censure systématique de la presse...), ou les ordonnances d'octobre 1958 et d'octobre 1961 à propos de l'immigration algérienne en France (arrestations de suspects et internements administratifs, couvre-feu imposé à cette population particulière...) rendent visible aux yeux de beaucoup la punition infligée aux Algériens voulant l'indépendance.

De plus, la presse a quand même informé, des réseaux ont dévoilé le sens de cette guerre. En France, on ne peut pas dire que l'on ne savait pas ce qui se « tramait », là-bas et ici.

Toutes les polémiques, invectives, controverses qui se succèdent autour de la torture et de la censure font-elles mieux connaître les ouvrages et les textes interdits ? Lorsque l'on évoque, par exemple, le livre censuré pendant la guerre d'Algérie, le titre qui vient à l'esprit est *La Question*. Et pour cause. L'ouvrage a été vendu à 66 000 exemplaires avant la saisie et 90 000 exemplaires furent diffusés dans l'édition semi-légale de *Témoignages et documents*. Et les autres ? Pour Jérôme Lindon, « après la saisie de *La Question* et de

La Gangrène (30 000 exemplaires vendus), le pli est pris. Les interdictions, en se multipliant, ne constituent plus un événement ». La banalisation de la censure encourage l'autocensure de ceux chargés de rendre compte, dans la presse, des livres interdits : allusions, mise entre guillemets, oublis, lacunes de certains noms ou situations... Le tirage des ouvrages est seulement de l'ordre de 2 000 à 3 000 exemplaires.

En fait, le livre interdit touche et s'adresse à un public déjà convaincu, composé d'instituteurs, de professeurs, de militants de la « nouvelle gauche », de « prêtres engagés ». Ce qui fait dire à Robert Bonnaud : « Il m'est arrivé de suggérer, en plaisantant, que, pour un peu, on aurait des romans *sur le soutien*, mais pas *de soutien*, un manifeste sur le droit à l'insoumission, mais pas d'insoumis[47]. »

Pierre Vidal-Naquet, à propos du résultat concret des campagnes sur la torture, les droits de l'homme, explique : « Les espérances que nous avions de créer un vrai mouvement d'opinion comparable à l'affaire Dreyfus, qui était notre référence quasi obligatoire, n'ont pas été couronnées de succès. Il y a bien eu, en 1957, un mouvement d'opinion dont on trouve trace dans la presse. Malgré tout, après le retour au pouvoir du général de Gaulle, en qui beaucoup faisaient confiance pour résoudre les problèmes, on a eu l'impression d'un édredon, d'une sorte d'oreiller de silence. Et nous nous sommes trouvés, effectivement, minoritaires. Minoritaires par rapport aux partis organisés, minoritaires par rapport à de vastes secteurs de l'opinion pour qui l'Algérie c'était loin, qui se préoccupaient assez peu des moyens employés là-bas. On espérait le retour du contingent, mais la question des tortures, des exécutions sommaires, des mesures et autres techniques employées en Algérie, on ne peut pas dire que cela a bouleversé les populations[48]. »

Trois à quatre cents réfractaires, deux à trois cents « porteurs de valises » n'engagent en rien une nation. N'est-il pas excessif, dans ces conditions, de parler d'une « résistance » française à la guerre d'Algérie ? Pour Claude Roy, signataire du « Manifeste des 121 » : « Quand les uns saignent, les autres signent. Il y a même des spécialistes de la pensée et

47. Robert BONNAUD, *Itinéraires*, Minuit, Paris, 1961.
48. Pierre VIDAL-NAQUET, entretien pour *Les Années algériennes*.

des transports en commun : incapables de signer une idée à eux de leur seule signature, ils sont de toutes les fêtes tribales de l'indignation en rond. Les listes de noms, quand ils y lisent le leur, leur font chaud au cœur. Ils signent, puis rentrent à la maison[49]. »

Cette faiblesse de l'impact des entreprises de « divulgation des secrets » appelle quelques remarques.

Il n'est pas possible d'analyser les limitations de la liberté de la presse, l'interdiction d'ouvrages pendant la guerre d'Algérie comme une simple répétition de celles qui furent pratiquées pendant la Seconde Guerre mondiale. Même si le parallèle a pu être en de maintes occasions établi, il n'en reste pas moins que pendant cette guerre une quantité importante d'informations a pu être publiée mettant en cause directement la politique des différents gouvernements.

Bien sûr, il ne s'agit pas de nier l'efficacité de la censure (et surtout de l'autocensure qu'elle induisait). Mais, dès lors que l'information circulait malgré tout, d'autres raisons doivent être recherchées pour expliquer le problème essentiel : celui de l'indifférence relative de la société française face à la question algérienne. On y reviendra plus longuement, mais il faut déjà noter quelques éléments de réponse.

La guerre est lointaine, non par l'éloignement géographique (l'Algérie n'est pas l'Indochine), mais par les priorités du temps. Les Français, dans les années cinquante, ont le souci principal de retrouver une nouvelle prospérité après les années d'Occupation (les tickets de pain ne sont officiellement supprimés que le 1er février 1949).

L'attachement au confort tout neuf dont jouit désormais ce vieux pays ; le souvenir de deux gigantesques saignées (dans les deux guerres mondiales) dont les traces sont visibles sinon dans le paysage français, du moins sur chaque place de village, dans la mémoire de chaque famille : tout se conjugue pour aboutir à l'approche toute nouvelle des problèmes d'une guerre. Une guerre dont le sens s'effiloche aux yeux des soldats qui la font. Quelques-uns la vivent comme une croisade rimant avec débandade. Les autres, infiniment plus nombreux, comme une aventure rimant avec imposture. Ou comme un peu de vie perdue, une absurdité imposée, un

49. Claude Roy, *Le Nouvel Observateur*, 12 avril 1976.

temps mort ne rimant à rien. *La société sait*, mais se contente de partager le secret d'une guerre non déclarée. Il n'y aura pas de fêtes publiques célébrant le retour de ceux qui ont passé tant de mois en Algérie. Pas d'oraisons funèbres, de pierres tombales spécifiques, d'inscriptions particulières sur les monuments des villes et villages célébrant les mérites de ceux qui ont été tués « là-bas ».

Le rapport à la mort, exclusivement privé, est exclu de la vie publique. Celui qui revient du combat, et a côtoyé, vu, la mort d'amis proches, évitera généralement de transmettre cette possibilité de mourir à celui qui risque de partir. La tendance à exclure, à occulter la mort a pour conséquence le renoncement à assumer cette guerre.

Ce renoncement, il faut aussi en chercher les clés dans la double crise qui bouleverse la société française au cours de ces années algériennes : celle de la République, brisée en 1958 par l'échec de la gauche au pouvoir, et celle de la nation, divisée à partir de 1958 par l'affrontement entre le général de Gaulle et une partie de la droite.

5

La double crise de la République et de la nation : ce qu'il a fallu oublier

En janvier 1956 — la guerre dure depuis plus d'un an — des élections permettent à Guy Mollet de constituer un gouvernement. Le secrétaire général de la SFIO a promis pendant sa campagne de mettre fin à la guerre. Il décide de nommer un « ministre résident » en Algérie, et finit par se décider pour le général Catroux, considéré comme un libéral. Mais la réaction des Européens d'Algérie est d'une violence extrême. Georges Catroux est en effet ce général qui a refusé l'amnistie de 1940, rompu avec le défaitisme de Vichy, rejoint de Gaulle ; il est, aussi, l'homme qui, l'année précédente, a « raccommodé » la France avec le sultan du Maroc, imprudemment détrôné en 1953 par les tenants d'un colonialisme obtus[1].

1956 : L'effondrement de la gauche traditionnelle

Le 6 février 1956, la République capitule devant quelques jets de tomates lancés sur Guy Mollet, sur ce plateau des

1. Voir Henri LERNER, *Catroux*, préface de Jean Lacouture, Albin Michel, 1990, 432 p.

Glières devenu le chaudron des fureurs algériennes. Peu importe, maintenant, le nom des gouverneurs généraux ou des ministres résidents : l'armée entre en scène. Guy Mollet propose qu'on lui accorde des « pouvoirs spéciaux », à la fois vagues et considérables.

Nommé le 9 février 1956 ministre résident en Algérie par Guy Mollet, Robert Lacoste dépose sur le bureau de l'Assemblée nationale un projet de loi « autorisant le gouvernement à mettre en œuvre, en Algérie, un programme d'expansion économique, de progrès social et de réforme administrative, et l'habilitant à prendre toutes mesures exceptionnelles en vue du rétablissement de l'ordre, de la protection des personnes et des biens, et de la sauvegarde du territoire ».

Par les décrets de mars et d'avril 1956, qui permettront une action militaire renforcée et le rappel des disponibles, l'Algérie sera divisée en trois corps d'armée, chacun étant partagé en zones de pacification, en zones d'opération et en zones interdites. Dans les zones d'opération, l'objectif est « l'écrasement des rebelles ». Dans les zones de pacification, est prévue la protection des populations européenne et musulmane, l'armée s'efforçant de lutter contre la sous-administration. Les zones interdites seront évacuées, la population rassemblée dans des camps d'hébergement et prise en charge par l'armée.

La Parlement vote massivement, par 455 voix contre 76, cette loi sur les « pouvoirs spéciaux », qui, entre autres, suspend la plupart des garanties de la liberté individuelle en Algérie. Cette impressionnante majorité croit que cette approximation irresponsable de la dictature en Algérie est la bonne solution. Les communistes votent comme un seul homme au nom, déclare Jacques Duclos, de « l'unité de lutte des travailleurs communistes et socialistes ». Pour les travailleurs, qui n'en demandent pas tant, cette lutte se poursuivra donc dans les djebels, et prendra la forme d'un service militaire de vingt-sept mois. Le vote a lieu le 12 mars 1956 ; le 11 avril est décrété, au nom des « pouvoirs spéciaux », le rappel des disponibles : des dizaines de milliers de soldats traversent la Méditerranée. Avant cette mise en pratique, les animateurs de la revue *Les Temps modernes* ont su et dit où cela mènerait : « La gauche, pour une fois unanime, a voté les "pouvoirs spéciaux", ces pouvoirs parfaitement inutiles pour la négociation mais indispensables pour la poursuite et l'aggravation de la guerre. Ce vote est scandaleux et risque d'être irréparable. » Il le sera effectivement.

Un gouvernement de gauche associé à la pratique de la torture, de la guerre ; la défiance d'une grande partie des intellectuels acquis dans leur majorité à la gauche depuis la Libération ; la déliquescence de la SFIO, qui « refuse le faux droit des peuples à disposer d'eux-mêmes au nom de la libération de l'homme » (selon l'expression de Marc Sadoun[2]) ; le véritable début de crise interne du PCF, qui s'interdit de reconnaître tout particularisme en dehors du communisme : le profond bouleversement que connaît alors la gauche annonce une véritable redéfinition de ses valeurs politiques. Cette crise affaiblit les fondements de l'idéologie républicaine, pivot de référence de la gauche française, socialiste et communiste.

Pendant la guerre d'Algérie, une grande partie de la gauche n'a pas complètement abandonné l'idée qu'il faut guider les peuples vers le bonheur et que la France généreuse, celle de la Déclaration des droits de l'homme, doit assurer cette mission. Un colonialisme de progrès, qui reste attaché au grand rêve d'assimilation, au refus de la séparation entre races, peuples et religions, continue de l'animer. Cette position est notamment exprimée par Paul Rivet, dans un article du journal *Le Monde*[3] : il convient de « rétablir le calme dans les populations indigènes et promouvoir une collaboration fraternelle entre elles et les Français d'Algérie ».

Paul Rivet dit avoir conscience de soulever chez ses amis « les plus chers un sursaut de colère et un sentiment de réprobation ». Pour sa part, il croit retrouver chez certains d'entre eux « comme une reconnaissance de la crise du "bon sauvage" qui a influencé si grandement la pensée des hommes du XVIIIe siècle ». Il s'élève contre cette interprétation ; il y a, comme en tout peuple, « à côté d'honnêtes et courageux individus, des hommes mauvais, menteurs et criminels ». La grande majorité des Français d'Algérie n'a aucune responsabilité dans les troubles, de même qu'un « grand nombre

2. Communication de Marc SADOUN au colloque de l'IHTP sur *La Guerre d'Algérie et les Français*, décembre 1988 (Fayard, Paris, 1990).

3. Paul RIVET, « Des risques qu'il faut accepter », *Le Monde*, 12-13 juin 1955.

de musulmans qui ont loyalement accepté la collaboration avec la France ». Tous ont le droit d'être protégés, ce qui ne doit pas être confondu avec la répression coloniale. C'est pourquoi il invite ses amis à soutenir Jacques Soustelle, alors gouverneur général de l'Algérie.

Cette démarche est très significative de l'époque. Une grande partie des « démocrates », des « hommes de gauche », que l'on retrouve dans la FEN, dans FO, dans la Ligue des droits de l'homme, évoque « les populations indigènes », les « territoires », et non les peuples et les nations. L'oppression individuelle est reconnue, non l'oppression nationale. Éprise d'universalisme, des principes de « 89 », cette gauche (qui s'est constituée au moment de l'affaire Dreyfus) s'oppose aux nationalismes (français ou algérien), aux milieux religieux. Logiquement, elle rejette les proclamations des nationalistes algériens, « empreintes de religiosité islamique ». Ce faisant, elle se refuse à comprendre pourquoi le principe républicain d'égalité n'a jamais été réellement appliqué en Algérie, et dans les colonies.

Mais n'est-ce pas un socialiste, Jules Moch, qui dans une commission « chargée de l'étude des mesures propres à assurer aux colonies leur juste place dans la Constitution française », évoquait ainsi en 1944 les problèmes d'un Parlement où le gouvernement ne disposait que d'une faible majorité : « Je ne veux pas du tout que ce soit un roi nègre qui fasse la balance entre les deux fractions françaises. Je ne veux pas du tout que l'opposition appuyée par la descendance d'un roi *Pakoko (sic)* fiche en l'air le budget. » Le radical Édouard Herriot le paraphrasera à l'Assemblée constituante en 1946 : « Veut-on que la France devienne la colonie de ses colonies[4] ? » En bons jacobins, les leaders de la gauche non communiste reculent alors, épouvantés, devant toute idée d'association et de fédération. Dix ans plus tard, pendant la guerre d'Algérie, ils n'auront donc rien d'autre à proposer qu'un *statu quo* plus ou moins aménagé.

L'affaire algérienne autorise, à la fois, une lecture républicaine du « FLN, symbole de justice », et celle du FLN vecteur « d'un nationalisme archaïque, à dépasser ». Le PCF,

4. Cité par Philippe GAILLARD, « De Gaulle et l'Afrique », *in Jeune Afrique plus*, n° 8, septembre-octobre 1990.

lui aussi, se montre incapable de trancher entre ces deux lectures. Cet échec provoque, on l'a vu, l'engagement d'une fraction de la jeunesse dans un tiers-mondisme radical, contre un « national-mollettisme » et un PCF obstinément fidèle à Moscou. Pour Jean-Louis Hurst : « On prenait le contre-pied de ce qui avait été l'idéologie du PCF jusque-là. Le PCF avait toujours dit aux colonisés, sur le mode soviétique : "Attendez que le centre fasse la révolution, ensuite vous pourrez la faire." Je pense que les textes de Fanon ont été très importants à ce moment-là. C'était : "La périphérie fait la révolution, que le centre en profite !" Donc, on fonctionnait un peu comme ça[5]. »

Maurice Merleau-Ponty s'en prend à Guy Mollet, « traître à son socialisme, puis à la défense républicaine ». Mais « ce n'est pas à restaurer la République qu'il faut penser, particulièrement telle qu'elle est depuis deux ans. C'est à la refaire, délivrée de ses rituels et de ses obsessions, dans la clarté[6] ». Tel sera bien l'objectif d'une partie de la « petite gauche irrespectueuse », vigoureusement dénoncée par la gauche officielle.

Celle-ci achève de se décomposer lorsque Guy Mollet, le 23 mai 1958, demande à rencontrer le général de Gaulle. Le 1er juin 1958, l'Assemblée de gauche, élue en 1956 pour faire le Front républicain, consacre de Gaulle président du Conseil avec les pleins pouvoirs. Les militants qui combattent « la gauche respectueuse », et rêvent d'une autre, d'une nouvelle gauche, se croient revenus dix-huit ans en arrière, à l'époque où l'Assemblée du Front populaire donnait les pleins pouvoirs au maréchal Pétain. La IVe République est morte, et la traversée du désert commence pour la SFIO.

Dans les années qui suivront, la gauche française, soucieuse de se « régénérer », fera tout pour oublier, jeter un voile sur cet épisode de son histoire. Elle procédera par refoulement de la première séquence (1954-1958), pour ne donner à voir au « peuple de gauche » que la deuxième séquence (gaulliste) de la guerre d'Algérie. La célébration régulière des morts de la manifestation anti-OAS au métro Charonne en

5. Jean-Louis HURST, entretien pour *Les Années algériennes.*
6. Maurice MERLEAU-PONTY, « Sur le 13 mai 1958 », article du 5 juin 1958, publié dans *Signes*, Gallimard, Paris, 1960, p. 423.

février 1962 occultera la manifestation algérienne du 17 octobre 1961 (qui a fait beaucoup plus de victimes...), mais plus encore, elle servira à engloutir le souvenir des pratiques politiques de la gauche sous la IVe République. Les images de l'imposante marche, lors des obsèques des huit victimes de Charonne (cf. chapitre 6), recouvriront la conduite adoptée au moment du vote des « pouvoirs spéciaux ».

A droite, les bouleversements des années algériennes, et leurs traces dans l'histoire politique des années qui suivront, ne seront pas moins considérables. A quatre reprises, la guerre d'Algérie, sous la Ve République, ébranle en profondeur le nationalisme français : semaine des barricades d'Alger en janvier 1960 (rébellion des pieds-noirs auxquels se sont jointes des unités de l'armée) ; putsch des généraux en avril 1961 ; déchaînement de violence de l'OAS qui affronte les « barbouzes » envoyés par le pouvoir gaulliste ; « mini-bataille d'Alger » lorsque la gendarmerie réduit la résistance pied-noir à Bab el-Oued en 1962...

De Gaulle, « l'épopée », le doute

Le 16 septembre 1959, le général de Gaulle prononce un discours : « Compte tenu de toutes les données : algériennes, nationales et internationales, je considère comme nécessaire que le recours à l'autodétermination soit dès aujourd'hui proclamé. Au nom de la France et de la République, en vertu du pouvoir que m'attribue la Constitution de consulter les citoyens, pourvu que Dieu me prête vie et que le peuple m'écoute, je m'engage à demander, d'une part, aux Algériens, dans leurs douze départements, ce qu'ils veulent être en définitive, et, d'autre part, à tous les Français d'entériner ce choix. » Après cinq ans d'une guerre cruelle, et qui n'osait toujours pas avouer son nom, le mot tabou est lâché : « Autodétermination ». Rejetant en fait l'intégration, baptisée par lui « francisation », le général de Gaulle offre clairement aux Algériens le choix entre l'association et la sécession, même s'il indique que ce choix ne pourra intervenir que « quand nous aurons mis un terme au combat et (...) après une période prolongée », et en tout état de cause, pas avant que « l'apaisement » ne soit intervenu. Ce discours du 16 septembre 1959 marque un véritable tournant dans la vie politique française, empoisonnée par la question algérienne. Il suppose la négociation ouverte avec le FLN et accorde à la population musulmane (aux neuf dixièmes majoritaire) de trancher le sort de l'Algérie.

A droite, ce discours ouvre la crise du nationalisme français. Les partisans de l'Algérie française ne cessent de marteler : le rattachement de la province algérienne à la France est bien plus ancien que celui de la Savoie (1860) ; ils expliquent la ruine de la France, en cas d'indépendance algérienne. Dans l'une des affiches du Regroupement national pour l'unité de la République, fondé le 19 octobre 1960 par Jacques Soustelle, on lit : « Que signifierait pour la France la perte de l'Algérie ? 20 % de notre économie arrêtée ; un ouvrier sur cinq au chômage ; le pétrole du Sahara perdu ; deux millions de réfugiés à reclasser ; misère, chômage, agitation sociale, problèmes insolubles posés par l'afflux des réfugiés sans toit et sans pain[7]. »

Ils clament que, en 1960, suite aux opérations « Jumelles » menées par le général Challe, il n'existe plus de maquis organisés sur le sol algérien. De fait, l'affaire Si Salah — du nom de ce responsable de l'ALN de Kabylie qui souhaitait, en 1960, négocier directement avec les autorités françaises — illustre bien l'état d'effondrement de la résistance intérieure algérienne.

Alors, pourquoi toutes ces années de combats livrés, cette « victoire sur le terrain », pour abandonner une partie du territoire français ? Comment imaginer l'abandon de ces dizaines de milliers de soldats supplétifs musulmans, les harkis, fidèles à la France et auxquels on a promis de ne jamais les quitter ? Pourquoi ce renoncement au Sahara, riche en pétrole et auquel beaucoup d'officiers sont liés de façon presque mystique ?

Aujourd'hui, on présente volontiers le général de Gaulle conduisant la France sur les sentiers de la modernité, avec des semelles de vent, et sans boue sur ses chaussures. Se hâtant doucement, sûr de ses intuitions. Les partisans de

---

7. Il s'agit là d'une reprise d'un argumentaire syndical. Le secrétaire général de Force ouvrière, A. Lafond, expliquait en mars 1956 que « la perte de l'Algérie ce serait le tiers de nos exportations en moins, la perte de nombreux marchés, plus de 100 000 chômeurs et, en fin de compte, la victoire du communisme ».

l'Algérie française, à l'époque et toujours aujourd'hui, clament, eux, qu'ils ont été dupés. Accordons-leur que, à diverses reprises, ils ont pu, de bonne foi, penser que le fléau de la balance pouvait pencher vers leurs thèses. La phrase fameuse du général, « Vive l'Algérie française ! », prononcée une seule fois, lors de la tournée de juin 1958, à Mostaganem, reste ancrée dans tous les esprits. Et c'est bien de Gaulle qui a ordonné, au début de 1959, l'écrasement de la « rébellion » menée par le FLN. L'armée entre puissamment en action, et, quelques mois plus tard, les maquis de l'ALN de l'intérieur s'effondrent.

De Gaulle a-t-il alors changé brutalement sa politique, en septembre 1959 ? C'est oublier un peu vite son désir sincère, exprimé avant la prise du pouvoir, de s'engager dans un processus assurant à l'Algérie une évolution progressive vers l'autonomie. Les multiples confidences à des proches, comme Louis Terrenoire, prouvent sans discussion possible la réalité de cette ambition. En octobre 1957, Christian Pineau, ministre des Affaires étrangères de la IVe, avait interrogé de Gaulle. Et, dès ce moment, sa réponse avait été nette : « Il n'y a qu'une solution : l'indépendance ; je le ferai savoir au moment opportun. »

Mais la question divise toujours historiens et acteurs de cette époque troublée. On évoque, à ce propos, le « machiavélisme » ou le « pragmatisme » du général de Gaulle, suivant le camp où l'on se situe. Machiavélisme, parce qu'il savait ce qu'il voulait, et se gardait bien de le dire. Pragmatisme, parce que procédant par approximations successives, il attendait le moment opportun pour avancer une solution.

Il est sûr, dans tous les cas, que le général de Gaulle a mesuré le prix de cette guerre : frein à la modernisation nécessaire de la France, prestige international entamé, lassitude d'une population métropolitaine voyant ses enfants partir au combat... Il savait qu'il allait lui falloir « anticiper », aller à contre-courant des opinions d'une armée victorieuse sur le terrain et de la population des pieds-noirs. Mais alors, pourquoi avoir tant tardé à mettre en œuvre sa politique ? La guerre d'Algérie s'est en effet poursuivie aussi longtemps sous de Gaulle que sous le régime de la IVe République.

Quoi qu'il en soit, si le général de Gaulle avait, dès le début, comme l'assurent ses partisans, la volonté de conduire l'Algérie jusqu'au seuil de l'indépendance, il faut admettre que le schéma voulu par lui (d'abord vaincre par les armes, puis organiser des élections, enfin sauvegarder les intérêts français de l'autre côté de la Méditerranée) n'a pas fonctionné selon ces vœux. Révoltes militaires, terrorisme de l'OAS, rapatriements massifs et dans le désordre des pieds-noirs, quasi-abandon des harkis, rupture de tout lien organique avec la France et, finalement, spoliations n'apparaissent pas vraiment comme le résultat d'une évolution harmonieuse et méthodiquement conduite. Né au XIXe siècle, à une époque où l'empire colonial signifiait un grand dessein, le général de Gaulle, visiblement, a hésité à trancher le nœud gordien. Il ne pouvait se résoudre de gaieté de cœur à voir s'évanouir l'œuvre de plusieurs générations ni à rompre des liens séculaires. Le « visionnaire » a dû composer avec le réel... et aussi avec lui-même.

Ce que Michel Debré traduit, à sa manière, dans un entretien accordé en 1979[8] : « Lorsque le Général a lancé le mot d'"autodétermination", il n'avait pas encore à l'esprit la fatalité de l'indépendance. Seulement voilà, peu à peu s'est fait jour une obligation. "Si je ne résous pas cette affaire, disait le Général, personne ne le fera à ma place, la guerre civile s'installera et la France se perdra." »

Dans sa conférence de presse du 14 juin 1960, de Gaulle souligne qu'il faut tourner le dos au passé : « Il est tout à fait naturel que l'on ressente la nostalgie de ce qui était l'Empire, tout comme on peut regretter la douceur des lampes à huile, la splendeur de la marine à voiles, le charme du temps des équipages. Mais quoi ! Il n'y a pas de politique qui vaille en dehors des réalités. »

Et il explique que la fin de la guerre d'Algérie est l'occasion pour la France de montrer une nouvelle voie, d'aider les pays du Sud. Mais cette épopée nouvelle est proposée dans un moment marqué par l'incertitude démographique, l'inquiétude industrieuse, et le doute sur les valeurs fondatrices de la nation. La fin de la guerre d'Algérie a mis à mal l'armée, divisé l'Église, fait voler en éclats le consensus issu de la Résistance.

---

8. *L'Express*, 1er novembre 1979.

Cassures dans l'armée

Le 28 mars 1957, un officier supérieur demande à être relevé de son commandement : le général Paris de la Bollardière, héros de la France libre, et ancien chef des paras d'Indochine. Le 15 avril 1957, il sera frappé de soixante jours d'arrêts en forteresse. Premier signe, premier craquement. Le cas est marginal, mais démontre un refus, une interrogation. L'armée, dans sa grande majorité favorable au maintien de l'Algérie française, s'engage politiquement. Le journal *Le Bled* mène des attaques contre « les politiciens de la IVe République » et contre « l'Assemblée des parasites[9] » ; il justifie la totale participation de l'armée à « la révolution d'Alger » du 13 mai 1958 ; il se lance dans la dénonciation « d'une partie des capitalistes qui mène une politique d'abandon et subventionne des publications au service de l'ennemi[10] » ; il explique que l'armée veut poursuivre sa lutte contre « le FLN allié au communisme, qui incite les musulmans à s'entr'égorger[11] » ; il dénonce les pressions politiques internationales (« l'affaire algérienne, n'en déplaise à ces messieurs, est une affaire française et nous ne demandons rien de plus à l'ONU que de nous laisser la régler nous-mêmes[12] »).

Ces prises de position révèlent ce que des auteurs comme l'historien Raoul Girardet[13] ou le journaliste Jean Planchais ont appelé le « malaise de l'armée », la « crise militaire française ». En 1958, Jean Planchais écrit, de façon prémonitoire : « Sans doute est-il trop tard pour "dépolitiser" le rôle de l'armée en Algérie. [...] Ce malaise ira-t-il jusqu'à la révolte[14] ? »

Le général de Gaulle devine le danger. Dans une lettre

9. *Le Bled*, n° 120, 30 juillet 1958.

10. *Ibid.*, n° 109, 14 mai 1958.

11. *Le Bled*, n° 82, 20 janvier 1960. A partir du 1er août 1958, *Le Bled* a changé de nom pour devenir *Bled*, et sa publication est assurée par l'Association pour le développement et la diffusion de l'information militaire. Ce changement de titre dissimule en fait une reprise en main du journal, après l'arrivée au pouvoir du général de Gaulle.

12. *Le Bled*, n° 120, 30 juillet 1958.

13. Raoul Girardet, *La Crise militaire française 1945-1962. Aspects sociologiques et idéologiques*, Armand Colin, coll. « Cahiers de la Fondation nationale des sciences politiques », Paris, 1964, 240 p.

14. Jean Planchais, *Le Malaise de l'armée*, Plon, Paris, 1958.

adressée à Raoul Salan dès le 9 octobre 1958, il écrit : « [...] Le moment est venu, d'autre part, où les militaires doivent cesser de faire partie de toute organisation qui revêt un caractère politique, quelles que soient les raisons, qui, dans les circonstances qu'a traversées l'Algérie depuis le mois de mai, ont pu exceptionnellement motiver leur participation. Rien ne saurait plus, désormais, justifier leur appartenance à de telles formations. Je prescris qu'ils s'en retirent sans délai[15]. »

Engagée, sur ordre, dans la « bataille d'Alger » qu'elle remporte en 1957, sortie « victorieuse » des événements du 13 mai 1958, l'armée emporte un troisième succès en 1959-1960 en établissant sa supériorité matérielle sur l'ALN. Elle réussit à tronçonner les foyers d'insurrection, à contrôler une part croissante du territoire algérien. Cette réussite, acquise grâce aux leçons de la défaite d'Indochine, a pris pour l'armée française valeur de revanche symbolique. Le putsch des généraux de 1961 et la participation à l'OAS en 1962 ne s'expliquent pas seulement par les opinions d'extrême droite de certains officiers français. En fait, beaucoup d'entre eux ont le sentiment d'avoir été trompés par les attitudes successives du pouvoir civil, et d'avoir été privés par celui-ci d'un succès militaire au moment où il paraissait se dessiner : « Moi, Hélie de Saint-Marc, comme la plupart des cadres de l'armée française, j'ai été avec ma compagnie dans les villages les plus déshérités de l'Algérie, que j'ai essayé de séduire, comme j'avais essayé de séduire les villages en Indochine à la frontière de la Chine. Dans ces villages déshérités de l'Algérie, j'ai fait inscrire sur les murs des maisons : "La France est là, la France restera. L'armée vous protège et l'armée vous protégera." Et, tout cela, je l'ai fait sur ordre. En 1960, le général de Gaulle a fait une réunion de responsables militaires à laquelle j'ai assisté, au cours de laquelle il nous a dit : "Je ne traiterai jamais avec ces gens-là." Et il a ajouté : "Moi vivant, jamais le drapeau FLN ne flottera sur Alger." C'était quand même un engagement qui était pris par le pouvoir politique[16]. »

Le 21 avril 1961, à 13 h 30, le commandant Hélie Denoix de Saint-Marc, responsable par intérim du 1er REP (régiment

---

15. *Bled*, n° 12, 18 octobre 1958.
16. HÉLIE DENOIX DE SAINT-MARC, entretien pour *Les Années algériennes*.

étranger de parachutistes) dit oui au général Maurice Challe, ancien commandant en chef de l'Algérie. Le putsch est pour demain : Saint-Marc et son 1er REP « prendront » Alger. Sa fidélité au serment envers les populations d'Algérie a été plus forte que ses hésitations. Il le paiera cher : des années de forteresse, radié des cadres de l'armée qui était sa vie, et une souffrance intérieure.

Ordres de soumission, sanctions non motivées, double langage, refus « du droit de la défense »... 800 officiers, 800 policiers et 400 administrateurs civils seront renvoyés de la fonction publique entre 1961 et 1963[17]. Le système pèsera de tout son poids : on réclame de l'officier, au mieux l'adhésion de l'intelligence, au pis la démission de la conscience. L'armée française — on y reviendra — mettra des années à se remettre de cette énorme fracture interne.

Elle avait été encore aggravée par l'abandon des harkis, au cours de l'été 1962. Dès avant le 19 mars, des officiers des SAS s'étaient préoccupés de transférer en métropole ceux qui étaient menacés. Mais un télégramme (n° 125/IGAA) du 16 mai 1962 les rappela à l'ordre : « Ministre État — Louis Joxe — demande au haut commissaire rappeler que toutes initiatives individuelles tendant à l'installation métropole des Français musulmans sont strictement interdites. » Une autre directive du même ministre d'État, datant du 15 juillet 1962, énonça que « les supplétifs débarqués en métropole en dehors du plan général seront renvoyés en Algérie[18] ». Ces officiers diront : « Nous avons perdu notre honneur avec la fin de cette guerre d'Algérie[19]. »

La dissociation du patriotisme et de la fidélité religieuse

C'est en 1946 que la République française s'est proclamée laïque, et, en 1958, il n'y a plus que quelques voix pour sou-

17. Jean GUISNEL, *Les Généraux*, La Découverte, Paris, 1990, p. 68.

18. On estime que sur les quelque 150 000 supplétifs et leurs familles, soit 800 000 à 1 million de personnes, environ 85 000 personnes ont trouvé refuge en métropole, tout autant par les voies officielles que par les filières clandestines organisées par des officiers SAS (voir Michel ROUX, *Les Harkis. Les oubliés de l'histoire*, La Découverte, Paris, 1991, p. 223 *sq.*).

19. Témoignage d'André WORMSER pour *Les Années algériennes.*

haiter que Dieu ait sa place dans la nouvelle Constitution française. L'Église sort de la glaciation du *Syllabus* de Pie IX, condamnation radicale du « monde moderne[20] ». Les intellectuels catholiques quittent des positions défensives. Mais après la Seconde Guerre mondiale et l'établissement d'États totalitaires, les guerres coloniales plongent les chrétiens dans le doute.

D'autant que, en France, la guerre d'Algérie correspond au moment essentiel d'un conflit ouvert le 1er mars 1954. A cette date, par un ultimatum fixé par le Saint-Office, tous les prêtres-ouvriers devaient avoir gagné leurs cures ou leurs couvents. Comment admettre la cohabitation de deux états de vie dans le sacerdoce : celui de travailleur manuel engagé dans la vie de la cité, et celui du prêtre consacré à Dieu[21] ? Des lignes de partage se forment, pendant la guerre d'Algérie, entre ceux qui défendent, quoi qu'il en coûte, un idéal de liberté, de générosité, et qui préconisent la rupture de l'Église avec les forces de l'argent, son ouverture à la modernité, entre autres par la fin du temps colonial ; et ceux qui font de Rome une sorte de « mal nécessaire », l'instrument de régulation indispensable à toute institution.

Mais dans l'ensemble, la décolonisation modifie les attitudes, les attendus et les sermons de l'esprit missionnaire. L'Église prépare Vatican II par sa volonté de dissocier évangélisation et colonisation. Pour le prêtre, engagé en Algérie, Alain Maillard de la Morandais, la guerre d'Algérie est significative d'un tournant : « L'honneur de l'Église est sauf[22]. » De fait, la guerre d'Algérie rend l'Église de France moins eurocentrique, plus ouverte aux problèmes sociaux et au pluriconfessionnalisme. Elle suscite d'ailleurs des vocations sur de nouvelles bases. François Lefort, qui a assisté à la nuit

---

20. Sur cet aspect, voir Émile POULAT, *Liberté, Laïcité. La guerre de deux France et le principe de la modernité*, Cerf/Cujas, Paris, 1988, 439 p.

21. Sur cette période, voir François LEPRIEUR, *Quand Rome condamne dominicains et prêtres-ouvriers*, Plon/Cerf, Paris, 1990, 785 p.

22. Alain MAILLARD DE LA MORANDAIS, entretien pour *Les Années algériennes*, qui ajoute : « L'honneur de l'Église est complètement sauf, à travers François de l'Épinay, aumônier général militaire, qui s'est battu contre le général Massu. L'honneur de l'Église a commencé avec Mgr Duval, dès janvier 1955, quand il proteste contre les tortures mettant à mal des membres du conseil municipal d'Alger, qui sont des musulmans. » Voir également le récit autobiographique d'Alain MAILLARD DE LA MORANDAIS, *L'honneur est sauf : prêtre, officier en Algérie*, Le Seuil, Paris, 1990.

tragique d'octobre 1961, raconte : « Je suis d'une famille qui n'est pas tellement croyante. Mais le fait de rencontrer dans les bidonvilles une population de croyants m'a donné envie de chercher Dieu, et ensuite de devenir prêtre. Et après, tout naturellement, je suis parti comme prêtre et médecin dans des pays d'islam, et au diocèse d'Alger[23]. »

Ce nouveau comportement, toutefois, fut loin de faire l'unanimité au sein de l'opinion catholique métropolitaine, dont une fraction significative voyait dans l'affirmation de la patrie française (comme dans certains milieux anticléricaux...) un outil décisif de civilisation et de progrès. La guerre d'Algérie consacre donc la fin de toute une époque, celle de la liaison qui paraissait indissociable entre fidélité religieuse et patriotisme français. Les nostalgiques de cette liaison dénouée se manifesteront, à nouveau, dans les années quatre-vingt, à travers le courant incarné par Mgr Lefebvre.

L'OAS : un nationalisme contre la nation

Dans les deux dernières années de la guerre, deux idées types de la nation française finissent par s'opposer, puis s'affronter : d'un côté, la nation ethnique, la nation-génie-civilisation ; de l'autre, la nation comme cadre de l'émancipation des individus. Par ailleurs, la tension est forte entre les identités particulières et l'affirmation d'une volonté, d'un intérêt national, entre la masse d'un petit peuple pied-noir, accroché à sa terre natale, et la direction nouvelle que compte prendre la France. Cette contradiction trouve à s'exprimer dans la création de l'OAS.

Dès avant le putsch d'avril 1961, le sigle OAS (Organisation armée secrète) est connu de la population européenne d'Alger et d'Oran. Il s'agissait en fait d'un petit mouvement clandestin, fondé vraisemblablement au début de l'année 1961 et dont Pierre Lagaillarde, alors réfugié à Madrid, a toujours revendiqué la paternité. Ses effectifs ne dépassaient guère toutefois deux à trois cents militants, et il coexistait avec d'autres « activistes » qui tentaient depuis plusieurs mois de mobiliser par l'action violente, au service de la cause

23. François LEFORT, entretien pour *Les Années algériennes*.

de l'Algérie française, la population européenne d'Algérie : FAF (Front de l'Algérie française) clandestin, Réseau Résurrection-patrie, mouvement du viticulteur Robert Martel, Étudiants nationalistes, etc.

Quoi qu'il en soit, c'est sous les initiales de l'OAS que choisissent de se regrouper, à Alger, dans le courant du mois de mai 1961, le général Paul Gardy, les colonels Roger Gardes et Yves Godard, le lieutenant Roger Degueldre (qui a déserté le 4 avril), le docteur Jean-Claude Perez et Jean-Jacques Susini. Un « Comité directeur de l'OAS » est constitué et les liaisons sont établies avec les généraux Raoul Salan et Edmond Jouhaud, errant dans la Mitidja sous la protection des réseaux de Martel. Au général Salan est attribué le commandement suprême. Sur le modèle des réseaux de la Résistance de la Seconde Guerre mondiale, en s'inspirant aussi de l'exemple du FLN et des leçons des bureaux militaires d'action psychologique, un premier organigramme est dressé par le colonel Godard, ancien du Vercors, et les tâches distribuées. Au colonel Godard revient le renseignement ; au colonel Gardes, « l'organisation des masses » ; au docteur Perez et au lieutenant Degueldre, l'action directe ; à Jean-Jacques Susini, la propagande et l'action psychologique[24].

Les objectifs sont simples : rester fidèle à l'esprit du 13 mai 1958, résister à la politique du « dégagement » algérien menée par le pouvoir gaulliste, construire une Algérie nouvelle « fraternelle et française ». Dans l'immédiat est seulement envisagée la préparation de l'insurrection populaire à Alger et peut-être à Oran, qui devait, pensait-on, casser le mécanisme des négociations engagées le 20 mai 1961 à Évian entre le gouvernement français et le FLN ; et ainsi constituer un obstacle infranchissable à la poursuite de la politique algérienne de la Ve République. Quant à la définition d'une doctrine ou d'une idéologie de caractère général dépassant le cadre algérien, on estime plus prudent et plus sage de ne pas poser le problème.

L'organisation a simultanément recours à « l'action

24. Sur l'histoire de l'OAS, voir : *OAS parle*, Julliard, coll. « Archives », Paris, 1964, 358 p. ; Jean-Jacques SUSINI, *Histoire de l'OAS*, La Table ronde, Paris, 1963 ; Rémi KAUFER, *L'OAS, histoire d'une organisation secrète*, Fayard, Paris, 1986, 421 p.

directe ». Se trouvent en premier lieu visés par ce terrorisme de caractère « sélectif » les responsables policiers chargés de la répression, certains cadres du FLN, les éléments de la population européenne considérés comme « gaullistes » ou « communistes ». La conduite de ces opérations semble cependant témoigner d'une certaine confusion, résultant d'une dualité de commandement, au sein de l'ORO (Organisation renseignements opérations), entre le Dr Perez (Pauline) et le lieutenant Degueldre (Delta) qui lui est en principe subordonné, mais qui demeure l'organisateur essentiel des « commandos d'action » (dits « commandos Delta »).

L'automne 1961 est pour l'OAS la saison de l'espérance. Sur le plan de l'organisation interne, le mouvement a définitivement trouvé les conditions de son unité et de sa cohésion. L'autorité du général Salan et de son état-major n'est plus contestée.

Dans les grandes villes d'Algérie, c'est avec un enthousiasme souvent tumultueux que la quasi-totalité de la population européenne accorde à l'organisation sa participation ou sa complicité. De grandes manifestations collectives, la journée des casseroles (23 septembre), celle des oriflammes (25 septembre), celle des embouteillages (28 septembre), la multiplication des émissions pirates à la radio, les « opérations ponctuelles » qui frappent durement les responsables de la répression politique, échauffent la ferveur du petit peuple pied-noir, mobilisent son ardeur et sa foi. Le 9 octobre 1961, le général Salan peut annoncer qu'il disposera avant la fin de l'année d'une armée de 100 000 hommes « armés et disciplinés ».

Le régime de la Ve République semble se heurter à des obstacles de plus en plus graves dans l'application de sa nouvelle politique. Les négociations avec le FLN butent sur la question saharienne, et doivent être momentanément suspendues. Le 8 novembre 1961, à l'Assemblée nationale, au cours du débat sur le budget de l'Algérie, plusieurs députés du centre et de la droite défendent la thèse de la représentativité de l'OAS et de la nécessité, pour le gouvernement, de tenir compte de sa présence. Le lendemain, lors de l'examen des crédits militaires, un amendement dit « amendement Salan » obtient 80 suffrages. Dans certains milieux de la police, de l'armée et de l'administration, il est notoire que l'organisation bénéficie de nombreuses et parfois importantes complicités. Pour le commissaire Jacques Delarue, qui participe à la lutte contre l'OAS, « nous savions même qu'il y avait une taupe à l'Élysée[25] ».

Mais, en Algérie même, l'OAS doit faire face à la répression menée par les forces de l'ordre. Hésitante au départ, puis de plus en plus ferme. Et surtout à l'action des réseaux de police parallèle (les fameuses « barbouzes », dont les premiers éléments arrivent à Alger dès le mois d'octobre 1961) et celle des réseaux FLN : agissant souvent en collaboration, ils procèdent à de nombreux attentats individuels, recourant surtout à l'enlèvement[26]. Le climat de violence s'exaspère, mais au jeu du terrorisme et du contre-terrorisme, l'OAS voit fondre ses très faibles effectifs combattants.

Les conditions de politique générale paraissent par ailleurs compromettre l'issue du combat. Un moment interrompues, les négociations avec le FLN sont reprises (elles aboutiront, le 18 mars 1962, à la signature des accords d'Évian). Au service de cette politique, le gouvernement n'a aucune peine à mobiliser la grande masse de l'opinion en métropole, qui, indignée par les actes de violence que multiplient les réseaux métropolitains de l'OAS, ne répond pas aux appels en faveur de l'Algérie française. Contre l'OAS et sous le signe de « l'antifascisme », partis de gauche et syndicats se rassemblent.

L'état-major de l'OAS ne peut plus compter sur un fléchissement du gouvernement. Il n'est plus question de songer au renouvellement d'une opération de « type 13 mai ». Un seul recours lui reste : l'insurrection armée qui empêchera peut-être, par le maintien d'une situation révolutionnaire, l'aboutissement des négociations en cours avec le FLN.

En France, la recrudescence des attentats au plastic dans le courant des mois de janvier et de février 1962 illustre cette montée de la violence : 40 attentats entre le 15 et le 21 janvier (dont 25 dans la région parisienne et 18 dans la seule nuit du 17 au 18), 33 entre le 22 et le 28 janvier (dont 23 dans

---

25. *L'Événement du jeudi*, 28 mars-3 avril 1991.

26. Sur cette « guerre », Lucien Bitterlin, *Nous étions tous des terroristes. L'histoire des barbouzes contre l'OAS en Algérie*, préface de Louis Terrenoire, postface de G. Montaron, éd. Témoignage chrétien, Paris, 1983, 333 p.

la région parisienne), 34 entre le 5 et le 11 février (dont 27 dans la région parisienne). Et en Algérie, 801 attentats OAS, FLN et anti-OAS sont enregistrés entre le 1er et le 31 janvier 1962, faisant 555 morts et 990 blessés. 507 attentats sont par ailleurs enregistrés dans la seule première quinzaine de février, faisant 256 morts et 490 blessés.

Dès la fin du mois de mars 1962, les coups les plus durs s'abattent sur l'OAS. Le général Jouhaud, responsable de l'organisation en Oranie, est arrêté le 25 mars ; le lieutenant Degueldre, le 7 avril ; le général Salan, le 25 avril.

L'organisation n'en poursuit pas moins son action de résistance armée, affaiblie sans doute en métropole, mais d'une violence de plus en plus exaspérée en Algérie.

Georges Bidault et Jean-Jacques Susini succèdent à Salan. Ils savent, pourtant, que l'Algérie française n'est plus qu'un mythe qui se décompose. Mais les attentats redoublent, jusqu'au rythme de un par quart d'heure. En un an, les victimes de l'OAS se chiffrent à 1 500, et le double en blessés. La violence est partout, terrible. Maurice Benassayag témoigne pour *Les Années algériennes* : « A Oran, un type attablé à la terrasse d'un café se levait, sortait son flingue, abattait un Algérien qui passait, puis allait se rasseoir, en toute impunité. Il n'y avait plus d'enquête... »

Des responsables de l'OAS, interviewés trente ans après, assument ces tueries : « Nous avons fait quelques opérations, effectivement. 5 000 morts, 6 000 morts peut-être. C'est horrible, mais tout est horrible dans une guerre[27]. »

Cette violence aveugle, désespérée, des derniers mois de la guerre provoquera trois massacres aux circonstances très différentes, et dont les traces dans les mémoires le seront tout autant.

27. Jean-Claude PEREZ, entretien dans *L'OAS contre de Gaulle*, documentaire de Pierre ABRAMOVICI, diffusé sur TF1, 3 janvier 1991.

6

Des massacres non reconnus

Dans les six derniers mois conduisant à l'indépendance, au cœur des deux capitales, à Paris et à Alger, trois massacres ont lieu. Les 17 octobre 1961 et 8 février 1962 à Paris, le 26 mars 1962 à Alger. A chaque fois, une catégorie particulière d'acteurs est visée, livrant toute la dimension intérieure de la guerre franco-française : Algériens en France bénéficiant à ce moment de toutes les qualités de citoyens ; manifestants anti-OAS, partisans de l'indépendance algérienne, au métro Charonne ; « pieds-noirs » désespérés par les accords d'Évian et massacrés rue d'Isly. A chaque fois, des « civils », et non des militaires, sont tués dans les deux villes.

On sait que l'État de droit n'existe que comme résultat d'une série de décisions, de comportements et aussi de *discours* des responsables politiques, des magistrats, des administrateurs. L'État de droit a dérogé à ses principes parce qu'il n'a jamais reconnu, y compris dans le discours, l'existence d'une guerre et l'inévitable cortège de mesures coercitives. Le silence a prévalu. Après Vichy, s'il est un moment où l'État de droit a cédé facilement en France à l'État de police, c'est bien dans le temps guerre d'Algérie.

Octobre 1961, le « pogrom » dissimulé

Le 18 octobre 1961, la presse parisienne fait ses gros titres sur une manifestation d'Algériens à Paris. Les journaux parlent d'une « masse hurlante et menaçante » (selon *L'Aurore*) ayant « pris le métro comme on prend le maquis » (pour *Paris-Presse*), d'un flot d'Algériens qui « déferlent vers le centre de la capitale en multipliant les exactions et les cris hostiles » (à en croire *Le Parisien libéré*), et en « narguant ouvertement les pouvoirs publics » *(Paris-Jour)*. *Le Monde*, de son côté, a vu « plusieurs hommes en civil de type nord-africain qui s'enfuient armés de pistolets-mitrailleurs ».

Y a-t-il eu soulèvement algérien au cœur même de la capitale française ?

La guerre d'Algérie approche pourtant de sa fin. Le putsch des généraux, favorables au maintien de l'Algérie française, a été liquidé. Les principaux protagonistes (Zeller, Challe, Jouhaud, Salan) sont en prison, ou en fuite. Le gouvernement veut relancer des négociations avec le FLN, interrompues le 16 juin 1961 à Évian, et les belligérants ne veulent pas apparaître en position de faiblesse, donner le sentiment à leur opinion publique d'avoir plié les genoux...

Dans ces mois d'attente, la violence se développe. En Algérie, on l'a vu, l'OAS développe une stratégie de terrorisme en multipliant les attentats à la grenade ou au plastic. Le mouvement entend se situer sur le même plan que le FLN. L'organisation indépendantiste algérienne a réussi, en décembre 1960, à faire occuper la rue des principales villes d'Algérie par des dizaines de milliers d'Algériens favorables à une rupture avec la France.

En métropole, une autre guerre se livre. La Fédération de France du FLN, qui encadre fermement les 350 000 Algériens vivant dans l'Hexagone (on compte près de 130 000 cotisants au Front en 1961), livre bataille contre les messalistes (on y reviendra dans la deuxième partie), les contrôles incessants de la police française, et, surtout, les assauts des groupes de harkis chargés d'infiltrer puis de démanteler les structures du FLN. En trois ans, de 1959 à 1961, 42 policiers sont tués, bilan établi le 13 octobre 1961 à l'Assemblée nationale par le ministre de l'Intérieur, Roger Frey. Des abris en béton sont construits, des sacs de sable sont posés devant chaque commissariat de Paris. Le 5 octobre 1961, Maurice Papon, préfet de police de Paris, publie un communiqué conseillant « de la façon la plus pressante aux travailleurs algériens de s'abstenir de circuler la nuit dans les rues de Paris et de la banlieue parisienne, et, plus particulièrement de 20 h à 4 h 30 du matin. [...] Il est très vivement recommandé aux Français musulmans de circuler isolément, les petits groupes risquant de paraître suspects aux rondes et patrouilles de police ». Ce texte, à première vue simple recommandation, instaure un véritable couvre-feu pour une certaine catégorie de « citoyens français »...

Le FLN décide d'une manifestation de protestation. Il la veut pacifique. Quelques témoins se souviennent. Le journaliste Pierre Enckell : « Ce jour-là, j'ai pris la rue Racine depuis la place de l'Odéon, attiré par une vague clameur. En débouchant sur le boulevard Saint-Michel, j'ai découvert un cortège qui se dirigeait vers la Seine. Ce n'était pas la première manifestation parisienne que je voyais. Elles étaient généralement plutôt houleuses, et accompagnées par une foule de badauds. Celle-ci était bien plus calme, et les rares spectateurs se tenaient à bonne distance. Parce que ceux qui descendaient le boulevard, ce 17 octobre 1961, étaient tous algériens. [...] Il y avait quelques pancartes peut-être mais pas de banderoles ; pas de slogans non plus, mais une sorte de fort murmure, accompagné par des battements de mains[1]. »

Autre témoin, François Lefort : « On a entendu une très grande rumeur dans l'avenue qui s'appelait à ce moment-là avenue de Neuilly, près de la porte Maillot, et qui nous a complètement surpris. Je suis allé à la fenêtre. J'ai vu qu'il y avait dans la rue Bertaux-Dumas, à une vingtaine de mètres de nous, un cordon important de gardes mobiles. Ils étaient habillés comme avant la guerre, avec encore des bandes velpeau sur les jambes. Ils barraient la route complètement. Petit à petit la rumeur s'est rapprochée : des milliers d'Algériens prenaient toute l'avenue de Neuilly, extrêmement large. C'était une ambiance de fête. Ils sont restés là plusieurs minutes comme ça, sans bouger. En tapant dans les mains

1. Pierre ENCKELL, « Quand les policiers jetaient des Algériens dans la Seine », *L'Événement du jeudi*, 16-22 mai 1991.

"Algérie algérienne", et en chantant des chants révolutionnaires algériens. Et puis, brusquement, il y a eu un coup de feu très net. A mon avis, il a dû être tiré pour déclencher l'attaque des gardes mobiles. Ils ont attaqué sur les côtés, pas de face, les Algériens ont été surpris [...]. J'avais quinze ans et demi à ce moment-là, et ça m'a énormément marqué. Ce que voulaient les gardes mobiles, en fait, c'est encercler les gens. Les cars, les paniers à salade étaient déjà prêts. Après dix minutes d'une rare violence, les gens ont été regroupés en petits groupes d'une dizaine, et emmenés dans les cars. Ceux qui étaient évanouis, ou peut-être morts, on ne saura jamais, étaient à ce moment-là enlevés des cars. Beaucoup avaient fui en descendant dans le métro, et là, des gardes mobiles les attendaient déjà. On les a vu ressortir du métro, avec la tête en sang. [...] Les gardes mobiles déplaçaient les voitures pour prendre les gens qui se cachaient dessous. Pratiquement tout le monde a été emmené[2]. »

Pour cette manifestation dans Paris, il s'agissait de se concentrer, ou de se diriger, vers des endroits publics tels que la Concorde, les Champs-Élysées, les grands boulevards. On estime à une trentaine de mille le nombre d'Algériens qui, encadrés par les militants du FLN, ont débouché, peu à peu, ce soir-là, des métros en provenance des banlieues, des bidonvilles.

Ce qui allait suivre fut une nuit d'épouvante. René Dazy, journaliste : « A l'angle de la rue Soufflot et du boulevard Saint-Michel, il y a un car où on jette vraiment, carrément, des blessés attrapés par les pieds. Il y a des pieds qui pendent à la fenêtre, des jambes. Et à l'intérieur, un policier qui tape sur tous ceux qui essaient de se relever. [...] Devant le *Rex*, il y a foule. Je m'approche. Il y a à terre de grandes flaques de sang qui commencent à coaguler. [...] J'ai marché dans toute cette histoire un peu halluciné[3]... »

11 538 arrestations, tel est le premier bilan de cette nuit. En cars de police, et dans les autobus de la RATP réquisitionnés, on emmène les Algériens dans des centres de tri, à Vincennes, au Palais des sports où doit avoir lieu un concert de Ray Charles. (La préfecture de police indiquera, par

2. François Lefort, entretien pour *Les Années algériennes*.
3. René Dazy, entretien pour *Les Années algériennes*.

la suite, que 8 500 personnes ont été libérées le 23 octobre à 10 h du matin ; 1 600 autres restent parquées dans le centre de Vincennes. Une mission parlementaire s'y rend, le 24 octobre et les 6, 7 et 8 novembre ; elle rédigera un rapport d'une extrême sévérité sur les conditions de détention.)

Au lendemain du 17 octobre, la préfecture de police annonce deux morts algériens. Quelques jours plus tard, au Sénat, le ministre de l'Intérieur, Roger Frey, donnera un bilan de six « Français musulmans tués », et de 136 blessés hospitalisés. Chiffre très en dessous de la réalité. Jean Lacouture, dans son *De Gaulle*, parle de 100 morts, ajoutant : « Et combien de cadavres repêchés dans la Seine ? », en parlant de « pogrom policier[4] ».

Dans *Les Porteurs de valises*, Hervé Hamon et Patrick Rotman écrivent : « L'Inspection générale de la police estime à cent quarante le nombre de tués, mais le FLN cite les chiffres de deux cents morts et de quatre cents disparus[5]. » C'est ce dernier chiffre que l'historien algérien Ali Haroun reprendra dans *La 7ᵉ Wilaya*[6]. Le journal *Libération* de l'époque écrit sans être démenti que quarante autopsies ont été pratiquées à la morgue et une au moins à l'hôpital Boucicaut, laquelle constatait « plaie au cuir chevelu, émasculation, deux balles dans le ventre » ; ce qui veut dire matraqué, châtré, achevé. Le 8 novembre, *Le Monde*, qui a jusqu'alors commenté assez prudemment les événements, annonce sobrement : « Une soixantaine d'informations judiciaires ont été ouvertes par le parquet de la Seine depuis le 1ᵉʳ octobre pour rechercher les causes de la mort de Nord-Africains repêchés dans la Seine ou retrouvés dans les fourrés des bois de banlieue. »

Dans les *Ratonnades d'octobre, un meurtre collectif à Paris en 1961*, Michel Levine a recueilli des témoignages dispersés. Quelques Algériens survivants : Mohamed Badache, que deux policiers ont étranglé avec un lacet, dans un fossé. Mohamed Trachi, assommé et jeté dans la Seine au pont de

---

4. Jean LACOUTURE, *De Gaulle*, tome 3, *Le Souverain*, Le Seuil, Paris, 1986, p. 207. J. Lacouture ajoute : « De toute évidence, ce pogrom policier avait été poussé au pire par ceux qui voulaient dresser un rideau de sang entre les deux groupes négociateurs d'Évian. »
5. Hervé HAMON, Patrick ROTMAN, *Les Porteurs de valises*, *op. cit.*, p. 371.
6. Ali HAROUN, *La 7ᵉ Wilaya*, Le Seuil, Paris, 1986, p. 361-377.

Suresnes. Slimane Alla, dont le frère, arrêté, n'est jamais réapparu depuis. Ahcène Boulanouar, battu, violé et jeté dans la Seine face au jardin Notre-Dame. Bachir Aidouni, seul rescapé d'une autre tentative de noyade. Ramdane Berkani, assommé à coups de crosse. Medjouli Lalou, violemment matraqué sur tout le corps, menacé de mort, puis abandonné par les policiers au coin d'une rue, incapable de bouger. Akli Benadji et son ami Areski, tabassés à coups de barre de fer et laissés dans les bois de Meudon. Ahmed Bouzidi, dont le neveu est retrouvé noyé[7].

Dans la presse algérienne d'aujourd'hui, on trouve également de nombreux témoignages : « Beaucoup d'Algériens sont tombés dans la Seine entraînant des CRS auxquels ils s'étaient agrippés, raconte Me Benharrat el-Hadj. Je revois ce compatriote qui avait réussi à sortir du fleuve pour se voir accueillir par un CRS qui lui a brisé la mâchoire et le tibia à coups de matraque[8]. » « On nous a cueillis avant de commencer, et on nous a amenés à la préfecture de police. Des CRS et des harkis nous ont gardés là jusqu'à deux heures du matin. Ils nous ont bien sûr matraqués. Moi-même, j'ai encore trois cicatrices sur la tête. A deux heures du matin, poursuit Saïd Hédibèche, on nous amena, en car, au stade de Coubertin. Personnellement, je suis resté cinq jours à Coubertin et j'y ai perdu 10 kilos[9]. »

La manifestation du 17 octobre sera suivie d'autres, réprimées dans les mêmes conditions. Le mercredi 19 octobre, plusieurs milliers d'Algériens manifestent, deux d'entre eux sont tués à Colombes, et quatre cent vingt et une personnes arrêtées. La soirée est calme le jeudi 20 octobre dans la région parisienne, mais le vendredi une manifestation de femmes algériennes a lieu place de l'Hôtel-de-Ville. Cinq cent treize d'entre elles, et cent dix-huit enfants sont conduits dans des commissariats centraux. Pami ces enfants, Farid Aïchoune, aujourd'hui journaliste : « On s'est fait arrêter, ma mère, ma sœur qui avait neuf ans et moi, qui avais dix ans, au métro Châtelet, devant le magasin Prénatal. [...] On nous a emme-

---

7. Michel Lévine, *Ratonnades d'octobre, un meurtre collectif à Paris en 1961*, Ramsay, Paris, 1985, 309 p.
8. « Octobre à Paris », *El Moudjahid*, 17 octobre 1984.
9. « Hommages et témoignages », *Actualité de l'émigration*, édition spéciale, octobre 1986.

nés dans un endroit qui ressemblait à un asile, je sais qu'il y avait des lits métalliques. Je me souviens qu'ils nous avaient donné des figues sèches, du pain, de l'eau. Les femmes criaient des slogans. Un gradé leur a demandé de se taire, sinon il ferait venir les harkis. La peur s'est emparée des femmes, nous avions énormément peur des harkis[10]. »

D'autres manifestations de femmes et d'enfants algériens auront lieu également dans des villes de province[11].

Après le 17 octobre, la presse juge diversement l'attitude de la police. *Paris-Jour* s'exclame : « Les agents de la force publique avaient complètement disparu... C'est inouï ! » Et *L'Aurore* se scandalise : « Paris est-il donc livré, avec d'aussi piètre protection, à qui veut le prendre ? N'avons-nous pas de ministre de l'Intérieur ? » Mais le *Figaro* « rend grâce à la vigilance, à la prompte action de la police », et *Paris-Presse* félicite les forces de l'ordre : « C'est une performance que d'avoir pu arrêter et embarquer 11 538 manifestants. »

Les prises de position d'indignation vont exister. Le bureau confédéral de la CGT, « qui a toujours considéré légitime l'aspiration du peuple algérien à son indépendance, exprime sa réprobation indignée des actes commis contre eux et des mesures discriminatoires contre quoi protestaient les manifestants du 17 octobre. Il demande la libération des emprisonnés et internés, l'arrêt des expulsions et la suppression des mesures particulières frappant les Algériens[12] ». Mais ni la CGT ou le PCF n'organiseront de manifestations de rue de protestation. Les étudiants, emmenés par l'UNEF, manifesteront seuls, à quelques centaines, dans le quartier Latin à la fin du mois d'octobre.

La revue de Jean-Paul Sartre, *Les Temps modernes*, écrit : « Ces hommes désarmés furent massacrés, laissés agonisants dans les ruisseaux, achevés dans les centres de tri. Pogrom : le mot, jusqu'ici, ne se traduisait pas en français. Par la grâce du préfet Papon, sous la Ve République, cette lacune est comblée. »

---

10. Témoignage de Farid Aïchoune pour *Les Années algériennes*.

11. Sur les manifestations en province, à Lille, Roubaix, Tourcoing, Belfort, Rouen, Montbéliard... voir Benjamin Stora, *Histoire politique de l'immigration algérienne en France, op. cit.*, p. 588-592.

12. *La Tribune*, mensuel de la CGT pour les travailleurs immigrés, n° 127, octobre 1985.

« Ce qu'on ne sait pas, explique la revue *Esprit*, ce qu'on entrevoit, ce qu'on saura un jour, c'est le nombre de ceux qui ont été liquidés en secret. [...] Ce qui se passait quotidiennement en Algérie s'est donc produit à Paris, et la Seine charrie les frères des cadavres qui dorment au fond de la baie d'Alger. »

Le préfet Maurice Papon réagit en faisant saisir *Les Temps modernes*, mais n'attaque pas en diffamation les revues et journaux (comme *Témoignage chrétien, Vérité-Liberté, Le Monde libertaire*...) qui, eux aussi, dénoncent le massacre d'octobre.

Le 27 octobre 1961, Maurice Papon dépose devant le conseil municipal de Paris. Il s'explique moins sur les sévices qu'il ne justifie les nécessités du maintien de l'ordre : « La police parisienne a fait ce qu'elle devait faire. » Un débat à l'Assemblée nationale, le 30 octobre, lors de la discussion du budget de l'intérieur, n'apporte pas plus d'informations. Devant les députés, Roger Frey affirme : « Je n'ai pas le moindre commencement d'une ombre de preuve des accusations portées contre la police. » Et ce malgré l'intervention courageuse d'Eugène Claudius-Petit (groupe de l'Entente démocratique) : « Il faut appeler les choses par leur nom. Chaque gardien de la paix ne pouvait plus se déterminer, à cause de l'ordre reçu et de la décision prise, autrement qu'en tenant compte de la couleur de la peau, de la qualité des vêtements ou du quartier habité. Heureux les Kabyles blonds qui ont pu échapper aux réseaux de la police !

« Faudra-t-il donc voir prochainement, car c'est la pente fatale, la honte du croissant jaune après avoir connu celle de l'étoile jaune ? Car, mesdames, messieurs, je ne sais pas si vous vous rendez compte de ce que nous vivons. Nous vivons ce que nous n'avons pas compris que les Allemands vivaient quand Hitler s'est installé. [...] La bête hideuse du racisme, que les civilisations, que les institutions ont tant de peine à refouler au fond du cœur de l'homme et de son esprit et de sa raison, la bête hideuse est lâchée. Vite, monsieur le ministre, refermez la trappe ! »

Roger Frey accepte cependant, le 31 octobre, la constitution d'une commission d'enquête parlementaire, demandée par Gaston Defferre, alors sénateur. Mais comme elle doit se fonder sur les plaintes et informations judiciaires, le ministre de la Justice fait remarquer qu'une commission ne peut légalement être créée tant que des poursuites sont en cours. La commission est donc vite enterrée, d'autant que les poursuites judiciaires n'aboutirent jamais. L'année suivante, tous les faits commis en relation avec les « événements » d'Algérie sont amnistiés.

On s'étonne qu'en de telles heures le général de Gaulle au pouvoir ne dise rien, laissant à ses ministres et ses préfets le soin de gérer des « basses péripéties ». L'historien Michel Winock a raison d'écrire que, « pour la légende du gaullisme, le silence de l'Élysée en ces jours-là est resté comme une meurtrissure[13] ». Pourtant le Général savait. Une courte note des Renseignements généraux, en date du 19 octobre 1961, indique : « *Plus de la moitié du Conseil des ministres*, qui a siégé durant deux heures hier matin, de 10 h à midi, a été consacré aux manifestations des musulmans algériens lundi soir, dans le centre de Paris et la banlieue. Deux décisions ont été prises : rapatriement immédiat en Algérie de 1 500 manifestants arrêtés qui seront assignés à résidence dans leurs douars d'origine ; des renforts de police seront amenés à Paris et dans la région parisienne[14]. »

Charonne : pas de sanction dans la récidive

A l'automne 1961, en même temps que la vague terroriste qui secoue l'Algérie, l'OAS-France, organisée par l'ex-capitaine Sergent, multiplie les plasticages. Des intellectuels soutiennent sa cause, comme Roger Nimier, Michel Déon, Jacques Laurent ou Jacques Perret. On découvre des réseaux pro-OAS dans certains lycées, certaines écoles. L'OAS recrute parmi des étudiants et des jeunes lycéens exaltés. On apprend des vols d'armes et d'explosifs dans des camps militaires...

Le 5 février 1962, le général de Gaulle, dans une nouvelle allocution faisant allusion à ces « incidents », déclare qu'ils

13. Michel WINOCK, « La nuit d'horreur et de honte », *Le Monde*, 19 juillet 1986.

14. « Politique intérieure, revue quotidienne de presse », note R.G., 19 octobre 1961.

ne revêtent, « si odieux qu'ils puissent être », qu'une importance « relative ». Néanmoins, il dit clairement qu'« il faut réduire et châtier » les agitateurs de l'OAS. La métropole se montre de plus en plus hostile à l'OAS : ces Européens insurgés veulent-ils d'une Algérie française, ou d'une Algérie pied-noir, sur le modèle sud-africain ?

L'attentat dans l'immeuble d'André Malraux qui blesse gravement au visage une petite fille de quatre ans, Delphine Renard, succédant à un attentat contre Jean-Paul Sartre, soulève l'indignation d'une opinion française excédée. La gauche dénonce « le danger fasciste », et appelle le 8 février à une manifestation de « défense républicaine ».

A l'appel des syndicats (CGT, CFTC, FEN, UNEF) et des partis (PCF, PSU, Jeunesses socialistes), cinq cortèges se forment en direction de la place de la Bastille. Ils se heurtent à un imposant dispositif policier. Dans la matinée, le ministère de l'Intérieur a rappelé que toutes les manifestations étaient interdites sur la voie publique. Mais comment imaginer que les forces de police vont se déchaîner contre une manifestation de rue dont les mots d'ordre reprennent ceux du général de Gaulle, contre les « Français indignes », et leurs « entreprises criminelles » ?

Après l'ordre de dispersion lancé place Léon-Blum par les responsables syndicaux, André Tollet de la CGT et Claude Bouret de la CFTC, une unité de police se détache du barrage établi au carrefour Voltaire-Charonne. Cette unité charge violemment, par-derrière, un des attroupements en voie de dislocation. La station de métro Charonne va entrer, ce soir-là, dans les lieux de la mémoire collective de la gauche (comme jadis le mur des Fédérés). Prise de panique, la foule s'engouffre dans la bouche de ce métro, dont une grille à demi fermée retient les corps de ceux qui trébuchent. Sur cet amas humain, qui obstrue complètement l'entrée, des témoins voient un groupe de gardiens casqués « entrer en action ». Ces policiers tapent dans le tas à coups de « bidule » (de longues matraques en bois), projettent une table de café, des sections de fonte arrachées aux grilles de protection des arbres... Ils s'acharnent ainsi une dizaine de minutes. Le lendemain de la tragédie, Claude Bouret, le vice-président de l'union départementale de la CFTC qui avait appelé à la dispersion, apporte son témoignage aux journalistes : « Je me trouvais coincé à mi-hauteur. A côté de moi, je vis des femmes apparemment mortes. L'une d'elles avait la figure violette. Nous commencions à nous relever quand les policiers revinrent nous aveugler de grenades lacrymogènes. Il nous fallut refluer à l'intérieur de la bouche du métro, avec les corps des blessés et des moribonds[15]. »

Au milieu des cris, des gémissements, des couches de blessés enchevêtrés, on retire huit cadavres. La conclusion des médecins légistes est la suivante : « Il est légitime de penser que c'est parce qu'ils ont perdu connaissance sous les coups qu'ils n'ont pu résister à la compression, et qu'ils sont morts. » Ces huit manifestants, dont trois femmes et un jeune homme de seize ans, qui meurent ainsi étouffés et écrasés, sont tous membres du parti communiste.

Dans la nuit, Roger Frey, ministre de l'Intérieur, ordonne la saisie de *Libération*, de *L'Humanité*, et de quotidiens de province *(La Marseillaise, Liberté, Ouest-Matin, L'Écho du Centre, La Marseille du Berry)* datés du 9 février.

Le mardi 13 février, les funérailles des huit victimes de Charonne sont suivies par une foule impressionnante estimée à 500 000 personnes. Une grève générale, ce jour-là, arrête les trains, ferme les écoles et laisse les journaux muets. A ces huit victimes, il faut ajouter une neuvième qui décède plus tard : Maurice Pochard, quarante-huit ans, employé à la mairie d'Asnières. Poursuivi dans la rue, à proximité du métro Charonne, il est assommé à coups de matraque. Il reste plusieurs mois dans le coma sans reprendre connaissance (il sera enterré en juillet).

Maurice Papon tente alors de justifier une des pires « bavures » de la police française : « Des émeutiers manipulés par le parti communiste, une masse très bien organisée de 3 000 à 4 000 militants ont agressé le service d'ordre. » Dans ses *Mémoires* publiées en 1988, ce grand commis de l'État (inculpé entre-temps pour son rôle dans la déportation des Juifs de Bordeaux sous l'Occupation) persiste et signe : « En admettant même que la panique ait pu être évitée au

15. Cité dans le tome 3 de *La Guerre d'Algérie*, sous la direction d'Henri ALLEG, Temps actuels, Paris, 1981, p. 383 ; voir également, « La vérité sur la sanglante répression du 8 février 1962 », *France nouvelle*, supplément du 21 au 27 mars 1962 ; aussi tous les témoignages rassemblés par Michel LÉVINE dans *Affaires non classées*, Fayard, Paris, 1973, p. 71-128.

prix de manœuvres plus habiles sur le terrain, il est évident qu'est d'abord engagée la responsabilité de ceux qui ont bravé l'interdit, et défié le gouvernement en provoquant sciemment l'ordre public[16]. »

Autrement dit, la faute en revient aux manifestants eux-mêmes. Or, une autre version de cette sauvagerie inexplicable avait été livrée à l'époque par Roger Frey : « Un commando de l'OAS, infiltré dans le service d'ordre par l'ex-capitaine Jean-Marie Curutchet, s'est livré, en tenue de police, à ce bain de sang[17]. »

Jean-Marie Curutchet, lieutenant de carrière, déserte et rejoint l'OAS, le 13 octobre 1961, le jour même où le *Journal officiel* publie sa promotion au grade de capitaine. En décembre 1961, sous le pseudonyme de « Capitaine André », il prend la direction effective de l'ORO (Organisation-renseignements-opérations) pour l'OAS en métropole. Lors d'une perquisition, le 30 juin 1962, dans une villa de Brunoy, la police découvre un stock d'armes ainsi que des documents de l'OAS. Il s'agit surtout d'ordres de mission, de lettres, de consignes. Parmi ces documents, figure un rapport sur l'activité de l'ORO pendant le mois de février 1962. Le second paragraphe comporte le passage suivant : « 2e : opération de provocation à la manifestation du 8 février. Réalisée par un groupe de trente hommes. Répartis en groupe de quatre entre Charonne et la Bastille. Une partie du personnel était équipée de "bidules" authentiques. La suite est connue. Coût de l'opération : 90 000. »

Jean-Marie Curutchet, arrêté le 12 avril 1963, passe en jugement le 25 juin 1964 devant la Cour de sûreté de l'État. Or, cette pièce, qui peut expliquer le drame de Charonne, ne figure pas au dossier de l'accusation. Libéré le 15 juin 1968, J.-M. Curutchet publie ses *Mémoires* en 1973. Il nie formellement toute participation de l'OAS à la manifestation du 8 février : « Qu'était-ce que ce document ? Un prétendu rapport d'activités. En fait, une demande de fonds déguisée. Il m'y était réclamé, outre les 90 000 francs ci-dessus, 212 000 francs à titre de remboursement de frais. [...] Qui était l'auteur de ce document ? Un certain Dominique Pierrini,

---

16. Maurice PAPON, *Les Chevaux du pouvoir*, Plon, Paris, 1988, p. 402.
17. Interview de Roger FREY au journal *Notre République*, 10 janvier 1963.

que je vis à deux ou trois reprises au début de ma clandestinité. Mais que je cessai de rencontrer dès que j'appris qu'il était fonctionnaire de la Sûreté nationale[18]. »

Et il faut bien reconnaître que les unités qui avaient chargé au métro Charonne, les seules à être dotées de « bidules », étaient, selon tous les témoins, des « compagnies de district », très structurées, opérant en « sections triangulaires » de vingt-cinq hommes, où chaque policier connaît très bien ses compagnons. La possibilité de se glisser parmi eux était bien mince.

Ce thème de la pénétration par des éléments de l'OAS à l'intérieur de la police se trouve définitivement ruiné par une enquête de *L'Express*, menée par Jacques Derogy. Il montre que la formation qui s'est livrée le 8 février 1962 au massacre du métro Charonne correspondait à l'effectif d'une section de vingt-cinq hommes, et appartenait à l'une des deux compagnies d'intervention du 3e district de police cantonnées au poste de la porte de la Villette. Ces effectifs étaient placés sous l'autorité du commissaire principal André Ysert. Sur le terrain, ils étaient dirigés par le commandant Defrance, assisté de l'officier de paix principal Armand Jules. Au total, trois sections commandées par les officiers de paix Ravinet, à la tête de la section de droite du boulevard Voltaire, Courtois, qui dirige celle de gauche, et Élie Bisserbe, commandant la section du milieu.

Jacques Derogy ne sera pas démenti : « La seule condamnation prononcée dans cette affaire fut celle que m'infligea, ainsi qu'à ma directrice Françoise Giroud, une chambre correctionnelle du tribunal de Paris, le 19 décembre 1972, pour diffamation d'un de ces officiers de police, Élie Bisserbe, promu commandant et devenu, entre-temps, vice-président du syndicat des commandants et officiers de la police nationale[19]. »

Un quart de siècle plus tard, l'ancien conseiller de Michel Debré à Matignon, Constantin Melnik, qualifiera ces explications d'infiltrations de la police par l'OAS « d'inepties for-

18. Jean-Marie CURUTCHET, *Je veux la tourmente*, Robert Laffont, Paris, 1973, p. 104.

19. Jacques DEROGY, « Charonne, ni sanctions, ni regrets », *L'Événement du jeudi*, 16-22 mai 1991.

gées par les gaullistes, afin de garder immaculée la sainte image du Général ». Il est vrai que de Gaulle, par crainte peut-être d'un retour en force du parti communiste, s'est tu sur les « événements » de Charonne. Un silence au plus haut sommet de l'État, à rapprocher de celui du 17 octobre 1961. Il n'y aura pas de sanctions, dans la récidive d'un massacre perpétré en plein Paris. Ni inculpations ni même mutations dans la hiérarchie policière (si ce n'est vers le haut...).

Le dossier « Charonne » est classé le 1er octobre 1966 par un non-lieu, confirmé en appel le 12 juin 1967. Aucun recours n'est plus possible sur le plan pénal, l'affaire est classée.

Rue d'Isly, la fusillade

En Algérie, pendant l'année qui précède la conclusion de la guerre, l'OAS fait la loi au nom de l'Algérie française. L'organisation plastique à tour de bras : les directeurs de journaux hostiles, les communistes, les syndicalistes, les hommes de gauche... Il y a des dizaines d'assassinats chaque jour... Jean-François Kahn, âgé à l'époque de vingt-quatre ans, est envoyé spécial de *Paris-Presse* en Algérie. Outre ses articles, il tient une sorte de journal, une espèce de chronique du sang et de la terreur : « Pourquoi, chaque jour, plusieurs dizaines de musulmans sortent-ils de leurs quartiers, et, calmement, comme s'ils faisaient du lèche-vitrines, s'enfoncent-ils dans la "ville OAS" jusqu'au moment où un tueur met fin à leur promenade ? Celui-là, un turban crasseux autour de la tête, déchargeait une camionnette dans une petite ruelle dans la rue Bugeaud quand trois jeunes gens, en blue-jean et tricot de corps rayé, sont arrivés, il n'a même pas bougé, n'a pas essayé de fuir. Deux coups à bout portant et il est tombé sans un cri, comme un oiseau d'une branche. Il y avait une totale irréalité dans ce meurtre-là. Ils en ont descendu deux autres en moins d'une demi-heure[20]. »

Quand s'ouvre la nouvelle conférence d'Évian, le 7 mars 1962, les commandos de l'OAS renchérissent d'audace et de

20. Jean-François KAHN, « Alger à l'heure du carnage ordinaire », *L'Événement du jeudi*, 28 mars-3 avril 1991.

violence sur le sol algérien : attaques au bazooka de casernes de gendarmes mobiles, voitures piégées qui font des ravages dans les quartiers musulmans. L'horreur s'enchaîne à l'horreur. Alger et surtout Oran vivent avec la mort, comme jadis avec la « peste » bubonique dans le roman d'Albert Camus. Le 15 mars 1962 à Alger, un groupe de l'OAS assassine six dirigeants des centres sociaux éducatifs, dont Mouloud Feraoun, écrivain et ami de Camus. Il avait noté dans son Journal, à la date du 28 février : « Depuis deux jours, je suis enfermé chez moi pour échapper aux ratonnades... »

Le 19 mars, à midi, le cessez-le-feu intervient, décuplant la fureur meurtrière de l'OAS. Les officiers de l'armée française reçoivent un ultimatum les invitant à rallier l'organisation, sous peine d'être considérés comme étant « au service d'un État étranger ». Dans un tract daté du 21 mars, les chefs de l'OAS proclament que les forces françaises sont considérées, à présent, comme des troupes étrangères d'occupation. L'OAS prend le contrôle de Bab el-Oued, quartier transformé en un énorme fort Chabrol, attaque des camions militaires et tue six soldats du contingent. La « bataille de Bal el-Oued » fait 35 morts et 150 blessés.

Le 26 mars au matin, le commandement de l'OAS proclame la grève générale dans le Grand Alger. Il appelle les Européens à se rassembler, en principe sans armes, sur le plateau des Glières et au square Laferrière. Objectif : gagner ensuite Bab el-Oued, pour briser l'encerclement du quartier. Dès 14 heures, ce lundi où il fait beau et presque chaud, la foule s'amasse, très jeune, vibrante et fiévreuse. Christian Schembré raconte : « La manifestation s'ébranle. On arrive près du cordon qui était rue d'Isly. Quelques personnes embrassent les soldats. Naturellement, le cordon se desserre, un lieutenant crie : "Ne passez pas ! On a ordre de tirer ! Ne passez pas !" Il était très ému, véritablement déconcerté. Le cordon militaire s'éparpille un petit peu. Et on voit un militaire qui était contre le mur qui prend sa mitraillette et qui braque les gens qui étaient devant lui. Un pompier en tenue, qui était dans la manifestation, se jette sur lui, et lui dit : "Mais tu es fou, tu es fou !" Et il lui arrache la mitraillette.

« On arrive, on passe. Les gens embrassaient les militaires, on avance, on fait dix mètres, on arrive au bout. On avait passé le cordon de cinquante mètres, il y avait peut-être un millier de personnes qui étaient passées. On entend tirer[21]... »

Il faut en effet emprunter la rue d'Isly pour crever les barrages qui interdisent l'accès du centre vers Bab el-Oued. A l'entrée de cette artère névralgique, des hommes du 4e régiment de tirailleurs algériens. Pourtant, quelques jours plus tôt, l'emploi de ce régiment avait été fortement déconseillé. Le général Ailleret, commandant en chef, avait accédé à la demande du colonel Goubard, chef du 4e RTA. Ce dernier craignait pour « cette excellente troupe au combat mais composée de paysans naïfs qui risquent de perdre la tête dans la fournaise d'Alger[22] ». L'ordre n'est pas transmis, et c'est le lieutenant Ouchène Daoud qui se retrouve responsable sur place. Quoi qu'il en soit, les consignes venues de Paris, et plus précisément de l'Élysée, étaient nettes : ne pas céder à l'émeute. Lorsque Ouchène Daoud et ses supérieurs demandent dans quelles conditions ils pourraient, le cas échéant, faire usage de leurs armes, au siège de la Xe région militaire, on leur répond : « Si les manifestants insistent, ouvrez le feu. »

Mais, comme au temps de la « bataille d'Alger » en 1957, nul ne voudra confirmer cet ordre par écrit dans la « bataille de Bab el-Oued ». Jean Lacouture raconte : « A 14 h 45, une rafale de fusil-mitrailleur claque en direction de la troupe, du balcon du 64 de la rue d'Isly. "On nous tire dessus ! lance dans son émetteur-récepteur le lieutenant Ouchène Daoud, dois-je riposter ?" Le PC du régiment donne le feu vert. Et c'est la mitraillade aveugle entrecroisée, sauvage[23]. »

On relèvera quarante-six morts et deux cents blessés, dont une vingtaine n'ont pas survécu, presque tous du côté des civils algérois. Le nombre des morts montre à l'évidence que, s'il y a eu provocation de l'OAS, l'armée s'est acharnée sur des civils. Y a-t-il eu des « soldats musulmans portant l'uniforme français pour achever des blessés » ? Des témoins l'affirment. Les « pieds-noirs » se vengeront en assassinant, sur-le-champ, dix Algériens musulmans.

Pendant les longues minutes de carnage, on entend ces cris,

21. Christian Schembré, entretien pour *Les Années algériennes.*
22. Jean Lacouture, *Le Monde*, 25 mars 1972.
23. *Ibid.*

poussés par une voix blanche et désespérée : « Halte au feu ! Halte au feu, je vous en supplie mon lieutenant, halte au feu ! [...] », qui se perdent dans l'effroi. La scène de la fusillade de la rue d'Isly, ce 26 mars 1962, a été enregistrée par le journaliste René Duval dans des conditions dramatiques : « La mitrailleuse qui était au coin du boulevard Pasteur et de la rue d'Isly, dans mon dos, à droite, a commencé à tirer et à balayer les manifestants. Et un manifestant algérois, qui, lui, avait bien vu cela, se sauvait. Moi, j'allais, réaction naturelle, vers le bureau d'Europe 1, boulevard Pasteur. Ce manifestant m'a renversé, ce qui m'a sauvé car la rafale, à ce moment, m'est passée au-dessus. Mais lui a été tué, et c'est à cet inconnu que je dois la vie. A ce moment-là, les soldats qui gardaient le barrage, et que le lieutenant avait fait replier dans le porche de la pharmacie, m'ont tiré à l'abri. J'avais ma caméra qui était tombée sur le trottoir. En dix secondes, ça a été une altercation entre les soldats et moi. Parce que je voulais la récupérer. J'ai réussi à la rattraper, aussitôt, j'ai filmé[24]... » Ces images feront le « tour du monde », mais ne seront montrées, en France, que... deux ans après.

24. Témoignage de René Duval pour *Les Années algériennes*.

7

Fin de guerre, éclatement et consensus

La Résistance : éclatement d'un héritage

La guerre d'Algérie éclate dix ans seulement après la Seconde Guerre mondiale. Le discours dominant, celui de la IVe République, laisse alors entendre que les Français, mis à part une poignée de traîtres, ont été des résistants, ou des fidèles silencieux du général de Gaulle. La « France unie », acceptée dans le camp des vainqueurs, ne pouvait pas avoir été pétainiste de plein gré. Les gaullistes eux-mêmes, qui savent l'étendue de la solitude du Général au moment de la capitulation maréchaliste, font mine de croire que les « résistants de septembre 1944 » portaient leur brassard tricolore au bras depuis le 18 juin 1940.

On sait aujourd'hui, par les travaux de Robert Paxton, Jean-Pierre Azema ou Henry Rousso[1], que la Résistance, en 1945, même gonflée par des renforts de la dernière heure, ne mobilisait qu'une assez faible part de la population. En 1986,

1. Robert O. PAXTON, *La France de Vichy*, Le Seuil, Paris, 1974, 375 p. ; Jean-Pierre AZEMA, *De Munich à la Libération*, Le Seuil, Paris, 1979, 412 p. ; Henry ROUSSO, *Le Syndrome de Vichy*, Le Seuil, Paris, 1990, 414 p.

le nombre de résistants « homologués » sur leur demande était de 256 933.

Pourtant, ce petit nombre pèsera très fortement sur la vie politique française de l'après-guerre. Les réseaux de solidarité sont d'autant plus puissants que tous les résistants étaient des volontaires (à la différence des soldats de 1914-1918) dans un combat où l'initiative individuelle jouait un rôle essentiel.

La guerre d'Algérie met à l'épreuve ces liens issus de la Résistance, et révèle un patriotisme fort différent dans ses perspectives. Des lignes de fracture se manifestent, à la fois dans le camp des résistants classés à gauche, et dans celui de la droite.

Dans la première phase, sous la IVe République, la gauche est d'abord touchée. On voit, par exemple, s'affronter Robert Lacoste, résistant parmi les premiers, qui fut un des deux « politiques » à siéger au Comité général d'études (ces neuf sages de la Résistance qui préparaient dans le secret l'administration de la libération), à Claude Bourdet, membre de la direction du réseau Combat.

Trente ans après, Claude Bourdet explique : « Je suis un ancien résistant. J'ai été en camp de concentration pendant un an. J'ai fait quatre camps de concentration en terminant par Buchenwald. J'ai vu ce que faisaient les nazis. Est-ce que c'était la peine d'avoir battu les nazis pour faire la même chose ? Alors, il y avait cet élément-là, cet élément moral[2]. » Claude Bourdet sera même emprisonné (une journée) en mars 1956, par Bourgès-Maunoury, alors ministre de la Défense nationale, son ancien camarade de la Résistance.

Guy Mollet, responsable en 1942 de l'Organisation civile et militaire de la Résistance pour le Pas-de-Calais, voit se dresser contre lui, au moment où il est président du Conseil en 1956, des hommes de gauche comme Gilles Martinet, Jean Rous ou Yves Dechezelles, appartenant à des réseaux de Résistance. Philippe Viannay, fondateur de Défense de la France, renvoie ses décorations de résistant en avril 1957, parce qu'il est contre la poursuite de la guerre en Algérie. Et il s'interroge sur la nature de la Résistance, l'idéologie de la « Révolution résistante » : « La représentation éthique qu'ils se font de la Résistance masque à leurs yeux sa com-

2. Claude Bourdet, entretien pour *Les Années algériennes*.

position sociale, et sans doute s'indigneraient-ils moins de voir le gouvernement se détourner de la voie "socialiste" qu'ils lui ont allégrement tracée, s'ils mesuraient toute l'importance du rôle de la bourgeoisie française dans la Résistance[3]. »

Dans cette première partie de la guerre, c'est la « petite gauche » irrespectueuse qui invoque la Résistance, son vocabulaire, ses sigles : le mouvement « Jeune Résistance » incite à la désertion, et les auteurs qui dénoncent la guerre se font éditer par les Éditions de Minuit, fondées au temps de l'Occupation. Après 1960, au nom de « l'antifascisme », la lutte contre l'OAS, la gauche dans son ensemble retrouvera les accents de 1945.

La droite se trouve à son tour fortement ébranlée avec l'arrivée au pouvoir du général de Gaulle. L'artisan du sursaut de 1940 devient la cible d'hommes de l'OAS... anciens de la Résistance. Ainsi, le colonel Yves Godard, saint-cyrien (promotion 1932), s'était évadé d'un camp de guerre en Pologne et avait rejoint en 1942, après un long périple, le maquis du Vercors ; il y commanda le groupe de bataillons du plateau de Glières. Autre adversaire du général de Gaulle, le lieutenant Roger Degueldre, qui s'engagea dans les FTP à dix-sept ans et participa, dans leurs rangs, à la Résistance dans la région du Nord. Il dut s'enfuir, trouva refuge à Paris et s'engagea, à la Libération, dans la Ire armée. Le commandant du 1er REP, Hélie Denoix de Saint-Marc, avait été emprisonné à Buchenwald, à dix-neuf ans, pour faits de Résistance. Quant au colonel Chateau-Robert, officier d'artillerie à l'origine, blessé durant la campagne de France, il avait rejoint l'Angleterre dès juillet 1940, et fut commandant de commandos parachutistes en 1944...

Tous ces soldats, au départ, ne se préoccupent pas de politique dans cette guerre d'Algérie. Pourtant, malgré le ralliement d'hommes au passé plus trouble à la cause de l'Algérie française, ils se tourneront contre de Gaulle. Ils se sont sali les mains, ont engagé leur honneur et leur parole : ils croient poursuivre une œuvre patriotique, et, cette fois, de Gaulle

3. Cité par Roger Faligot et Rémi Kauffer, *Les Résistants*, Fayard, Paris, 1989. Ce livre fourmille de renseignements sur la période de la guerre d'Algérie, p. 310-420

a pris la place de Pétain. C'est pourquoi, à partir de 1960, les partisans de l'Algérie française, eux aussi, reprennent cette thématique de la Résistance en la retournant contre... de Gaulle ! Ils créent un « Conseil national de la résistance », sous la responsabilité d'anciens de la « France libre », Georges Bidault ou Jacques Soustelle. Un témoin de cette période, une jeune femme pied-noir d'Alger, explique fort bien le sens de ce parallèle : « L'OAS, c'était pour nous la Résistance. Et on rentrait dans cette OAS avec une âme de résistant. Je me rappelle que j'écoutais Léo Ferré chanter *L'Affiche rouge*, je lisais les poèmes d'Aragon. Nous étions les héros, les patriotes. Nous allions défendre la France en danger qui perdait son Empire. Et on était là pour remettre la France sur le droit chemin[4]. »

Comment réagissaient les Français à cette dispute d'héritage ? Le consensus, né en 1945, autour du mythe résistancialiste allait-il s'effondrer ? En fait, sous les guerres coloniales d'Indochine et d'Algérie, s'accomplit le travail de deuil de la période vichyssoise. Et rares sont ceux qui modèlent explicitement leurs engagements dans la guerre d'Algérie en revendiquant l'héritage politique de la lutte de « Londres » contre « Vichy », de la « Résistance » contre la « collaboration ». On les trouvera aux deux extrémités de l'échiquier politique.

La masse des Français ne veut pas — pas encore — entendre parler de Vichy et de la Résistance. Ils refusent tout ce qui pourrait ressembler, évoquer, prolonger parfois les conflits de l'Occupation. Aussi se réfugient-ils derrière la certitude morale que la France, forte d'avoir œuvré à sa propre libération, ne saurait être en position d'opprimer, de torturer. Regarder lucidement le déroulement de la guerre d'Algérie, c'est prendre le risque de faire penser à Vichy. Ce sera une bonne raison pour ne pas parler de l'une et de l'autre période.

Mais, quoi qu'il en soit, la fraternité des combattants devant la mort et la participation à cette histoire singulière qui s'appelle « Résistance » et « Libération » vole en éclats. Le refus de la défaite de 1940 et de l'épisode vichyssois avait réhabilité des valeurs patriotiques tombées en déshérence.

---

4. Michèle Barbier, entretien pour *Les Années algériennes*.

Avec la guerre d'Algérie, se brise le pacte des souvenirs convenables.

La guerre d'Algérie engendre bien une crise du nationalisme français, d'une certaine conception de la France, de son rôle, de sa « mission civilisatrice » dans les colonies. Elle ouvre ce paradoxe : si cette période provoque la construction d'un État fort en 1958, elle débouche à terme sur la crise du nationalisme français, de sa tradition centralisée, jacobine.

L'indépendance algérienne qui approche accélère les prises de conscience, multiplie les remises en cause. Le nationalisme traditionnel français ne trouvera à s'exprimer que sur « la résistance à l'abandon » le refus de la « décadence ». André Figueras, dans son ouvrage *Algérie française*, paru en 1959, écrit : « Tant que l'Algérie nous reste, nous sommes grands, nous sommes forts, nous sommes durables. Nous y sommes promis à des destins incomparables[5]. »

A partir de 1959, de Gaulle, essentiellement par la magie du verbe, contribue à libérer l'opinion de la hantise de la « décadence », de « l'humiliation » et à lui faire approuver, accepter, l'indépendance de l'Algérie. Mais l'effondrement de l'Empire dans un climat de guerre civile en Algérie provoque une crise de la conscience française, qui se voit obligée d'accepter un déplacement décisif de la communauté française. Et cela à un moment où la construction européenne, encore embryonnaire, ne parvient pas à porter les ferveurs, les énergies laissées disponibles par la fin de l'aventure coloniale.

Dans le drame qui déchire les « familles » politiques, culturelles, intellectuelles, les Français confient leur sort malmené à la magistrature suprême. Une demande insistante se forme, pour résoudre les tensions, celle du retour à la tradition bonapartiste.

En France (comme en Algérie, on le verra) la fin de l'état de guerre se traduira par la mise en place d'un exécutif puissant capable de résorber, faire oublier le désordre et les haines surgis dans les « familles ».

---

5. André FIGUERAS, *L'Algérie française*, éd. A.F., Paris, 1959, 136 p.

Les accords d'Évian, ou le lâche soulagement

Le 19 mars 1962, le cessez-le-feu est proclamé en Algérie. C'est la « paix », enfin ! La nouvelle court sur les câbles de téléphone, les ondes des radios. Krim Belkacem a apposé sa signature compliquée auprès de celles de Louis Joxe, Robert Buron et Jean de Broglie, négociateurs désignés par le général de Gaulle. Quatre semaines plus tôt, dans un Conseil des ministres, quand Louis Joxe avait rendu compte de la conclusion des négociations secrètes avec le GPRA, le Premier ministre Michel Debré déclara : « Nous touchons à la fin d'une épreuve douloureuse. Malraux a parlé de victoire, mais il s'agit plutôt d'une victoire sur nous-mêmes. Maintenant, tout dépendra de ce que sera la France[6]. »

A Évian, les négociateurs du GPRA ont fait quelques concessions concernant les droits des Européens (double nationalité pendant trois ans, puis option pour la nationalité algérienne, ou un statut de résident étranger privilégié), le régime du Sahara (droit de préférence dans la distribution des permis de recherche et d'exploitation par les sociétés françaises pendant six ans, paiement des hydrocarbures algériens en francs français) et les bases militaires (Mers el-Kébir reste à la France pour une période de quinze ans et les installations du Sahara pendant cinq ans). En contrepartie, la France se déclare disposée à apporter son aide économique et financière à l'Algérie indépendante, notamment en continuant la réalisation du plan de Constantine lancé en 1958, et à développer la coopération culturelle.

Des 93 pages des accords d'Évian, de ses 111 articles complétés par d'innombrables chapitres, titres et annexes, la métropole retient surtout deux passages : « Un cessez-le-feu est conclu. Il sera mis fin aux opérations militaires et à la lutte armée sur l'ensemble du territoire algérien le 19 mars, à 12 heures. » La guerre est ainsi reconnue... au moment où l'on signe sa fin. Et encore : « Les citoyens français d'Algérie auront une juste et authentique participation aux affaires publiques. [...] Leurs droits de propriété seront respectés. Aucune mesure de dépossession ne sera prise à leur encon-

6. Cité par Louis TERRENOIRE, « Le Conseil historique du 19 mars 1962 », *Le Monde*, 16 mars 1982.

tre sans l'octroi d'une indemnité équitable préalablement fixée. »

L'indépendance de l'Algérie ne fait aucun doute, mais puisque les pieds-noirs voient leurs droits respectés, quelle importance ? Qu'on en finisse avec les attentats de l'OAS, avec les manifestations d'Algériens ou celle de Charonne qui, il y a quarante jours à peine, a fait 8 morts et 150 blessés, autant de désordres qui empuantissent l'atmosphère des miasmes de la guerre civile.

Les Français se montrent d'ailleurs intransigeants à l'égard des généraux, dont les procès commencent. Ils sont une large majorité à dénoncer sans appel le recours aux armes des rebelles de l'OAS. Ainsi, le 2 avril 1962, à la question : « L'ex-général Jouhaud a été arrêté. A votre avis, faut-il le fusiller ? », 45 % des Français sondés répondent « oui », tandis que 27 % sont d'un avis contraire[7]. Deux semaines plus tard, 55 % des sondés réclament la peine de mort pour l'ex-général Salan, contre 20 %, et 25 % qui ne se prononcent pas ; 53 % approuvent la condamnation à mort de Jouhaud, qui vient d'être prononcée.

Quelques semaines plus tard, l'Algérie allait devenir officiellement un pays étranger. Mais, pour la plupart des Français, c'était depuis longtemps, déjà, de l'histoire ancienne. Une année auparavant, au référendum du 8 janvier 1961, 75,25 % des Français avaient approuvé la politique du général de Gaulle. (Ils seront, le 8 avril 1962, 90,71 % à dire oui aux accords d'Évian.)

Toute guerre qui se prolonge, sans que se concrétise un espoir de victoire, engendre la lassitude. Ce facteur joue dans le désintérêt, le (lâche) soulagement (plus que la volonté de reconnaître un monde qui s'éveille) éprouvés par les Français en 1962. Pourtant cela ne suffit pas à tout expliquer. Il y a bien eu, pendant la guerre d'Algérie, une volonté sans cesse exprimée de « sortir » de cette guerre. Dès la fin de l'année 1955, le Front républicain l'emporte au terme d'une campagne électorale centrée sur « la "paix" en Algérie »... En février 1958, selon un sondage de l'IFOP, la guerre d'Algérie n'occupe que le sixième rang de la préoccupation des Français. En octobre 1960, dans un sondage d'opinion

---

7. Sondages de l'IFOP, avril 1962.

réalisé à Paris, pour le journal *Afrique-Action*, 59 % des personnes interrogées pensent que « de Gaulle ne peut pas ramener la paix sans négocier avec le FLN », 24 % étant d'un avis contraire[8]. Pressée d'en finir, l'opinion publique a même désigné le FLN comme seul interlocuteur algérien.

En mai 1962, le cinéaste Chris Marker tourne *Joli Mai*, documentaire qui rend perceptible le « climat » régnant en France à la veille de la déclaration d'indépendance algérienne. Aucune des personnes interrogées ne dit que l'événement essentiel de mai 1962 est la fin de la guerre d'Algérie... « On avait surtout envie d'oublier ce cauchemar », note Rachid Boudjedra[9].

En fait, à considérer, parmi d'autres sources, l'évolution des sondages d'opinion entre 1954 et 1962, on s'aperçoit que la majorité des Français n'était pas aussi attachée qu'on l'a cru parfois au maintien de l'Algérie dans la République française, et qu'elle a consenti assez vite à son indépendance, sans doute parce que, comme l'observe l'historien Jean-Pierre Rioux, la France n'avait jamais fait de la colonisation « un projet collectif à large surface sociale, idéologique et morale ». D'où cet « acquiescement passif » à la décolonisation[10]. Point de vue partagé par un autre historien, Charles-Robert Ageron : « L'élan colonial ne fut jamais le fait que d'une étroite minorité ; [...] la vocation coloniale fut toujours rare et la conscience impériale tardive. La France fut-elle coloniale[11] ? » Soucieux de se débarrasser de leurs responsabilités, les Français s'en remettent à l'autorité du général de Gaulle : « Les citoyens français, dans l'incapacité de résoudre le problème algérien par la loi républicaine, se sont résignés à confier leur avenir, et celui de l'Algérie, à un souverain thaumaturge[12]. »

Coupable de dissimulation délibérée, l'État prend alors le masque de l'innocence puisqu'il obtient le consentement des Français et, sous de Gaulle, compréhension et approbation.

8. « L'opinion parisienne et l'Afrique », *Afrique-Action*, 17 octobre 1960.
9. Rachid BOUDJEDRA, *Naissance du cinéma algérien, op. cit.*
10. Jean-Pierre RIOUX, *La Guerre d'Algérie et les Français, op. cit.*
11. Charles-Robert AGERON, *Histoire de la France coloniale*, tome II, Armand Colin, 1991.
12. Michel WINOCK, *La Guerre d'Algérie et les Français, op. cit.*

La honte et la faute se convertissent en leur contraire : nécessité et déculpabilisation.

Un mauvais souvenir...

En avril 1962, au lendemain de la signature des accords d'Évian, l'inquiétude (et la lassitude) atteint son comble : 75 % des Français se disent « préoccupés » par la question algérienne. Mais en seulement deux mois, la tendance va s'inverser : les vacances d'été finiront de dissiper ce qui ne restera, semble-t-il, qu'un mauvais souvenir. Le 28 juillet 1962, *Paris-Match*, qui tire à plus d'un million cinq cent mille exemplaires, porte en titre de couverture : « Nous voulons 5 000 kilomètres d'autoroutes[13] ! » Et des vacanciers soulagés par la paix enfin installée croisent sans les regarder ces « pieds-noirs » hébétés de douleur, débarquant en masse dans les ports de Marseille, Sète, Nice... En septembre 1962, il n'y a plus que 13 % de Français à considérer que l'Algérie et le problème de rapatriés constituent encore une vraie préoccupation. Les problèmes économiques et sociaux ont désormais la vedette.

La guerre d'Algérie a été perdue par la France, politiquement, dans un monde qui basculait dans la décolonisation. L'amertume et le silence de ceux qui se trouvaient engagés dans ce conflit (soldats, harkis, pieds-noirs...) se comprennent, d'abord, à travers ce constat. Pour certains, la « paix en Algérie » représente la trahison, avec l'abandon d'un territoire indissolublement et constitutionnellement lié à la France ; pour d'autres, la démobilisation, la « quille », signifie la fin d'une longue incertitude, la fin d'une guerre où l'on est entré et d'où l'on est sorti en aveugle.

---

13. Raymond CARTIER, *Paris-Match*, n° 694, 28 juillet 1962.

II

Algérie, 1926-1962 : derrière l'histoire officielle, les déchirements

8

La dissimulation des origines

En Algérie, cette guerre se nomme révolution. Elle est aujourd'hui célébrée comme l'acte fondateur d'une nation recouvrant ses droits de souveraineté, dans la droite ligne des discours de 1954 à 1962, par lesquels les initiateurs de l'insurrection s'efforçaient de gommer l'antériorité du combat indépendantiste. Dans la déclaration qui jette les bases de fondation du FLN en novembre 1954, on peut lire : « Notre mouvement national, traversé par des années d'immobilisme, mal orienté, privé du soutien indispensable de l'opinion populaire, dépassé par les événements, se désagrège progressivement à la grande satisfaction du colonialisme [...]. Le moment est venu de sortir le mouvement national de l'impasse où l'ont acculé les luttes de personnes et d'influence[1]. »

Par la suite, d'une conception de « dépassement » de la crise du nationalisme algérien, on passera à l'effacement des combats antérieurs : le congrès de la Soummam en 1956, celui de Tripoli en 1962 ne mentionnent plus, dans les documents

1. Proclamation du 1er novembre 1954, cité par Philippe TRIPIER, *Autopsie de la guerre d'Algérie*, Éd. France-Empire, Paris, 1972, Annexe 2, p. 567.

adoptés, l'existence des premières organisations indépendantistes.

Les acteurs du 1er novembre ne sont pourtant pas des « justiciers » surgis de nulle part. Comme on l'a vu, ils appartiennent tous à un courant politique apparu trente ans auparavant : l'Étoile nord-africaine (ENA), créée en 1926, qui donnera naissance au Parti du peuple algérien (PPA) en 1937, puis au Mouvement pour le triomphe des libertés démocratiques (MTLD) en 1946. En fait, la notion de « chefs historiques » (ceux qui ont eu l'audace d'entreprendre, les premiers, le combat armé contre la « citadelle coloniale ») servira à effacer les traces originelles du nationalisme algérien ; son lieu de naissance véritable, Paris.

Le nationalisme hors de la nation

Le mouvement nationaliste algérien se crée en effet à l'extérieur de l'Algérie, dans les milieux de l'immigration ouvrière en France. Cela s'explique, en grande partie, par les conditions dans lesquelles la France a instauré sa présence coloniale en Algérie : colonie de peuplement, expropriation massive des terres, mise en place de trois départements français, par opposition aux systèmes de protectorat tunisien et marocain[2].

Au lendemain de la Première Guerre mondiale, si l'émigration de plus de 100 000 Algériens musulmans vers la France a des causes économiques (bouleversement de la société rurale algérienne, et nécessité de reconstruction d'une économie française dévastée par la guerre), l'aspiration à la liberté de pensée et d'expression est une motivation au moins aussi puissante qui ne doit pas être négligée. Comme le note l'historien Charles-Robert Ageron, « l'aventure du départ en France était une grande tentation : la France offrait à leur imagination la chance d'obtenir tout ce qui leur était refusé dans leur pays[3] ».

En Algérie, la colonisation freine le fonctionnement des

2. Benjamin STORA, *Histoire de l'Algérie coloniale 1830-1954*, *op. cit.*
3. Charles-Robert AGERON, « Les Maghrébins et la France », *L'Histoire*, n° 83, novembre 1985.

appareils locaux traditionnels. A la différence du Proche-Orient (l'Égypte, l'Irak), où les débris des classes disloquées pouvaient trouver refuge dans une partie de l'État colonial mis en place par les Anglais, l'appareil colonial construit par la France en Algérie se ferme aux Algériens musulmans. L'univers industriel métropolitain, investi par les paysans algériens chassés par la famine, devient alors ce lieu central d'expression, de découvertes pour transformer sa condition.

De cet exil, cette circulation permanente entre l'Algérie et la France, va naître le nationalisme algérien moderne. Le « mystère » de cette émergence s'explique ainsi par la déstructuration qui provoque l'apparition de nouvelles catégories, les ouvriers émigrés : cette force sociale originale permet le dépassement des *contradictions segmentaires* à l'œuvre dans la société algérienne traditionnelle, précoloniale[4].

L'émigration rassemble des hommes venant de tribus, de régions, de douars différents, rassemblés fortuitement par le départ, et le travail. On quitte la particularité locale pour accéder à une vision plus large. Les anciennes communautés villageoises, tribales, religieuses ne se trouvent nullement effacées, oubliées dans l'exil. Simplement l'idée de nation qui émerge ne prend plus pour base l'état même où l'avait placée le choc colonial, ne peut plus être empruntée à « l'âge d'or » du modèle précolonial. Jean-François Lyotard écrit à ce propos : « Si l'Étoile nord-africaine avait été fondée à Paris, ce n'était pas seulement parce que la répression y était moins rude pour les Algériens qu'en Algérie, c'était d'abord parce que la conscience de leur activité et leur besoin de solidarité s'y faisaient plus aigus au contact des métropolitains. Un sentiment national, encore flou puisqu'il englobait tous les Maghrébins par contraste avec les Européens, naissait de l'exil lui-même[5]. »

Dans les grandes villes industrielles françaises, les Algériens apparaissent à la fois seuls et proches les uns des autres. Ils s'enferment dans la sévérité de leur négation, mais ils se

---

4. A propos de ces contradictions dans l'Algérie précoloniale, voir Mahfoud BENNOUNE, « Les fondements socio-historiques de l'Algérie », *in L'Algérie et la modernité*, p. 37-38, sous la direction d'Ali EL-KENZ, Éd. Codesria, Dakar, 1989, 293 p.

5. Jean-François LYOTARD, *La Guerre des Algériens. Écrits, 1956-1963*, Éd. Galilée, Paris, 1989, 286 p., p. 149-150.

retrouvent aussi dans la solidarité du refus, inébranlable et rigoureux. La résistance intérieure, puis ouverte, sécrète la nationalité d'origine.

Si presque tous refusent la dilution de leur personnalité arabo-musulmane, ils créent progressivement d'autres styles de vie citadine, vivent de nouveaux types relationnels dans les domaines familial, social, économique et politique; ils relativisent certaines valeurs, au profit d'autres engagements. Le sociologue Abdelmalek Sayad a donné les grandes lignes de ce processus: contrôle du groupe villageois au départ, délégation temporaire d'un membre du groupe vers la France pour résoudre des problèmes internes au monde rural, établissement des filières de recrutement, présence et regroupement dans certains quartiers des grandes villes. Puis, l'émigrant devient un immigré qui se fixe en France, partage certains besoins, certaines valeurs de la société qui l'a recruté, tout en restant marqué par le monde dont il est issu[6]. L'émergence du couple paradoxal de l'universalité (la découverte du travail dans un monde industriel, l'apprentissage d'une culture « planétaire ») et de la spécificité (la diaspora des différences et l'apparition du sentiment national) induit l'apparition d'un autre individu.

D'autant plus que la présence en France initie certains immigrés à une culture politique, à des formes de socialités nouvelles. Au printemps 1922 naît dans la capitale de l'Empire, Paris, un journal, *Le Paria*, qui se veut la tribune des peuples sujets, la voix d'une union intercoloniale où collaborent les Algériens Hadj Ali Abdelkader, Menouar Abdelaziz. En 1926, après la campagne contre la guerre du Rif, est lancée, avec l'aide du PCF, l'*Étoile nord-africaine* qui réclame l'indépendance de l'Afrique du Nord.

L'organisation est animée par Hadj Ali Abdelkader et Messali Hadj. Au moment de sa dissolution en 1929, l'ENA, qui compte 3 000 militants dans l'immigration, rompt définitivement avec le PCF. Elle renaît en 1932, avec son journal *El Ouma* et comme principal dirigeant Messali Hadj, entouré d'Amar Imache et de Radjeff Belkacem. L'Étoile, qui s'oppose au projet de statut Blum-Viollette en 1936, pré-

6. Abdelmalek Sayad, « Les trois âges de l'émigration algérienne en France », *in Actes de la recherche en sciences sociales*, n° 2, 1977.

voyant l'accession à la nationalité française pour 21 000 musulmans « évolués », est dissoute par le gouvernement de gauche le 26 janvier 1937. Elle se reconstitue, toujours dans la région parisienne, à Nanterre, sous le sigle de Parti du peuple algérien (PPA)[7]. Ce nationalisme qui, par nécessité, se crée hors de la nation, aura notamment deux conséquences importantes.

La première est l'emprunt au système de fonctionnement, au vocabulaire des organisations ouvrières françaises (en particulier le PCF à ses débuts) pour la construction du mouvement indépendantiste. Mais cet emprunt s'opère dans une phase de bureaucratisation, de stalinisation du mouvement ouvrier en France, où règnent l'exclusivisme, la tentation du parti unique par l'hégémonie pratiquée à l'égard des autres formations. Le paysan algérien déraciné, transformé en militant actif, s'inscrit dans l'héritage de traditions ouvrières déjà perverties par le communisme stalinien. Ce caractère bureaucratique se retrouvera dans la marche du nationalisme algérien, par le refus de la spontanéité des masses (avec, en conséquence, la fâcheuse tendance à se substituer à elles), l'identification du peuple et du parti... L'ENA (puis le PPA, le MTLD ou le FLN) fonctionneront comme des organisations de « professionnels » de la révolution, du « comité central » aux « cellules ». La violente rupture avec le PCF ne changera rien à cet état de fait.

Seconde conséquence : l'immigration algérienne sera un « réservoir de cadres » pour le nationalisme en Algérie. Les militants venant de France apportent avec eux le goût de l'organisation, la conviction de l'importance des cadres, la tendance au centralisme, un certain « rationalisme ». Leur populisme socialisant, qui s'exprime par un dévouement sincère à la cause des masses misérables, un sentiment authen-

---

7. Sur la création, le fonctionnement, l'implantation et le programme de l'Étoile nord-africaine et du Parti du peuple algérien dans l'immigration, se reporter principalement à Jean-Louis CARLIER, *Individus, groupes et propagandisme. Le procès de politisation de l'émigration algérienne en France dans l'entre-deux-guerres*, mémoire de DES, Alger, 1976, 148 p. ; Benjamin STORA, *Messali Hadj, op. cit.* ; Chokri BEN FREDJ, *Aux origines de l'émigration nord-africaine en France. Itinéraire social et culturel d'une communauté ouvrière*, thèse d'histoire, université Paris-VII, 901 p. ; Kamel BOUGUESSA, *Essai sur la formation et la politisation de la communauté algérienne en France dans l'entre-deux-guerres*, thèse de sociologie, université Paris-V, 1979, 510 p.

tique de participer à leurs épreuves, traverse la société algérienne. Mais ces militants retournent... vers la France, dans les années cinquante. Le combat politique, pendant la guerre d'Algérie, se poursuivra à distance, séparé par la Méditerranée. Les ouvriers algériens en exil ne constitueront pas le prolétariat de l'Algérie indépendante. Et l'influence exercée, bien réelle au début, ira sans cesse en s'amenuisant.

D'autres courants, le nationalisme pluriel

Pendant les années de l'entre-deux-guerres, d'autres courants algériens se développent. Le premier, les Jeunes Algériens, réclame l'égalité des droits, l'accession des musulmans à la pleine citoyenneté française. Il est représenté, notamment, par Ferhat Abbas, né en 1899 à Taher, dans le Constantinois.

L'éventail idéologique et revendicatif de ces intellectuels, de culture française, se définit en fonction de deux pôles, l'assimilation et l'association. Le *Jeune Algérien* de Ferhat Abbas en 1931 ou le livre d'Azziz Kessous, *La Vérité sur le malaise algérien* paru en 1935, en sont les manifestes. L'« anticolonialisme » est la première forme de la conscience politique du jeune Algérien. Toutes les tendances s'accordent pour imputer au « colonialisme » la responsabilité du sort injuste réservé à leur peuple. Mais c'est au nom des valeurs françaises qu'ils entendent combattre l'injustice de la condition coloniale : « L'Algérie croit en la France, celle des philosophes du XVIIIe siècle, celle des principes de 1789, celle des Français qui ont été du côté des indigènes et que les intellectuels musulmans ne cherchent nullement à poignarder[8]. » En n'identifiant pas le colonialisme à la France, Ferhat Abbas veut espérer en la France idéale.

Jusqu'au début de la Seconde Guerre mondiale, les Jeunes Algériens misent sur l'extraordinaire dynamisme de l'idéologie égalitaire portée par les principes de 1789, la généralisation à toutes les couches de la société algérienne de l'état d'esprit démocratique. Si la France est ce pays qui a inventé, par la « Grande Révolution », la culture démocratique, elle

8. Ferhat ABBAS, *Le Jeune Algérien*, Éd. La Jeune Parque, Paris, 1931, p. 126.

peut imposer aux Européens d'Algérie le respect de l'autre, l'indigène privé de droits. Ils prônent donc l'égalité des droits avec ceux que l'on appellera les « pieds-noirs », mais restent attachés à leur personnalité religieuse, souhaitant être à la fois français et musulmans à part entière.

Un autre courant, celui des oulémas, lutte pour une prise en considération d'un islam particulier et, partant, d'une « nation algérienne ». Opposé à toute forme segmentaire et locale d'un certain islam cristallisé autour de sanctuaires et de saints locaux, ce mouvement reconnaît l'autorité des théologiens réformistes musulmans. Partis des anciennes villes de l'intérieur (Tlemcen, Constantine, Nedroma...), les oulémas constituent dans les campagnes des associations de toutes sortes, en particulier de scouts, qui répandent le fameux slogan : « L'arabe est ma langue, l'Algérie est mon pays, l'islam est ma religion. » La participation de la paysannerie au nouveau monde urbain s'opère par l'intermédiaire des associations religieuses, nouvelles formes d'organisation au sein de la religion traditionnelle.

Apparaît ainsi un nouvel islam de type jacobin, dont l'attrait est particulièrement puissant, non seulement auprès des marchands et des entrepreneurs islamiques des villes déclinantes de l'intérieur, mais aussi sur la classe rurale des moyens propriétaires. Le développement de l'islam réformiste, arme politico-culturelle, offre très vite un nouveau réseau de relations sociales entre les paysans moyens des campagnes, et les fils et filles de l'élite des villes de l'intérieur.

La figure la plus significative de ce mouvement des oulémas est Abdelhamid Ben Badis, né à Constantine en 1889. Les oulémas, docteurs de la foi religieuse musulmane, croient eux aussi que la « France démocratique », désavouant le colonialisme, permettrait l'émancipation du peuple musulman algérien. Le cheikh Ben Badis, qui préside le mouvement des oulémas en délégation à Paris en 1936, déclare : « Je suis satisfait des réformes promises par le gouvernement Blum-Viollette, en attendant que le suffrage universel soit réalisé pour tous, permettant l'intégration pure et simple de la collectivité musulmane dans la grande famille française[9]. »

9. Ferhat ABBAS, *Autopsie d'une guerre*, Garnier, Paris, 1980, p. 17. Sur le mouvement des oulémas, Ali MERAD, *Le Réformisme musulman en Algérie*, Mouton, Paris/La Haye, 1967, 475 p.

L'enfantement du sentiment national à l'œuvre dans la société algérienne, essentiellement dans l'entre-deux-guerres, ne se réduit naturellement pas à l'avant-garde nationaliste et à son projet politique. Ce sentiment qui va progressivement s'étendre à toute la société s'appuie d'abord sur un mouvement de déception à l'encontre de la « francisation ». Car aussi longtemps que subsiste l'espoir en des réformes françaises accordant plus de liberté et d'autonomie aux Algériens musulmans, l'espoir demeure aussi d'un rapprochement pacifique entre les idées des assimilationnistes (« l'entrée dans la cité française ») et celles des nationalistes indépendantistes. Ben Badis, qui fonda de grandes espérances dans le gouvernement de Front populaire des années 1936-1938, incarne le mieux ce processus. Mais comme il apparaît de plus en plus clairement — au cours de longues années d'échec politique — qu'aucun gouvernement français n'est capable d'entreprendre des réformes, et que s'affirment la mauvaise volonté et l'incapacité françaises à faire des concessions, les nationalistes militants commencent à gagner du terrain, et s'accentue la tendance aux opérations clandestines pour un renversement brutal de l'ordre existant.

A cela, il faut ajouter, bien sûr, la dégradation de la situation sociale et politique intérieure algérienne. Entre 1930 et 1954, le nombre des petits propriétaires musulmans diminue d'un cinquième, et celui des ouvriers journaliers augmente de plus d'un quart. Pendant et après la Seconde Guerre mondiale, les récoltes sont mauvaises, la production de vin médiocre et le cheptel en grande partie détruit. Au plan strictement politique, la France a subi en 1940 une défaite écrasante, révélant sa faiblesse à tous ceux qui ont des yeux pour voir la situation nouvelle ainsi créée. Propagande allemande, lutte clandestine à laquelle se livrent deux parties de la nation française, violence des colons fascistes à l'égard de la population algérienne : tous les éléments se conjuguent, augmentent considérablement le degré d'incertitude, et d'illégalité. Ajoutons, dans le paysage de cette époque, le fait que les Algériens musulmans mobilisés en grand nombre, surtout à partir de 1943, subissent un entraînement militaire qui en font, dans une large mesure, les égaux de leurs camarades français. Toutes les conditions sont réunies (crise de l'appareil de l'État, crise économique, surgissement de l'aspiration à l'égalité des droits, en particulier par le passage dans l'armée, refus de la violence coloniale vichyste...) pour une explosion. Elle se produira le 8 mai 1945[10]. Les manifestations, sauvagement réprimées (plusieurs milliers de morts), sonnent définitivement le glas de la cause assimilationniste, provoquent une fracture dans la société coloniale, et décident de la révolution de 1954.

Une idéologie nationaliste complexe, des influences multiples

Entre les radicaux du PPA, les religieux oulémas, les communistes du Parti communiste algérien (fondé en 1936), et les « réformistes » Jeunes Algériens, les échanges sont fréquents, des liens et de fortes oppositions existent. Une vie politique se structure.

Ce qui palpite dans ce vaste corps militant, c'est une culture commune, riche et confuse, comme tous les syncrétismes : le nationalisme des grands souvenirs ; les héritages de la révolution kémaliste et de la Révolution française, divers, contradictoire, mêlés ; la révolte contre le paupérisme urbain ; la sédimentation républicaine des Européens de gauche de la première moitié du XXe siècle ; les idéologies socialistes et surtout la redécouverte d'un islam populaire, des pauvres.

Mais, essentiellement, le mouvement indépendantiste radical (le PPA de Messali Hadj, de loin le plus influent dès 1939 en Algérie) tire sa force en se situant à l'intersection de deux grands projets : celui du mouvement socialiste et celui de la tradition islamique. De par son statut de médiateur entre ces courants, de par la complexité de ses figures et de ses trajectoires, il constitue une sorte de défi aux catégories, aux idées reçues et aux *a priori* idéologiques.

La naissance en France du mouvement indépendantiste influe sur son développement idéologique ultérieur. L'expérience française initie les premiers militants algériens à des modèles d'organisation et à des rudiments d'idéologie socialiste qui leur servent à analyser la situation de leur patrie, les incitent à comprendre les mécanismes et les valeurs d'un

10. Sur les massacres de mai 1945, voir Radouane AINAD TABET, *Le 8 mai 1945 en Algérie*, OPU, Alger, 1985, 245 p.

monde étranger, les mettent en contact avec des modèles de vie industriels et urbains. Mais, de retour en Algérie, ils ne peuvent donner corps à leurs aspirations dans des syndicats ou partis de gauche, dominés par les Européens.

Concernant le second facteur principal, l'islam, il faut tout d'abord préciser que la quasi-totalité des Algériens, dans cette première moitié du XXe siècle, sont demeurés fidèles aux habitudes religieuses de leurs ancêtres. Fidélités faites de survivances d'habitudes sociales, d'attachements à des pratiques où le conformisme a autant de part que l'adhésion personnelle. La politique indépendantiste réactive le facteur religieux. L'islam est à la fois idéologie de combat et projet de société qui réalise un double objectif contradictoire : expliquer le pourquoi des inégalités sociales et faciliter la prise en charge par la communauté du « coût » énorme que constitue le passage à l'indépendance. Reconquête des termes et des droits proscrits par le temps, le « paradis » des origines, de plus en plus perdu, devient, par la religion, de plus en plus vivant. La révolution indépendantiste promise garde certains traits des révoltes à base d'espérances millénaristes, ou d'émeutes pour la subsistance.

Ce type d'idéologie nationaliste produit le refus du compromis avec le monde existant. Événement central et sacral, l'indépendance est le moment attendu et inespéré, le sens d'un avenir et surtout un pur présent. Les militants algériens sont donc plus à l'aise dans la stratégie de la rupture que dans la théorie de l'ordre social à édifier après l'indépendance. Leur popularité tient ainsi moins au rayonnement de leurs idées qu'à la volonté des classes populaires d'abolir les conditions d'exploitation sociale et d'oppression coloniale. Cet égalitarisme partageux, « au creux d'un moralisme religieux[11] », nourrit la dimension populiste de cette idéologie qui se comprend par la nature de l'Algérie coloniale : le double mouvement de dépossession sociale et de discrimination raciale fait que l'ennemi social est pratiquement toujours, en dernière instance, l'ennemi national.

Ce populisme se perçoit également par le fait que les nationalistes récusent les petites élites qui prônent les « mirages »

---

11. René GALLISSOT, « La guerre d'Algérie : la fin des secrets et le secret d'une guerre doublement nationale », *Le Mouvement social*, 1987.

de l'assimilation. Reposant sur la masse croissante des vrais exclus sociaux, des marginaux clochardisés, les cadres « messalistes » entendent ne pas jouer l'impossible stratégie de l'élite française. L'anti-intellectualisme s'exerce puissamment dans l'organisation nationaliste, pour qui les intellectuels francisés sont par excellence des « bourgeois[12] ». Désignation en forme de mépris à l'égard de ceux qui tentent de découvrir des substituts à la marche en avant du « peuple », qui ignorent les réalités populaires parce qu'ils ne sont pas en contact avec elles au quotidien. Cette méfiance de l'élite se renforce du rejet, par le personnel politique français, des dirigeants nationalistes algériens regardés comme émergeant des profondeurs de la plèbe, donc porteurs d'une possible insurrection sociale. De 1930 à 1954, les responsables nationalistes indépendantistes ne veulent jamais apparaître comme des « interlocuteurs valables », à la différence de leurs homologues marocains et tunisiens. Le PPA n'est donc pas un parti qui se rattache à une conception élitiste. Dans les faits, se souciant d'avoir une base militante, il préfère le nombre maximal d'adhérents à la cohérence politique, et ne pratique pas un haut niveau de formation idéologique pour un tout petit nombre. Il n'obtient pas une grande radicalité des pratiques par un verrouillage doctrinal du discours. Son succès dans les larges masses, l'existence d'un noyau ferme de militants aguerris démontrent à l'évidence qu'il structure des engagements politiques (individuels ou collectifs) multiformes parce qu'il est lui-même traversé par des références sociales multiples.

Dans un mouvement d'ensemble de la société algérienne qui est celui du déclassement généralisé[13], il est le « parti du peuple entier ». Ce qui ne signifie point qu'il évolue seul sur la scène politique algérienne, travaillée par les courants ouléma, UDMA, PCA. Et sur cette scène multipartisane, il

---

12. Dans son remarquable ouvrage, *Les Étudiants algériens de l'université française*, Guy PERVILLÉ tente l'explication d'un « complexe populiste » sur cette question (Éd. CNRS, Paris, 1984).

13. Mohammed HARBI, dans *La guerre commence en Algérie* (Complexe, Paris, 1984), et surtout *Le FLN, mirage et réalité* (Jeune Afrique, Paris, 1980), donne des composantes de ces déclassés : fils de grandes tentes ou de familles maraboutiques, héritiers de petits notables ruraux, commerçants et artisans dont les fils deviennent employés, migrants d'origine paysanne devenus prolétaires ou sous-prolétaires.

est lui-même traversé ouvertement par de multiples courants contradictoires, parce que se voulant creuset de la nation en gestation. Dans ce sens, le PPA-MTLD *ne constitue pas un parti unique par anticipation.*

Crises, diversité des positions indépendantistes

Dans le nationalisme radical, ENA et PPA, la période de l'entre-deux-guerres est un moment essentiel de construction d'une direction grâce à l'immigration et, dans une certaine mesure, d'influences et d'emprunts au mouvement ouvrier français. Il n'en est plus de même après 1945. Pendant la Seconde Guerre mondiale, une grande partie de la direction se retrouve dispersée par l'exode, la répression, les prisons. Des années qui comptent double tant le cours des événements y est précipité. Quelques-uns reprennent leur place avec le souvenir d'autrefois. Avec les générations précédentes, l'absence n'a pas détruit les liens cimentés par les combats antérieurs, mais elle les a relâchés. Ceux qui retrouvent la direction ne voient plus les mêmes dirigeants qu'avant leur départ. Malgré les écarts chronologiques réduits, de multiples différences apparaissent au plan des formes d'organisation, du vocabulaire politique.

Et pour ceux qui sont en place, la guerre a mis fin aux habitudes. La direction qui se constitue entre 1943 et 1946 émerge en Algérie comme un groupe bien cohérent construisant sa propre histoire, avec ses rivalités, ses tensions ; détaché des origines de l'immigration, il est devenu spécifiquement « algérien ». Si les caractères traditionnels hérités de la période précédente persistent dans la direction de 1946 et demeurent toujours les plus frappants, ce sont des survivances bien menacées. Le passé se défend (refus des alliances, affirmation de l'organisation, défiance des « élites » et appui sur le peuple), mais la perturbation économique, sociale et politique affecte toute la structure de l'organisation. Ouverts sur des activités variées, soupçonnant l'évasion possible hors de leur condition sociale par les études qu'ils entreprennent ou les fonctions qu'ils occupent, de nouveaux dirigeants découvrent d'autres mœurs, d'autres possibilités d'actions politiques. Ils perçoivent le retour des « anciens » comme celui de la rudesse politique. Plus « critiques », plus « raisonneurs », en fait, la recherche de raccourci politique prédomine dans leurs analyses. Le lent travail collectif, patient, leur paraît dépassé. Le tournant de 1945 joue à cet égard plus un rôle d'accélérateur que de révélateur et précipite la mise en retrait du groupe construit dans l'entre-deux-guerres autour de Messali Hadj.

Ce dernier fonde alors le Mouvement pour le triomphe des libertés démocratiques (MTLD), tandis que Ferhat Abbas jette les bases d'une Union démocratique du manifeste algérien (UDMA). Le MTLD emporte en Algérie les élections municipales d'octobre 1947, et crée, la même année, une organisation militaire secrète chargée de préparer l'insurrection armée : l'Organisation spéciale (OS), qui sera dirigée par Hocine Aït Ahmed et Ahmed Ben Bella. Mais le MTLD, principale organisation indépendantiste, qui groupe plus de 20 000 militants actifs, est traversé par de multiples débats, crises internes.

En 1948-1949, la majorité de la direction de la Fédération de France du MTLD adopte des positions revendiquant l'identité berbère et critique le sens jugé trop « arabe et islamique » donné à l'orientation générale du parti. Du coup, la Fédération de France se retrouve placée au premier rang des préoccupations de la direction qui décide l'envoi de responsables pour « normaliser » la situation. Plusieurs dizaines de cadres de l'immigration algérienne sont exclus de l'organisation nationaliste[14]. Cet « incident » a éclaté en France, parmi les cadres de l'immigration, et n'a pas touché les militants d'Algérie, y compris en Kabylie, région pourtant particulièrement concernée. L'hypothèse des effets d'influence de la société française — laïcité, positions de jeunes intellectuels en rupture avec coutumes et traditions familiales, volonté de sortie d'un nationalisme estimé trop étroit, intégration aux luttes idéologiques en France — peut être invoquée.

En 1950-1951, la découverte de l'OS par la police française

---

14. Sur cette « crise berbériste », voir Janet ZAGORA, *The Rise and Fall of the Mouvement of Messali Hadj, 1924-1954*, Columbia University, New York, 1973, p. 254-279 ; Hocine AÏT AHMED, *Mémoires d'un combattant*, S. Messinger, Paris, 1982, p. 177-202 ; Omar CARLIER, « Note sur la crise berbériste de 1949 », *in Annuaire de l'Afrique du Nord*, XXIII, 1984, p. 347-371.

et l'arrestation de ses principaux dirigeants ouvrent une autre crise[15]. Les hommes de l'OS accusent les responsables du comité central de ne les avoir pas suffisamment protégés. Des dizaines de militants sont alors arrachés brutalement à leurs habitudes, restant plus que jamais dans la clandestinité, se transportant à l'autre extrémité du pays ou en France[16].

Cette dissolution de l'OS n'est pas une péripétie mineure, un simple accident de parcours, mais une petite révolution intérieure pour tous les militants et dirigeants, qui sortent transformés par l'épreuve subie. Ce brassage de la population militante atténue sensiblement les oppositions régionales (sans pour autant les faire disparaître), les directions locales se mélangent, se frottent les unes aux autres. Beaucoup d'hommes de l'OS se retrouveront dans la direction clandestine chargée de préparer le 1er novembre 1954.

Cette crise étouffée, une autre de plus grande ampleur va surgir et se développer. Messali Hadj, en résidence surveillée à Niort, ouvre l'affrontement avec la majorité des membres du comité central (surnommés à l'occasion « centralistes ») en faisant de la Fédération de France son bastion. L'accusation de réformisme est proférée à leur encontre. La manifestation du 14 juillet 1953 à Paris fournit l'occasion du choc qui se préparait depuis deux ans déjà[17]. Ce jour-là, au cours d'une manifestation organisée par le MTLD, la police interrompt le défilé portant des banderoles réclamant la libération de Messali Hadj. On relève, chez les Algériens, six morts et quarante-quatre blessés. Messali Hadj et ses partisans, en particulier Abdallah Filali et Ahmed Mezerna, accusent les membres du comité central de « mollesse » dans leurs réactions. La bataille est ouverte entre les deux tendances (« messaliste » et « centraliste ») et se dénoue en scission

---

15. Démantelée par la police française en 1950, l'OS aurait atteint des effectifs de 1 800 membres selon les sources de l'administration française (Algérie, 1957, cabinet du ministre de l'Algérie), de 1 000 à 1 500 selon Mohammed Boudiaf, avec stabilisation autour de 1 000 en 1949 (*El Jarida*, décembre 1974).

16. Sur l'itinéraire de ces militants, voir Benjamin STORA, *Dictionnaire biographique de militants nationalistes algériens*, L'Harmattan, Paris, 1985, p. 404.

17. Sur le détail de cette crise du MTLD en 1953-1954, voir Mohammed HARBI, *Les Archives de la Révolution algérienne*, Éd. Jeune Afrique, Paris, 1981, documents 1 à 12 ; Benjamin STORA, *Les Sources du nationalisme algérien*, L'Harmattan, Paris, 1988, 195 p.

au congrès d'Hornu en Belgique, tenu par les messalistes, le 13 juillet 1954.

Un troisième courant, qui se fixe l'objectif de reconstruire « l'unité du parti » par l'engagement dans la lutte armée, voit le jour en mars 1954 : le Comité révolutionnaire pour l'unité et l'action (CRUA). Bien implanté en Kabylie (par l'intermédiaire de Krim Belkacem et Omar Ouamrane), dans l'Aurès (avec Mostefa Ben Boulaïd et Chihani Bachir), à l'étranger et au Caire (particulièrement avec Mohammed Khider, Ahmed Ben Bella, Hocine Aït Ahmed), les membres de ce groupe seront à l'origine du déclenchement du 1er novembre 1954.

Une rapide analyse des trois directions qui vont se différencier en 1954 (« messaliste », « centraliste », « activiste » avec le CRUA) fait apparaître trois générations de militants qui portent le nationalisme algérien depuis les années vingt, et permet de comprendre comment s'est élaborée la mémoire complexe de l'organisation nationaliste[18] :

— la génération issue de la « Grande Guerre » et marquée par ses conséquences : l'émigration, la découverte du mouvement ouvrier français, la guerre du Rif en 1925, l'apprentissage des mots d'ordre (« Droit des peuples à disposer d'eux-mêmes », « Indépendance », « Constituante souveraine ») et des formes d'organisation ;

— la génération qui émerge avant, pendant et après le Front populaire, sur le sol algérien : elle se caractérise par la fin des illusions assimilationnistes, le recours aux valeurs arabo-islamiques pour justifier l'action à entreprendre, la méfiance à l'égard des « élites » et la sacralisation du « peuple », toutes classes sociales confondues, porteur de l'avenir ;

— la génération issue de la Seconde Guerre mondiale et des événements de mai 1945, qui souligne la nécessité d'utiliser la forme clandestine d'organisation, voire, pour certains, l'obligation du passage à la lutte armée pour résoudre les problèmes.

A travers les échanges entre les différents groupes de direction (dont la figure centrale demeure Messali Hadj) s'élabore

18. Analyse élaborée à partir du *Dictionnaire biographique de militants nationalistes algériens (1926-1954)*, *op. cit.*

la mémoire collective de l'organisation nationaliste dont l'unité repose sur trois temps :
— le premier s'étend des origines (création en 1926 et renaissance de l'ENA en 1933) à la première manifestation publique sur le sol algérien (discours de Messali Hadj au stade d'Alger en août 1936) ;
— le deuxième est le temps-rupture (dissolution de l'ENA en 1936, guerre mondiale, massacres de mai 1945) ;
— le troisième temps est celui du présent qu'ils vivent, des décisions à prendre (création du MTLD en 1946, présentation aux élections et création de l'organisation paramilitaire, l'OS).

Lorsque s'ouvre la crise du MTLD, en 1952, ces trois temps sont réactivés en fonction du présent. En s'axant sur le premier, il s'agit de ne pas effacer les luttes héroïques des pionniers d'autrefois, de s'affirmer face aux autres, de pratiquer une certaine forme d'alliance avec le mouvement ouvrier français. En privilégiant le deuxième, on met davantage l'accent sur la fin de l'isolement, et la priorité est donnée à la recherche de l'unité avec les autres formations politiques algériennes. En choisissant de privilégier le troisième, on insiste sur l'articulation entre luttes politiques et luttes armées. Bien entendu, ces trois références ne sont pas nécessairement contradictoires entre elles et l'on peut les retrouver enchevêtrées, produisant les réflexes politiques collectifs.

La fin d'une époque

L'élaboration d'une mémoire collective, l'expérience antérieure, les connaissances et un certain savoir-faire politique, la construction de réseaux de sociabilités culturelles et de solidarités militantes constituent des atouts précieux du nationalisme algérien radical. A quoi les initiateurs du 1er novembre 1954 répondent : il ne suffit pas de disposer de quelques compétences, encore faut-il être capable d'improviser, de susciter les opportunités ou de trouver les échappées, les unes et les autres également rares dans la société coloniale algérienne. La défaite française en Indochine marque leurs esprits. Après Dien Bien Phu, le 7 mai 1954, n'y a-t-il pas la possibilité d'entreprendre une action militaire ? Ils jugent qu'il ne faut plus se contenter de poursuivre le combat politique antérieur, même sur d'autres bases. La situation exige désormais un nouveau mouvement national, en effaçant les traces de l'origine qui encombrent les conduites. Leur conception signifie la fin d'une époque. Celle où les Algériens pouvaient choisir entre le MTLD, l'UDMA, les oulémas, le PCA... Cette compétition intense permettait de juger de la validité ou de l'inanité des programmes politiques avancés par les uns et par les autres. Le peuple algérien restait, dans les faits, seul juge du type de lutte à mener. N'est-ce pas de la sorte que pouvaient s'acquérir des traditions de démocratie politique ?

9

Le Front, ou l'effacement du pluralisme

Le 1er novembre 1954, date officielle du déclenchement de la guerre d'Algérie, n'est pas synonyme d'affirmation d'une direction unique, le FLN, et effondrement de tous les courants politiques antérieurs. Contrairement aux affirmations communément répandues par une histoire mythique en Algérie, la structuration du FLN, son affermissement vont s'étaler sur deux années, jusqu'au congrès de la Soummam du 20 août 1956. Deux années pour recruter, sélectionner des cadres, entraîner la population, composer l'idée d'indépendance, établir des filières et réinventer la guérilla. Mais, surtout, deux longues années pour se voir reconnaître le titre, envié, « d'interlocuteur valable » par l'intégration en son sein de tous les autres courants, à l'exception des partisans de Messali Hadj, qui fonde, en décembre 1954, le Mouvement national algérien (MNA).

La guerre contre les messalistes

La dissolution du MTLD par le Conseil des ministres du 4 novembre 1954 entraîne l'arrestation de plusieurs centaines de responsables et militants nationalistes algériens. Ceux qui ne sont pas arrêtés n'ont pas le choix : il leur faut entrer dans la clandestinité, ou gagner le maquis. Cette dissolution du MTLD attire la réflexion suivante d'Ahmed Ben Bella : « Nous n'ignorions pas, en effet, qu'en cas de "coup dur", le gouvernement français ne manquerait pas de dissoudre le MTLD et d'emprisonner ses responsables. Ce qu'il fit, à notre indicible soulagement. Il nous débarrassait ainsi de politicards qu'il prenait pour nos complices, et qui, en réalité, gênaient terriblement notre action par la confusion qu'ils entretenaient dans l'esprit des masses[1]. »

Le FLN profite pleinement de la dissolution du MTLD : mise en place des structures d'accueil dans les maquis pour intercepter la masse de militants messalistes désorientés ; prise de possession des stocks d'armes hérités de l'organisation paramilitaire du MTLD, l'OS ; début de contacts avec les Tunisiens et les Marocains. Un grand nombre d'immigrés arrivant dans les maquis seront pris en charge par le FLN[2].

Mais il subit également, dans la première phase de l'insurrection, des coups très durs. Le 15 janvier 1955, Didouche Mourad, responsable du Constantinois, meurt au combat ; le 11 février, Mostefa Ben Boulaïd, dirigeant des Aurès, est arrêté ; le 16 mars, Rabah Bitat, qui avait organisé la guérilla urbaine à Alger, est également arrêté.

Dans ces conditions de répression très active (de novembre 1954 à avril 1955), des tentatives de conciliation ont lieu entre « activistes », « centralistes » et « messalistes ». C'est la période pendant laquelle le FLN se cherche encore, accomplit sa naissance, prend la mesure de ses forces. Le « Front », c'est alors la possibilité pour les activistes de prendre le pouvoir à l'intérieur de l'ex-MTLD, en prenant le dessus sur les « messalistes » et les « centralistes ». L'acte « 1er novembre » doit pousser à une redistribution des cartes dans le

1. Robert MERLE, *Ahmed Ben Bella*, Gallimard, Paris, 1965, p. 97.

2. De France et de Belgique, des militants messalistes partent en grand nombre pour rejoindre les maquis. Les services du gouvernement d'Algérie signalent « des retours massifs de métropole. Du 1er février au 20 mars 1955, 23 000 hommes seraient ainsi rentrés et la plupart d'entre eux auraient rejoint la rébellion » (chiffres très certainement gonflés). Mais les rapports de la DST pour la région de Tlemcen font aussi état du retour de France de nombreux militants messalistes. Sur cet aspect, voir Benjamin STORA, *Histoire politique de l'immigration algérienne en France, 1922-1962, op. cit.*

mouvement indépendantiste, en donnant la primauté aux partisans de la lutte armée. Il n'est alors pas question d'alliances avec les « réformistes » de l'UDMA, les oulémas, ou les communistes.

Sous la pression des activistes populistes représentés en particulier par Ben Bella, les « centralistes » fléchissent et sautent le pas, se rangeant aux côtés du FLN. A l'inverse, les messalistes, héritiers d'une longue tradition politique qui ne croit pas à l'action militaire pour obtenir l'indépendance, refusent les visées activistes qu'ils jugent simplistes. Pour Messali Hadj, formé dans la gauche française, les activistes sont bien des victimes d'une « maladie infantile ».

Deux groupes de dirigeants se font face :
— dans la direction du courant messaliste, le plus jeune (Abderrahmane Bensid) a vingt-deux ans en 1954 et les plus âgés (Messali Hadj, Belkacem el Baïdaoui) cinquante-huit ans à la même date. Ce qui unifie avant tout ces dirigeants, c'est leur opposition aux autres organisations, assimilationniste, réformiste et surtout PCA ; et le combat livré pour l'affirmation de l'organisation indépendantiste. Leur mémoire ne commence pas avec 1945 et la création du MTLD. Ils posent, au plan programmatique, le maintien du mot d'ordre de « Constituante », se veulent les héritiers d'une tradition qui commence avec l'Étoile. Ces hommes se sentent retenus les uns aux autres par un lien trop fort de références historiques et programmatiques pour que l'attrait de l'inconnu suffise à les toucher. Aucune circonstance extérieure ne vient troubler cet enchaînement d'habitudes massives ;
— dans la direction du courant activiste, le plus jeune (Omar Belouizdad) a vingt-six ans en 1954, le plus âgé (M. Ben Boulaïd), trente-sept ans. Un seul de leurs membres, Mohammed Khider (âgé de quarante-deux ans en 1954), qui les rejoindra à la veille du 1er novembre, a connu l'Étoile en 1936, mais il a lui aussi été mêlé à l'affaire du démantèlement de l'OS. Ce fait n'est pas sans importance. Car ce qui les soude, c'est que tous, sans exception et quel que soit leur âge, ont fait partie de l'OS, ont dû fuir, se cacher, pour éviter la répression. Le sens qu'ils donnent à la transmission de l'héritage légué par les pionniers du nationalisme se résume dans le recours à l'action directe.

Toutes les divergences entre FLN et MNA se concentrent

en une seule, la plus spectaculaire : la recherche effrénée d'apparaître à tout prix comme la seule organisation représentative. Selon Mohammed Maroc, ancien membre du bureau politique du MNA : « Jusqu'en avril 1956, l'intransigeance est du côté du MNA. Après cette date, le FLN lui rendra la monnaie de la pièce[3]. » Le MNA se pose en unique héritier du PPA-MTLD, sa légitimité est déjà établie par une longue histoire :

— « Le MNA est le porte-parole de la quasi-totalité du peuple, il est convaincu que, pour mettre fin au drame algérien, il convient d'ouvrir sans tarder un dialogue franco-algérien[4]. »

— « La résistance algérienne, qui ne date pas seulement du 1er novembre 1954, ne s'est jamais départie des lois humaines de la guerre[5]. »

— « *Le MNA, porte-parole authentique de la quasi-totalité du peuple algérien, reste fidèle à son programme d'indépendance maintes fois plébiscité*[6]. »

L'organisation messaliste, trop sûre de ses traditions, de son implantation en France, de sa longue histoire, a d'abord voulu ignorer le FLN, puis a sous-estimé ses capacités à mobiliser, regrouper les Algériens sous sa bannière.

Début avril 1955, un tract du FLN, le premier du genre depuis la proclamation de novembre, circule dans Alger : « Nous te mettons en garde contre ceux qui maintiennent la confusion. Nous dénoncerons tous ceux qui ont recours au mensonge et à la calomnie pour te dérouter de la véritable voie. Le tribunal de l'ALN sera impitoyable envers les traîtres et les ennemis de la patrie [...]. Algériens ! Venez en masse renforcer les rangs du FLN. »

Le 12 avril, dans une lettre envoyée du Caire, Abbane Ramdane, nouveau responsable du FLN, adopte un ton plus explicite, plus catégorique : « Nous sommes résolus à abattre tous les chefs messalistes[7]. » La guerre des tracts annonce l'épreuve de force qui se déroulera en Algérie et en France.

3. Témoignage de M. Maroc à l'auteur.
4. « Lettre du MNA aux députés français », février 1955.
5. « Le MNA répond à Edgar Faure », déclaration, octobre 1955.
6. Déclaration du MNA dans la campagne des élections législatives, décembre 1955, *in La Voix du peuple*, n° 16, 16 décembre 1955.
7. Serge BROMBERGER, *Les Rebelles algériens*, Plon, Paris, 1958, p. 90.

Le 26 mai 1955, Terbouche, un membre du FLN, est arrêté. Les policiers apprennent à cette occasion que le 23 mai, au cours d'une réunion tenue à l'hôtel Couronne à Zurich, Mohammed Boudiaf, Ali Mahsas et Yacef Saadi avaient décidé de renforcer les commandos antimessalistes du FLN et avaient communiqué à la direction du Front un projet visant à « liquider » physiquement les principaux responsables du MNA, à commencer par Messali[8]. Le journaliste Albert-Paul Lentin, qui rapporte ce projet d'assassinat sur la personne de Messali[9], signale dans le même article que le MNA fait à son tour condamner à mort, par un « tribunal » présidé par Filali, divers responsables FLN. L'assassinat, le 1er juin 1955, de Saifi, vieux militant PPA, dont l'hôtel-restaurant de la rue Aumaire, dans le 3e arrondissement de Paris, abritait les illégaux, précipite l'affrontement[10].

A la fin du mois de novembre 1955, Abane Ramdane, par tract interposé, traite Messali Hadj de « vieillard honteux qui tient le front d'Angoulême à la tête d'une armée de policiers qui assure sa protection contre la colère du peuple ». Après les injures et accusations diverses échangées par tract, les armes remplaceront les arguments.

En Algérie, le 10 décembre 1955, Bouchafa et Fettal, militants du FLN, exécutent le responsable du MNA d'Alger, Rihani. L'épreuve de force commence. Pour l'une et l'autre formation, l'enjeu n'était pas la nature de la future société algérienne indépendante. La rivalité violente s'exerce à un autre niveau : qui doit, qui peut être le représentant exclusif du peuple algérien ?

De 1955 à 1962, les « commandos de choc » du FLN et du MNA vont se livrer un long combat cruel où tous les moyens seront bons : pièges, paroles trahies, infiltrations et exécutions pour l'exemple qui sèment l'effroi. Le colonel Mohammedi Saïd, ancien responsable de l'ALN-FLN dans la wilaya III, justifie de la sorte cette guerre dans la guerre : « C'était un devoir sacré à tout Algérien de faire la guerre aux traîtres, de lutter contre les traîtres. L'ennemi numéro

---

8. Messali Hadj, pourtant informé des intentions de Terbouche, décide de faire assurer sa défense (témoignage de Me Yves Dechezelles à l'auteur).

9. Albert-Paul Lentin, « FLN contre MNA », *Historia* « La guerre d'Algérie », n° 12.

10. Mohammed Harbi, *Le FLN, mirage et réalité*, *op. cit.*

un, c'était le traître, le soldat français venait après. C'était le traître, en numéro un, qu'il fallait abattre[11]. »

En Algérie, ce combat des Atrides s'illustre dans le sanglant massacre par le FLN, en mai 1957, de 300 villageois de Melouza, soupçonnés d'appartenance messaliste. Ces rapports de violence poussent les maquisards messalistes, en particulier ceux de M. Bellounis, à rejoindre directement l'armée française[12].

Si les combats entre Algériens qui se sont déroulés sur le territoire même de l'Algérie sont mieux connus, l'affrontement d'une grande ampleur dans les principales villes françaises (Paris, Lyon, Lille, Marseille, Grenoble...) restera occulté. Et pourtant, pour la seule année 1957, la courbe des attentats commis en France indique :

— de janvier à mai, une moyenne mensuelle de 30 morts et 200 blessés, soit près de 8 victimes par jour ;

— de mai à août, une augmentation rapide portant pour le dernier mois le chiffre mensuel des morts à 139 et celui des blessés à 302 (14 victimes par jour en moyenne) ;

— après une « accalmie » en septembre (64 morts), le nombre des attentats a de nouveau augmenté (octobre : 100 morts, 196 blessés ; novembre : 127 morts, 271 blessés ; décembre : 119 morts, 260 blessés).

Dans les années 1956-1957, 1 musulman sur 80 vivant en France a été victime du terrorisme. Rapporté à la population métropolitaine globale de l'époque, ce taux de « criminalité » donnerait un chiffre de 550 000 victimes. D'autres statistiques du ministère de l'Intérieur sur les attentats commis en France du 1er janvier 1956 au 31 décembre 1961 précisent le nombre d'attentats entre Algériens (voir tableau page suivante).

Ce rapport ne prend pas en compte les années 1955 et 1962 et les « règlements de comptes » qui ont eu lieu en Belgique, Suisse, Allemagne, Italie. Le journal *Le Monde* daté du 20 mars 1962 publie les chiffres du bilan de l'affrontement entre nationalistes en France (FLN contre MNA) : plus de 12 000 agressions, 4 000 morts et plus de 9 000 blessés. En

11. Mohammedi Saïd, entretien pour *Les Années algériennes*.

12. Sur le massacre de Melouza, et l'itinéraire de Mohammed Bellounis, voir Benjamin STORA, « La gauche et les minorités anticolonialistes devant les divisions du nationalisme algérien (1954-1958) », *in La Guerre d'Algérie et les Français*, sous la direction de J.-P. RIOUX, *op. cit.*, 63-78.

	Tués	*Blessés*	*Victimes (total)*
1956	76	510	586
1957	817	3 088	3 905
1958	902	1 641	2 543
1959	687	815	1 502
1960	529	642	1 171
1961	878	982	1 860
Total : 31 décembre 1961	*3 889*	*7 678*	*11 567*

Algérie même, le bilan de cette guerre civile est très lourd : 6 000 morts et 14 000 blessés. Au total, en France et en Algérie, le nombre des victimes s'élève à près de 10 000 morts et 25 000 blessés, dans les deux camps.

Des milliers de militants formés à la vie politique moderne, dans l'immigration en particulier, trouvent ainsi la mort, et manqueront cruellement pour assurer l'encadrement de l'Algérie en guerre, et dans l'indépendance.

Des ralliements, « à titre individuel »

Dès le mois de juin 1955, brisant le projet de Ben Bella qui voulait faire du FLN une organisation des anciens de l'OS, Abbane Ramdane définit le Front comme un « vaste rassemblement national ». Dès cette époque, il ne permet plus que le MNA se présente à l'opinion comme un des initiateurs de l'insurrection. En juin 1955, lors d'une première rencontre entre les responsables du Front et de Ferhat Abbas, ce dernier pose une question : « Je pars bientôt à Paris. M'autorisez-vous à contacter les responsables français pour une éventuelle négociation en vue d'arrêter les tueries ? » Abbane Ramdane répond à Ferhat Abbas : « Vous avez notre accord à la condition que la négociation passe par le FLN[13]. » En posant ainsi son existence comme une condition préalable, le FLN, qui avait tout à conquérir et nul acquis à préserver, s'oblige lui-même à une politique du tout ou rien.

Instance de légitimation, défini comme représentant du

13. Ferhat ABBAS, *Autopsie d'une guerre, op. cit.*, p. 83.

peuple, seul interlocuteur valable pour la France, telle est, dès l'origine, la définition que le FLN donne de lui-même : « Algérien !... Le FLN est ton front. Sa victoire est la tienne[14]. » Parti étant devenu synonyme de division, le FLN se veut rassemblement dans l'unité : « La libération de l'Algérie ne sera pas l'œuvre d'un parti mais l'œuvre de tous les Algériens[15]. »

Dès l'hiver 1955, le FLN doit s'attacher à convaincre l'opinion algérienne et s'opposer à toute tentative française de « régler » la question algérienne avec un partenaire « compréhensif ». Guy Mollet, en 1956, cherchant à octroyer un statut à l'Algérie, montre une volonté de « compréhension » qui laisse planer une menace de relance des « politiciens réformistes ». Le FLN réplique aussitôt : « Aucune solution sérieuse ne saurait être envisagée en dehors de lui [le FLN][16]. »

A cet effet, le FLN multiplie les contacts et les discussions avec les autres composantes algériennes. Toutefois, conscient de la « faillite » des anciens partis, il n'attend d'eux que leur dissolution et une adhésion purement individuelle de leurs membres. Après les « centralistes » (Benyoucef Benkhedda, Saad Dahlab, M'Hamed Yazid, Hocine Lahouel), le groupe de l'UDMA de Ferhat Abbas se rallie à la fin de l'année 1955. Comme le note Mohammed Harbi : « Les élites politiques regardaient avec condescendance les activistes. Avec le succès, le mépris va changer de camp. Les directions des anciens partis, faute d'ouverture crédible du côté du gouvernement français, vont aller à Canossa et ne redeviendront des porte-parole du mouvement nationaliste qu'en se soumettant aux chefs du FLN. Leur pouvoir n'a plus de réalité interne et leur fonction a un caractère publicitaire : ils ont une image du nationalisme à vendre[17]. » Ce ralliement en bloc tant espéré des « élites anciennes », le FLN va l'obtenir de la part d'une autre association, les oulémas. Inquiète de son manque d'emprise sur les événements, l'association bascule dans

14. Proclamation du 1er novembre 1954, *El Moudjahid*, n° 1.

15. « Quel qu'en soit le prix, nous triompherons », *El Moudjahid*, n° 3, été 1956, article signé Lakhdar BEN TOBBAL, commandant adjoint de la wilaya II.

16. « Octroyer un statut, c'est se moquer du peuple algérien », *El Moudjahid*, n° 3, été 1956, t. 1, p. 43.

17. Mohammed HARBI, communication au colloque de l'IHTP, « Le FLN et l'opinion française », *in La Guerre d'Algérie et les Français, op. cit.*, p. 45-52.

le camp du FLN lors de ses assises du 7 janvier 1956, et magnifie la « résistance au colonialisme ».

Reste le cas du Parti communiste algérien. Le noyau fondateur du FLN, composé en totalité d'ex-membres du PPA-MTLD, n'entend pas oublier l'attitude du PCA lors des événements de Sétif et Guelma en mai 1945 (il avait clairement approuvé la féroce répression menée par l'armée française), ni sa prise de position au lendemain de l'insurrection. Le 14 novembre 1954 d'abord, le 13 janvier 1955 ensuite, le PCA avait en effet repris à son compte les critiques portées par le PCF contre les partisans de l'action armée : « Les communistes n'ont jamais préconisé les actes individuels parce qu'ils traduisent en général un manque de confiance dans l'action des masses. » En mai-juin 1956, Benkhedda et Abbane Ramdane pour le FLN, Bachir Hadj Ali et Sadek Hadjeres pour le PCA engagent de longues discussions. Le FLN se montre intraitable, n'entend pas effacer le passé. Il veut des ralliements individuels, uniquement, et il a gain de cause. Le 1er juillet 1956, les communistes algériens sont intégrés à l'ALN[18].

Le congrès de la Soummam, qui se tient le 20 août 1956 consacre « la faillite des anciennes formations politiques... des vieux partis » et fait état du ralliement au FLN de « militants de base », de la dissolution de l'UDMA et des oulémas.

Le congrès de la Soummam

Avec ce congrès tenu dans la vallée de la Soummam en Kabylie, la « révolution algérienne » va changer de visage. Les longs débats (vingt jours), parfois confus, vont déboucher sur la définition d'un programme, la structuration du FLN-ALN et l'affirmation de la primauté du politique sur le militaire, de l'intérieur sur l'extérieur.

Initialement prévu le 31 juillet dans la région des Bibans, le congrès ne s'ouvre que le 20 août dans une maison can-

18. Sur le PCF et la guerre d'Algérie, voir Jean-Luc EINAUDI, *L'Affaire Iveton*, L'Harmattan, Paris, 1986, 250 p. ; sous la direction d'Henri ALLEG, *La Guerre d'Algérie*, Temps actuels, Paris, 1981, 3 volumes.

tonnière proche du village d'Igbal, sur le versant occidental de la Soummam.

Selon Yves Courrière[19], seize délégués y participent, très inégalement représentatifs des différentes régions de l'Algérie. Outre l'absence de la délégation extérieure, il n'y a pas de représentant des Aurès — le responsable Mostefa Ben Boulaïd a été tué et son frère Omar ne peut venir, compte tenu des déplacements incessants de l'armée française. L'Oranais n'est représenté que par le seul Ben M'Hidi. Six délégués viennent de la zone II (Nord-Constantinois) : Zighout, Ben Tobbal, Benaouda, Mezhoudi, Ali Kafi et Rouibah ; quatre de la zone III (Kabylie) : Krim, Mohammedi, Amirouche, Kaci ; trois de la zone IV (Algérois) : Ouamrane Dehilès, Bouguerra ; un de la zone VI (Sud) : Ali Mellah. Ces quinze hommes sont des représentants de combattants. Le seizième, seul secrétaire politique, c'est Abbane Ramdane. Des délibérations de ce congrès, trois préoccupations majeures émergent :

— une évaluation des forces matérielles de la révolution jugées par les délégués comme modérément satisfaisantes : on critique la faiblesse d'approvisionnement en armes, et on fait valoir les déséquilibres d'implantation politique (bonne pour la Kabylie, malgré l'existence de quelques fiefs messalistes, et le Constantinois, convenable pour l'Algérois, nettement en retard pour l'Oranais) ;

— la rédaction d'une plate-forme politique, en partie rédigée par Amar Ouzegane mais portant fondamentalement la marque d'Abbane, s'articulant autour des principes de collégialité pour la direction, de primauté du politique sur le militaire, de l'intérieur sur l'extérieur ;

— une réorganisation des structures de l'ALN, désormais calquées sur le modèle d'une armée régulière : le territoire algérien est redécoupé en six « wilayas », elles-mêmes subdivisées en *mintaka* (zones), *nahia* (régions) et *kasma* (secteurs) ; Alger est érigée en zone autonome. Une stricte hiérarchie d'unités combattantes et de grades est instituée, qui va donner naissance à l'armée, véritable pivot du futur État algérien[20].

---

19. Yves Courrière, *Le Temps des léopards*, Fayard, Paris, 1969, 573 p.

20. Sur le congrès de la Soummam, on peut également se reporter à Slimane Chikh, *L'Algérie en armes, ou le temps des certitudes*, Economica/OPU,

Ce congrès a tenté de donner une forme rationnelle à la structure du FLN, par l'expression cohérente de sa pensée politique. Le texte de la plate-forme de la Soummam alimentera la doctrine du FLN de 1956 à 1962. Les objectifs du FLN sont définis d'une façon irréversible : « Le triomphe de la révolution algérienne dans la lutte pour l'indépendance nationale » ; la reconnaissance de la « nation dans ses limites territoriales actuelles comprenant le Sahara » ; « la reconnaissance du FLN comme représentant unique et représentant exclusif du peuple algérien » ; « la reconnaissance de l'indépendance de l'Algérie et de sa souveraineté dans tous les domaines jusques et y compris la défense nationale et la diplomatie »... Ces conditions seront en effet sans cesse intégralement exigées — et obtenues — au moment du cessez-le-feu en 1962. Les précisions et les additions apportées entre 1956 et 1962 n'en constitueront en rien une modification. Elles ne seront que le développement des objectifs de base, formulés initialement dans toute leur rigueur dans les termes qui précèdent. Le FLN se donne un atout considérable en affirmant ainsi massivement son but. Son programme politique, sans alternative et sans recours, reste intransigeant dans la condamnation des anciens partis.

Par ailleurs, le FLN réaffirme que la révolution « s'appuie d'une façon plus particulière sur les couches sociales les plus nombreuses, les plus pauvres, les plus révolutionnaires... » ; mais aussi qu'elle exige *a priori* d'intégrer dans la lutte « tous les patriotes algériens, de toutes les couches sociales, de tous les partis et mouvements ». Pour le congrès de la Soummam, il s'agit de gommer les différenciations sociales.

Avec comme idéologie le populisme, et comme forme organisationnelle le parti unique, le FLN définit sa ligne de conduite pour l'avenir.

Le parti-nation et les « historiques »

« Le FLN, guide unique de la Révolution algérienne », la devise du journal *El Moudjahid* rappelle que la représenta-

Paris/Alger, 1981, 511 p. ; Mohamed TEGUIA, *L'Algérie en guerre*, OPU, Alger, 1982, 786 p.

tivité du FLN est fondée sur le fait qu'il a « groupé et unifié tous les partis politiques d'avant l'insurrection[21] ».

L'unité incarnée par le FLN est l'image de l'unité nationale. Pour le Front, l'acte d'adhésion ne fait qu'incarner la nationalité, tandis que l'adhésion aux anciens partis ne réalisait qu'une division factice et stérile de la nation. Les objectifs du FLN sont posés sans alternative et sans recours. Une fois posé ce programme, ou bien les faits devraient s'y plier jusqu'à s'y conformer et la lutte durerait autant de temps qu'il le faudrait pour en arriver là, ou bien le FLN disparaîtrait.

Pour le FLN, l'histoire avance en se faisant. La plateforme du congrès de la Soummam en 1956 n'évoque pas l'histoire de l'Étoile. L'ENA/PPA occupe une place plus que discrète dans la presse, les tracts ou les « bulletins intérieurs » de l'organisation. Ce qui ressort bien, c'est la date du 1er novembre : le FLN possède le monopole du combat, contraignant les autres nationalistes (centralistes ou messalistes) à s'intégrer ou à disparaître. L'événement prend valeur de mythe fondateur : en ce jour aurait commencé, ou recommencé, l'histoire de l'Algérie par la volonté de quelques hommes faisant table rase du passé. Désormais, c'est le 1er novembre 1954 qu'il faut commémorer, et non pas la proclamation de l'Étoile ou du PPA (en 1926, 1937).

En l'espace d'un an et demi, le FLN bénéficie du ralliement de tous les autres courants, à l'exception des messalistes. Pour autant, et là réside son originalité (que le MNA ne saisit pas), il n'est pas simplement un vaste rassemblement hétérogène. Le noyau populiste original de fondation du FLN impose ses vues à toutes les autres factions. Les hommes qui le composent décident de se conférer à eux-mêmes le pouvoir, non pas comme un mandat temporaire et révocable, mais à la manière d'un titre historique et définitif. Ils s'intitulent eux-mêmes « les chefs historiques », sans autre

21. Pour l'analyse d'*El Moudjahid* et des textes de l'organe central du FLN, voir André Mandouze, *La Révolution algérienne par les textes, op. cit.* ; Albert Fitte, *Spectrographie d'une propagande révolutionnaire.* El Moudjahid *des temps de guerre (juin 1956-mars 1962)*, Centre d'histoire militaire, Montpellier, 1973, 150 p. de tableaux, 105 biographies d'Algériens, 160 p. ; Monique Gadant, *Islam et nationalisme en Algérie, d'après* El Moudjahid, *organe du FLN (1956-1962)*, L'Harmattan, Paris, 1988, 221 p.

justification que l'antériorité et l'audace d'avoir déclenché l'insurrection. Ils prétendent désormais être seuls qualifiés pour interpréter « la doctrine » et conduire la lutte. Prétention à une sorte de droit à la propriété sur la « révolution », dont le caractère exclusif ne s'atténuera pas avec le temps.

Par ailleurs, les « fondateurs » jugent les anciens partis discrédités par l'échec d'une voie réformiste où ils s'étaient fourvoyés. On en appelle donc aux « militants », aux « patriotes », c'est-à-dire aux individus. Ce sont eux qui doivent constituer le Front, non les partis. Le FLN n'est donc pas un front patriotique de type vietnamien, lequel regroupait partis et organisations, unis sur la base d'un programme et conservant leur indépendance organique. L'appel du 1er novembre suppose la disparition de tous les partis anciens et l'adhésion au FLN à titre individuel. C'est sur ces bases que repose l'appel à l'unité : le FLN se veut rassemblement d'un peuple. Le bilan des anciens partis étant jugé négatif, le terme de « parti » est lui-même discrédité. Mais le FLN est bien porteur d'une conception de l'unité impliquant un projet de parti unique. C'est à ce projet que convient la formule forgée plus tard par Mohammed Bedjaoui de « parti-nation[22] ».

Trente ans après l'indépendance, cette question du parti unique, forgé dans le cours de la guerre, continue toujours d'être posée en Algérie. Face à la puissance du système colonial établi par la présence française, le parti unique n'était-il pas le seul moyen de centralisation politique, idéologique ? Ce « contre-État » en gestation était sans doute justifié par la force étouffante de l'État colonial. La poursuite de traditions pluralistes du nationalisme algérien d'avant 1954 apparaissait, dans cette argumentation, comme un moyen trop faible pour se dégager de la pesante tutelle française.

---

22. Mohammed BEDJAOUI, *La Révolution algérienne et le droit*, Éd. Association des juristes démocrates, Bruxelles, 1961, 264 p.

10

La révolution sans visage

La « révolution algérienne » fut vécue par ses inspirateurs et ses dirigeants comme l'acte fondateur d'une ère nouvelle. Les initiateurs de « novembre 1954 », on l'a vu, se proclament en rupture absolue avec le passé. Ils n'entendent pas construire, dans le cours de la guerre, d'images globales et unificatrices d'un mouvement précurseur. Ils établissent la croyance de la rupture radicale qui séparerait la nation algérienne, « régénérée » par la violence révolutionnaire, de l'ancienne société coloniale. Ce faisant, ils font repartir l'histoire du nationalisme algérien du point zéro.

Ces responsables, souvent très jeunes (Hocine Aït Ahmed a vingt-huit ans en 1954, Rabah Bitat vingt-neuf, Abdelhafid Boussouf vingt-huit, Larbi M'Hidi, trente et un) apparaissent sur la scène comme, pourtant, déjà tout équipés d'une pensée politique. L'intuition historique, qui leur a permis de se repérer et de tracer leur route dans l'inextricable fouillis des événements antérieurs à 1954, puis de déclencher l'insurrection, ne suffit pas. Leur système de référence reste le « messalisme ». Les passions les plus violentes, les oppositions personnelles les plus vives qui dresseront parfois l'un contre l'autre ces hommes pendant la guerre viendront, en grande partie, de ce système reçu en héritage. Héritage pourtant nié, à travers le rejet de la figure de Messali Hadj.

L'éviction de Messali Hadj, ou le « meurtre du père »

Ceux qui ont fait le 1er novembre 1954, les « chefs historiques » du Front de libération nationale, se sont à l'origine emparés de la cause nationaliste par identification à Messali Hadj, véritable « père » constituant le modèle d'un choix. Tous sont issus des rangs des organisations qu'il a animées dans les années trente-cinquante (l'Étoile nord-africaine, le Parti du peuple algérien, le Mouvement pour le triomphe des libertés démocratiques).

La plupart des péripéties de la « famille nationaliste » indépendantiste se sont nouées autour du concept d'appartenance au groupe fondateur. Avec, au centre, la personnalité de Messali Hadj[1], né en 1898 à Tlemcen. Émigré à Paris en 1923, il adhère au PCF en 1925, participe à la fondation de l'ENA en 1926, rompt avec les communistes en 1929. Dans les milieux de l'immigration ouvrière en France, largement dominés par la présence kabyle, il réussit à s'imposer comme le leader incontestable du mouvement nationaliste à partir de 1933. La répression, les interdictions successives de l'organisation, le choc de la Seconde Guerre mondiale et ses conséquences font trembler le socle de la famille nationaliste, déterminent, comme on l'a vu, des conflits qui n'en finissent pas de se réactiver. Ce qui se joue, sans cesse, c'est le rôle du « père », à l'écart (parce que emprisonné à partir de 1939, ou mis en résidence surveillée), ou très présent, par le biais de messagers qui diffusent ses volontés. On s'adresse à lui pour dénouer les conflits qui enveniment, étouffent la « vie de la famille ». Mais dès 1951-1952, quelques-uns (que l'on retrouvera dans le FLN naissant) fuient le groupe dirigé par cet arbitre trop engagé.

Les deux générations, les « pionniers », vétérans du natio-

1. Pour une biographie fouillée de Messali Hadj, voir Mohammed HARBI, « Messali Hadj, pionnier malheureux de la révolution algérienne », *in Les Africains*, Jeune Afrique, Paris, 1977, tome IX, p. 227-259; Benjamin STORA, *Messali Hadj, op. cit.*

nalisme emmenés par Messali, et la jeune garde activiste (Ahmed Ben Bella, Hocine Aït Ahmed, Didouche Mourad, Mostefa Ben Boulaïd) sont restés un long moment côte à côte, en particulier de 1945 à 1953. Jusqu'à l'heure où l'identification à ce père trop gênant a pris une teinte hostile, débouchant sur un désir de l'écarter.

Sur la crise qui secoue le mouvement nationaliste avant le 1er novembre 1954, Benyoucef Benkhedda, alors membre de la direction du MTLD, livre son témoignage : « Messali avait fini par n'accepter aucune critique. Quand on lui disait qu'il ne pouvait diriger le Parti, seul, à partir de Niort [où il était en résidence surveillée, NDLA], il répondait : "Je l'ai dirigé naguère de la prison d'El-Harrach." La modestie n'était pas son fort. [...] Messali était dans la situation de celui qui continuait de regarder son fils devenu adulte avec les mêmes yeux que lorsqu'il était enfant[2]. »

L'acte fondateur de la révolution algérienne commence donc par porter contre le « père » du nationalisme le désir de son éviction. Puis, très vite, viendra la conviction que l'accomplissement de cette révolution ne peut procéder que de sa disparition définitive, ainsi que de celle de sa formation (le Mouvement national algérien, créé en décembre 1954).

Entre les deux mouvements, FLN et MNA, la guerre sera donc terrible, faisant plusieurs milliers de morts, comme il a été raconté précédemment. Pour les « frontistes », quiconque refuse de se fondre dans le FLN est un diviseur, fait le jeu de la colonisation française. Pour les « messalistes », quiconque refuse de reconnaître le rôle historique joué par Messali Hadj se place dans le camp du « réformisme », et fait donc également le jeu de l'ennemi.

Le MNA analyse le FLN à travers le prisme de sa propre histoire. Il croit toujours à la prépondérance de sa Fédération de France qui, à deux reprises, en 1936[3] et en 1953, avait permis de l'emporter contre les « réformistes ». Ses militants

2. Benyoucef BENKHEDDA, *Les Origines du 1er novembre*, Éd. Dahlab, Alger, 1989, p. 239.

3. En 1936, une vive opposition s'était manifestée entre nationalistes algériens en France, à propos de la guerre d'Espagne, du projet Blum-Viollette. Cf. Benjamin STORA, *Nationalistes algériens et révolutionnaires français au temps du Front populaire, op. cit.*

continuent de se mouvoir dans la culture politique de l'avant-1er novembre, un imaginaire des « périodes héroïques » toujours actuelles, jamais dépassées. Imperturbable, *La Voix du peuple*, journal du MNA, scande, année après année, l'anniversaire du PPA, le 11 mars 1937, sorte de boussole pour le temps présent : « Il y a vingt ans, le PPA a vu le jour dans une atmosphère de combat et d'espérance nationale. [...] Nous croyons qu'il est nécessaire de rappeler ce passé pour instruire nos militants et situer certaines responsabilités. A cet égard, il faut préciser *un certain nombre de questions que bien des individus, nationalistes de fraîche date, voudraient voir disparaître*[4]. »

Et l'obsession d'unité alimente la division, l'exclusive. Chacun des deux mouvements diabolise son adversaire, en puisant ses arguments dans le passé, la religion. Une dure lutte pour la conquête de l'hégémonie politique se dénouera avec la défaite de Messali Hadj. La révolution ne va plus avoir de visage. Au congrès de la Soummam, qui structure définitivement le FLN en août 1956, il est expliqué que « la psychologie de Messali s'apparente à la conviction insensée du coq de la fable qui ne se contente pas de constater l'aurore, mais proclame qu'il fait lever le soleil... Le soleil se lève sans que le coq y soit pour quelque chose, comme la révolution algérienne triomphe sans que Messali y ait aucun mérite... Messali représente, en raison de son orgueil et de son manque de scrupules, l'instrument parfait pour la politique impérialiste. Ce n'est donc pas par hasard que Jacques Soustelle pouvait affirmer en novembre 1955 : Messali est ma dernière carte[5] ».

Les « frères » réunis au congrès de la Soummam ont donc, pour reprendre une expression de Freud dans *Totem et Tabou*, « tué et mangé le père, ce qui a mis fin à l'existence

4. *La Voix du peuple*, n° 30, mars 1957 (souligné dans le texte).

5. Au sujet de la fameuse phrase, « Messali est ma dernière carte », citons le témoignage de Daniel Guérin : « Je crus devoir réfuter, entre autres, la calomnie selon laquelle le gouverneur général Jacques Soustelle aurait confié, en novembre 1955 à Louis Massignon, "Messali est ma dernière carte". Massignon, consulté alors qu'il se trouvait au Caire avait, par deux fois, démenti avec indignation ce propos empoisonné. Il écrivit d'abord à *France-Observateur* pour s'élever contre "la citation incorrecte des Jeanson" qui, disait-il, "risque en déformant ma pensée de faire nuire à un homme qui est un patriote et un croyant convaincu". » *In* Daniel GUÉRIN, *Ci-gît le colonialisme*, Mouton, Paris/La Haye, 1973, p. 80-81.

de la horde paternelle. Ils sont devenus entreprenants, et ont pu réaliser ce que chacun d'eux, pris individuellement, aurait été incapable de faire ». Mais il n'est pas sûr que le « tombeau » soit vide. Autrement dit, toute la symbolique initiée par la longue histoire du messalisme (cohésion du parti et du peuple, réduction des particularismes ethniques, imitation du modèle de centralisation jacobine française, recours aux valeurs de l'islamo-populisme) continuera de fonctionner dans la guerre-révolution, même dans les multiples tentatives de la briser. En revanche, ce qui se termine vraiment, et que portait aussi le messalisme, c'est la conception d'un mouvement national, traversé par des courants, des tendances sociales et idéologiques contradictoires. Un mouvement qui vivait, se développait au rythme d'une double confrontation : avec le colonialisme bien sûr, mais aussi, surtout, avec lui-même. Une confrontation à l'intérieur des rangs du PPA-MTLD (quelle place pour les Berbères, en 1949 ? quelle alliance avec les communistes, en 1951 ? quelle fonction attribuer à la lutte armée, en 1950-1952 ?) ; mais aussi avec les autres formations, les religieux (oulémas) ou le parti de Ferhat Abbas (l'UDMA). Ces confrontations internes, politiques, alimentaient une conscience nationale en gestation, en rupture avec le pouvoir colonial. L'avènement du FLN, pour qui le débat politique est relativement secondaire s'il n'est pas sans cesse rapporté directement à la confrontation avec le colonialisme, impose une homogénéité régressive.

La dernière tentative officielle et sérieuse de réconciliation entre Messali Hadj et les dirigeants du FLN vient du président tunisien, Habib Bourguiba. Dans une lettre, du 22 janvier 1959, il écrit à Messali Hadj : « [...] L'histoire dira que tu as été le père du nationalisme algérien. Et malgré toutes les répressions, ton action a formé des milliers de militants éprouvés. Or, ce sont ces militants, formés à la rude école de l'Étoile nord-africaine, puis du PPA, puis du MTLD qui constituent aujourd'hui l'armature du FLN, les éléments de choc de l'ALN, et l'immense majorité des commissaires politiques. [...] Je te renouvelle mon adjuration de rallier, non la personne de Ferhat Abbas, mais le FLN, et tous les moudjahidin qui, sur le sol de la patrie, mènent le combat de la liberté[6]. »

---

6. Les deux textes, dans *Afrique-Action*, 3 avril 1961.

Messali Hadj, libéré par les autorités françaises le 15 janvier 1959 et qui s'installe à Gouvieux, près de Chantilly, lui répond que la responsabilité des dirigeants du FLN est engagée dans les « règlements de comptes »...

La mise à l'écart de Ferhat Abbas

Il est un autre visage, un autre « père », apparemment très présent, mais en fait réellement absent, que la révolution algérienne découvre et recouvre : celui de Ferhat Abbas, le premier président du Gouvernement provisoire de la République algérienne (GPRA) en 1958. Avant novembre 1954, Abbas était l'homme d'une synthèse qui se révélera impossible : conservation des principes de 1789, introduits par la France coloniale (à son insu), et modernisation des traditions issues de la culture musulmane. En n'identifiant pas le colonialisme à la France, Ferhat Abbas a voulu espérer en une Algérie nouvelle liée à une France respectueuse de ses principes. La brutalité d'imposition du système colonial en Algérie en fera un déçu de la « francisation ». Lui qui prône la reconnaissance et le respect de la religion islamique, dans un cadre républicain, comment pouvait-il entendre, accepter, ce type d'arguments formulé par les Français d'Algérie : « L'Algérie, c'est nous et les indigènes n'ont aucun droit parce que l'Algérie n'est pas leur pays, et parce que, depuis leur arrivée, si l'on en croit le grand historien berbère Ibn Khaldoun, ils ont détruit tout ce qui existait [...]. L'Algérie terre d'islam est un non-sens et un affreux mensonge, car avant d'être terre d'islam, l'Algérie a été terre chrétienne. » (*UNIR*, organe de l'Union algérienne, 14 juin 1947.) Pour Ferhat Abbas, progressivement, les références aux principes historiques français de « 89 » (l'égalité, la justice...) ne sont plus simplement source d'encouragement, mais deviennent de véritables plaidoiries pour les droits d'une nation algérienne à exister.

Ferhat Abbas incarnera donc cet aspect « insurrection française » de la révolution algérienne. Mais les activistes qui détiennent le pouvoir réel dans le FLN ne voudront pas apercevoir cette version qui ruinerait leur conception, celle d'une nation dressée comme un bloc, vierge de références externes.

Ferhat Abbas, un temps en pleine lumière lorsqu'il est président du GPRA (en 1958-1959), sera lui aussi relégué dans l'ombre. Il ne jouera plus de rôle majeur dans l'Algérie indépendante.

L'assassinat d'Abbane Ramdane, le « meilleur cerveau » de la révolution

Un dernier personnage aurait pu être ce « visage » de la révolution algérienne : Abbane Ramdane. Issu des rangs activistes du PPA-MTLD, partisan de la lutte armée, il est emprisonné au moment où éclate l'insurrection du 1er novembre 1954. Il rejoint le FLN en janvier 1955, et, par l'intermédiaire de Krim Belkacem, devient le responsable de la ville d'Alger. Décrit diversement comme le Robespierre, le Jean Moulin ou le « Bourguiba révolutionnaire » du FLN, ou simplement, comme le dira Robert Lacoste, gouverneur général de l'Algérie en 1956-1958, « son meilleur cerveau », Abbane Ramdane va dominer l'histoire du FLN pendant trois ans. Lui qui ne fait pas partie des « chefs historiques » du 1er novembre va, en l'espace de quelques mois, s'imposer comme la véritable tête politique de l'organisation. Les circonstances favorisent cette émergence soudaine. Ceux qui ont une dimension politique et peuvent lui apporter la contradiction sont à l'étranger, en particulier Hocine Aït Ahmed et Mohammed Boudiaf. Abbane Ramdane arrive dans une situation de vide idéologique du FLN. Pour lui, le caractère fruste et inachevé de l'entreprise initiale de 1954 doit faire place à une activité structurée, avec la définition d'objectifs précis. Il faut, se dit-il, commencer à réfléchir à l'avance sur des besoins dépassant le cadre de la guerre. Aucun domaine de la vie du FLN n'échappe au feu roulant de ses critiques : absence d'état-major politique, insuffisances en matière de sécurité interne, de finance, de propagande, faiblesse du traitement des problèmes ne se rapportant pas directement à la guerre, comme l'éducation et les affaires culturelles. Bref, Abbane Ramdane s'occupe de restructurer la révolution algérienne sous tous ses aspects et son entrée en scène bouleverse l'harmonie factice qui régnait entre les « chefs historiques » de l'intérieur et de l'extérieur.

Il définit le Front comme un vaste rassemblement national. Il élargit le projet des promoteurs du 1er novembre, qui voulaient faire du FLN une simple organisation des anciens membres de l'Organisation spéciale. C'est lui qui réussit à entraîner l'adhésion au Front de Ferhat Abbas et ses partisans, des oulémas, des communistes algériens... On l'a vu, il est « l'âme » du congrès de la Soummam en 1956. Il élabore la doctrine sociale du FLN qui, selon lui, doit « s'appuyer d'une façon plus particulière sur les couches sociales les plus nombreuses, les plus pauvres, les plus révolutionnaires... ». Relevant cet aspect, Évelyne Lever et Bernard Droz ont pu écrire à ce propos : « Son populisme est politiquement révolutionnaire, et socialement conservateur. Ambiguïté fondamentale qui est loin d'avoir été levée aujourd'hui[7]. »

Les « frères » réunis à la Soummam et qui se sont débarrassés de Messali Hadj se sont-ils appropriés les qualités du « père » ? Ont-ils trouvé un nouveau leader ? Dans ce congrès, Abbane Ramdane faillit être éliminé physiquement par les colonels Amirouche et Zighout Youcef : ils l'accusent d'être « un nouveau Messali Hadj ». La victoire d'Abbane Ramdane n'est donc qu'apparente. Après la défaite de la « bataille d'Alger » en 1957, le transfert de la direction du FLN à Tunis, le débat politique tend à s'effacer au profit de liens d'intérêts personnels. Même réélu à la direction en août 1957, Abbane Ramdane est vaincu au moment où, pour reprendre l'expression de Mohammed Harbi, « l'esprit bureaucratique souffle sur le monde des dirigeants[8] ».

Querelles de personnes donc, mais également conflits de légitimité, crise où le fondement régionaliste n'est pas absent. Abbane Ramdane n'accuse-t-il pas Ahmed Ben Bella de « se méfier de lui, parce qu'il est kabyle » ? Et aussi, Abbane Ramdane s'attire la haine tenace de certains colonels de l'ALN, qu'il accusait d'incapacité et d'arrivisme, qu'il mena-

---

7. Évelyne LEVER, Bernard DROZ, *La Guerre d'Algérie*, Le Seuil, Paris, 1982, p. 120.

8. Mohammed HARBI, *Le FLN, mirage et réalité*, *op. cit.*

çait dans leur pouvoir. Attiré dans un guet-apens, il est assassiné en décembre 1957 au Maroc par des hommes d'Abdelhafid Boussouf, responsable des services de sécurité du FLN.

Intransigeant, dur, et quelquefois brutal, Abbane Ramdane s'était imposé comme le fédérateur de forces disparates. Mais son tempérament de lutteur avait heurté trop d'intérêts. Son assassinat démontre que son entreprise était par trop ambitieuse : faire en sorte que le mouvement nationaliste s'engage dans un processus de politisation et dépasse le niveau des conflits de personnes. C'est pourquoi sa personne elle-même était devenue si gênante[9]. Son assassinat sera dissimulé comme un solide secret de famille : le journal du FLN, *El Moudjahid*, expliquera, le 29 mars 1958, « qu'Abbane Ramdane est mort au champ d'honneur ».

La disparition politique de Messali Hadj, l'effacement de Ferhat Abbas, le meurtre d'Abbane Ramdane privent la révolution algérienne de visages connus, ou reconnus par le peuple algérien. Trente ans après, cette absence de visages l'oblige à l'enquête, à la recherche de paternité. Parce que le meurtre inconnu perturbe encore le présent, la recherche de traces presque effacées permettrait de comprendre le destin actuel. Paradoxalement, les débats qui se mènent aujourd'hui en Algérie autour de la personne de Houari Boumediene, l'homme qui assuma le pouvoir de 1965 à 1978, font revenir dans la mémoire les autres grandes figures disparues, occultées. Ce sont là des recherches de représentation du commencement de la révolution, pour tracer les limites d'un ordre nouveau à édifier. Nommer Messali Hadj, Ferhat Abbas, Abbane Ramdane, les faire rentrer dans le discours, c'est déjà tomber dans une autre histoire.

On est frappé de constater qu'au-delà des oppositions parfois violentes de leurs racines, au-delà des ambitions personnelles, des fièvres politiques, des caractères tranchés, des personnalités hors du commun, un drame noue la « carrière » des hommes du 1er novembre. Comment résoudre l'équation qui assurerait un équilibre entre deux légitimités,

---

9. Sur Abbane Ramdane et les circonstances de son assassinat, on peut se reporter à deux ouvrages : Mohammed Lebjaoui, *Vérités sur la Révolution algérienne*, Gallimard, Paris, 1970, 249 p. ; Mameri Khalfa, *Abbane Ramdane, héros de la guerre d'Algérie*, L'Harmattan, Paris, 1988, 336 p.

celle de la nation et celle d'un « personnel » politique construisant un État ? Avec la révolution sans visage, ils semblent vouloir porter un projet de contre-société. Et c'est, pourtant, un contre-État qui s'installe, avant même l'indépendance. En particulier avec « l'armée des frontières », installée en Tunisie et au Maroc, qui prend de plus en plus de poids, à partir de 1958, sous le commandement de Houari Boumediene.

Ce dilemme, nation sans « héros » contre État personnifié, se conclura et les mènera, pour certains d'entre eux, soit à la mort, soit à l'exil, dans la débâcle de leurs espérances.

11

Le mensonge d'un « peuple unanime »

Le Gouvernement provisoire de la République algérienne (GPRA) est né le 19 septembre 1958. Il est présidé par Ferhat Abbas, et remplace le Comité de coordination et d'exécution (CCE), première direction centralisée du FLN. Un an plus tard, en décembre 1959, un état-major général (EMG) de l'ALN est institué, sous la direction du colonel Houari Boumediene. Malgré les contradictions qui vont apparaître entre elles, ces deux structures entendent, dans un premier temps, jouer un rôle complémentaire : au GPRA revient la tâche de gagner des soutiens sur la scène politique internationale, d'entreprendre d'éventuelles négociations avec la France. L'EMG, de son côté, aura comme mission de réorganiser l'ALN, affaiblie par les offensives de l'armée française en 1958-1959, cantonnée aux frontières marocaine et tunisienne.

« Un seul héros, le peuple »

En un temps record, le FLN arrive donc à unifier, ou neutraliser, l'ensemble des formations politiques et catégories sociales algériennes. Cette hégémonie conquise sur la société en Algérie constituera son atout décisif dans les négociations finales avec le gouvernement français.

Dans les négociations qui s'ouvrent à Melun en 1960, puis à Évian en 1961, le monopole de représentation du peuple algérien par le FLN est admis par le gouvernement français. Il est vrai que les grandes manifestations urbaines, le soutien au GPRA, en décembre 1960, contribuent à asseoir cette légitimité.

Se forge alors, dans cette deuxième partie de la guerre (qui commence en 1958 avec l'arrivée au pouvoir du général de Gaulle en France) une histoire héroïque qui donne à voir un « seul héros, le peuple », soudé derrière le seul FLN. La transformation des individus isolés en un être collectif, le peuple seul héros pour la nation nouvelle, qui est érigé en même temps en légitimité suprême et en acteur unique de la révolution à accomplir. Dans *El Moudjahid* du 1er novembre 1958, Krim Belkacem écrit : « Notre révolution devient le creuset où les hommes de toutes conditions, paysans, artisans, ouvriers, intellectuels, riches ou pauvres subissent un brassage tel qu'un type d'homme nouveau naîtra de cette évolution. »

Dans cette version, la violence du colonisateur impulse une dynamique de rassemblement, de libération par un peuple unanime. Frantz Fanon, médecin antillais passé dans le camp de l'indépendance algérienne, théorisera cette approche. Il évoque la nécessité pour les peuples coloniaux de secouer l'oppression étrangère par la force et la violence, utilisées non seulement comme techniques militaires, mais également comme précondition psychologique essentielle pour la marche vers l'indépendance.

Cette violence, « force purificatrice », Fanon affirme que ce ne sont ni la bourgeoisie ni le prolétariat qui en useront, parce qu'ils ont « commencé, au rabais s'entend, à profiter de la situation coloniale et ont des intérêts particuliers[1] », mais la paysannerie, qui est « rebelle d'instinct[2] ». En outre, « dans leur spontanéité, les masses rurales demeurent disciplinées, altruistes. L'individu s'efface devant la communauté[3] ». Dans les villes, les recrues du combat révo-

1. Frantz FANON, *Les Damnés de la terre*, Maspero, Paris, 1961, p. 46.
2. *Ibid.*, p. 96.
3. *Ibid.*, p. 69.

lutionnaire ne sont pas le prolétariat organisé en syndicats, ayant des intérêts particuliers à défendre, mais le *lumpenproletariat*, formé de paysans sans terre ayant afflué dans les cités pour « devenir la gangrène toujours présente au cœur de la domination coloniale ». Les chefs de la révolte sont finalement des « hommes venus de la base... de petits manœuvres, des travailleurs saisonniers et même quelquefois d'authentiques chômeurs. Pour eux, militer dans un parti national, ce n'est pas faire de la politique, c'est choisir le seul moyen de passer de l'état animal à l'état humain[4] ».

Cette histoire anticolonialiste, presque aussi simplificatrice dans ses conclusions que l'histoire coloniale traditionnelle, présuppose que l'ensemble de la communauté berbéro-arabe de l'Algérie était animée d'une conscience nationale véritable, et aspirait à l'indépendance. C'était « oublier » que cent vingt-quatre années de présence française avaient modifié la personnalité algérienne ou, plus simplement, l'avait empêchée de venir à maturité. Sinon, comment comprendre le phénomène harki, qui se développera dans le cours de la guerre, et particulièrement dans les campagnes ?

D'autres algériens musulmans, les harkis

La geste révolutionnaire du nationalisme algérien oppose, à l'existence d'un réduit de « collaborateurs » de l'armée française, l'immense mobilisation d'un peuple défendant une révolution menacée par ses ennemis. La violence libératrice, l'union sacrée, la lutte armée contre les ennemis de l'extérieur (et de l'intérieur) s'exerceraient grâce à cette foi extraordinaire, cette adhésion enthousiaste pouvant réaliser l'impossible : tenir tête à la puissante armée française.

Pourtant les chiffres sont là. Le 13 mars 1962, un rapport transmis à l'ONU évalue le nombre de musulmans profrançais à 263 000 hommes :
— 20 000 militaires de carrière ;
— 40 000 militaires du contingent ;
— 58 000 harkis, unités supplétives formées à partir de groupes civils d'autodéfense, parfois promus « commandos de

4. *Ibid.*, p. 94-95.

chasse » ; ces unités, prévues à raison d'une par secteur militaire, sont constituées en Kabylie, dans les Aurès et l'Ouarsenis[5] ;
— 20 000 moghaznis, éléments de police constitués à l'échelon des localités, et placés sous les ordres des chefs des sections administratives spéciales (SAS) ;
— 15 000 membres des GMPR (groupes mobiles de protection rurale), dénommés plus tard groupes mobiles de sécurité, assimilés aux CRS ;
— 60 000 membres de groupes civils d'autodéfense ;
— 50 000 élus, anciens combattants, fonctionnaires.

L'aire géographique de recrutement, d'enrôlement, de participation aux activités et opérations de l'armée française des unités supplétives musulmanes ne correspond pas à un seul département français d'Algérie, mais déborde sur toutes les régions, constituant un espace composite.

Ces Algériens ont-ils été « manipulés » par les officiers français ? Se sont-ils spontanément mobilisés pour la défense de la civilisation française en Algérie ? Cet engagement n'est-il qu'un aspect des « guerres » que se livrent des familles entre elles, à l'intérieur d'un même village (un parent au maquis, l'autre dans les harkas...) ? Sans doute un peu tout cela à la fois, si l'on en croit les témoignages recueillis pour *Les Années algériennes* : Saïd Ferdi, qui raconte son enrôlement forcé dans l'armée française ; un autre qui évoque la misère ; un troisième qui parle de « servir le drapeau français »[6].

Et cet entretien, réalisé en 1975 : « J'avais dix-sept ans lorsque l'officier français nous a réunis, tous les jeunes du village de La Chiffa, près de Blida, et il nous a dit : "La France a besoin de vous. Aidez-nous à ramener la paix dans le pays. Engagez-vous dans la harka. Vous n'êtes pas obligés, vous faites ce que vous voulez." Quand un officier dit : "Vous fai-

5. La première *harka*, mot arabe signifiant « mouvement », fut constituée dans les Aurès dès novembre 1954. L'expérience fut d'abord limitée par la crainte des désertions et fuites d'armes. Sur les harkis, voir l'article pionnier de Guy Pervillé, dans *L'Histoire*, n° 102, reproduit dans *L'Événement du jeudi*, 16-22 mai 1991 ; Mohand Hamoumou, « Les harkis, un trou de mémoire franco-algérien », *Esprit*, 5, mai 1990, p. 25-46 ; Michel Roux, « Le poids de l'histoire », *Hommes et migrations*, n° 1135, septembre 1990, p. 21-27. Voir également l'ouvrage très complet de Michel Roux, *Les Harkis, ou les oubliés de l'histoire, op. cit.*

6. Témoignages dans les deuxième et troisième émissions des *Années algériennes*.

tes ce que vous voulez'', on fait pas ce qu'on veut, on fait ce qu'il veut, lui.

« — Et toi, qu'est-ce que tu voulais ?

« — Moi, je voulais un fusil. Quand il y a la guerre, pour vivre tranquille, il faut avoir un fusil. C'est pas le militaire, c'est toujours le civil qui a peur et qui souffre. Mes trois cousins, ils étaient montés dans la montagne avec le FLN pour avoir un fusil. Mon frère et moi, on a manqué l'occasion, on n'était pas là quand ils sont montés avec le FLN. Alors quand l'officier français nous a dit qu'il allait nous donner un fusil, on n'a pas voulu manquer une autre occasion.

« — Mais enfin, Ali, tu savais bien que tu allais te battre contre ton peuple ?

« — On parlait pas de peuple à La Chiffa, à La Chiffa on parlait de La Chiffa, c'est tout. Il n'y avait pas de journaux, il n'y avait pas de radio. On savait rien à La Chiffa. On savait seulement qu'il y avait la guerre[7]. »

En fait, l'histoire des harkis est inséparable du destin subi par la paysannerie algérienne pendant la guerre d'Algérie. On connaît, par les travaux d'Abdelmalek Sayad et Pierre Bourdieu[8], les profonds bouleversements qui ont marqué la société rurale traditionnelle au cours de ces années de guerre : déplacements massifs de populations (plus de deux millions de ruraux), appauvrissement, désaffection marquée à l'égard de la condition paysanne, passage de l'économie de troc à l'économie de marché, dépérissement de l'esprit paysan, valorisation d'emplois non agricoles. La fragilisation psychologique née de la misère sociale et du déracinement rend d'autant plus vif le souci de préserver son patrimoine, sa terre. Cette dimension explique, en grande partie, l'enrôlement dans les harkas, ou la montée dans les maquis de l'ALN : il faudra protéger, ou retrouver sa terre. Ce qui se joue là, ce n'est pas, à première vue, l'adhésion positive à un drapeau (français ou algérien). La violence, les assassinats, les « règlements de comptes » (quelquefois à l'intérieur même de certaines familles paysannes), bref, la dynamique

7. Guy SITBON, « La révolte des harkis », *Le Nouvel Observateur*, 25 août 1975.

8. Pierre BOURDIEU, Abdelmalek SAYAD, *Le Déracinement, la crise de l'agriculture traditionnelle en Algérie*, Minuit, Paris, 1964, 227 p.

de la guerre, durciront ensuite les comportements, les engagements. Commence alors l'engrenage. Les nationalistes algériens auront besoin de dénoncer l'existence de « collaborateurs » pour légitimer leur conception de la nation unanime ; des officiers français auront besoin des harkis pour montrer le loyalisme des populations indigènes, désormais « pacifiées »... Dans un cas comme dans l'autre, des paysans algériens se trouvent transformés, à leur insu, en « fidèles serviteurs de la France », ou en « traîtres absolus » à la patrie algérienne.

Les vertiges de la violence

Dans *Sociologie d'une révolution*, ouvrage qui aura un grand retentissement pendant la guerre d'Algérie, Frantz Fanon écrit : « Dans une guerre de libération, le peuple colonisé doit gagner, mais il doit le faire sans barbarie... » Et d'ajouter : « Le peuple sous-développé doit à la fois prouver, par la puissance de son combat, son aptitude à se constituer en nation, et par la pureté de ses gestes qu'il est, jusque dans les moindres détails, le peuple le plus transparent, le plus maître de soi. Mais tout cela est bien difficile[9]. »

En effet, tout cela est bien difficile. Pendant la lutte de libération, la gestion politique sur le mode autoritaire ne s'exerce d'ailleurs pas seulement sur les adversaires politiques du FLN (en particulier les messalistes), mais aussi sur des populations jugées peu « loyales », réticentes, hésitantes. A titre d'exemple, dans la mechta Timerazin, petit hameau du douar Ichatoul dans les Aurès, des hommes de l'ALN assassinent, dans la nuit du 19 au 20 octobre 1955, six hommes âgés de vingt-deux à soixante-quinze ans, égorgent le bétail. En mai 1957, trente-sept ouvriers agricoles musulmans sont assassinés dans la région de Saïlan. A la même époque, au printemps 1957, le CCE donne l'ordre écrit aux responsables des wilayas « de brûler tous les villages qui ont demandé la protection de la France, et d'abattre tous les hommes âgés de plus de vingt ans qui y habitent ».

Pendant la période qui s'étend de novembre 1954 à mai

9. Frantz FANON, *Sociologie d'une révolution*, Maspero, Paris, 1960, p. 10.

1957, on dénombre 16 382 attentats contre des civils, et seulement 9 134 contre les forces de l'ordre françaises. Dans cette même phase, qui correspond au moment où le FLN se structure vraiment, les attentats contre les civils ont fait (pour s'en tenir aux seuls tués) 6 352 morts d'Algériens musulmans enregistrées, contre 1 035 de souche européenne[10]. La logique d'une révolte d'un peuple unanime contre un occupant étranger donnerait d'autres chiffres, une proportion inverse. Force est de constater que ces données statistiques donnent à voir une violence délibérée, en vue de faire accepter son point de vue.

Les activistes du FLN représentent donc une avant-garde politique qui, pour s'imposer à l'ensemble du pays, use simultanément de trois moyens : la persuasion et l'organisation, mais aussi la « terreur ». C'est le recours à ce dernier moyen qui explique, pour une grande part, les hésitations d'Européens anticolonialistes, mais aussi libéraux, dont le prototype reste Albert Camus. Ces opérations contre des populations civiles manifestent également, de la part de certains dirigeants de l'ALN, des dispositions d'esprit comparables à celles de son adversaire, l'armée française. Elle aussi s'efforçait de gagner la population, véritable enjeu de la lutte, par un triple dispositif de persuasion, d'organisation, de terreur. Elle aussi, extérieure au pays, n'était pas parvenue comme elle l'espérait à substituer progressivement l'adhésion à la contrainte.

Cette violence s'exerce également à l'intérieur du FLN-ALN, où la lutte pour le pouvoir, l'obsession des « infiltrations » et des traîtres se traduisent par des purges sanglantes. Ainsi dans les Aurès, Chihani Bachir, le principal adjoint de Mostefa Ben Boulaïd (il lui succède dès son arrestation en février 1955), est assassiné en octobre 1955 à la suite d'une machination de deux de ses adjoints, Laghrour Abbès et Adjoul-Adjoul. Sa disparition entraîne l'émiettement des groupes de combattants des Aurès, au moment où Mostefa Ben Boulaïd se trouve en prison[11]. Amirouche, responsable du FLN pour toute la vallée de la Soummam, préoccupé par

10. Philippe Tripier, *Autopsie de la guerre d'Algérie, op. cit.*, p. 95-97.

11. Réhabilité à titre posthume, Chihani Bachir sera enterré au « Carré des Martyrs » à Alger, le 24 octobre 1984.

les possibilités d'infiltration dans ses rangs, piégé par les manœuvres du colonel Godard, ordonne des « liquidations massives dans la wilaya III[12] ». Des centaines de combattants meurent ainsi dans les années 1956-1958, victimes d'une vigilance qui dégénère en suspicion aveugle.

L'armée française, évidemment, n'aura aucun mal à exploiter ces rivalités au sein de l'ALN-FLN. L'hebdomadaire militaire, *Le Bled*, en fait souvent ses titres : « Les loups se mangent entre eux », « Crimes et châtiments dans la wilaya IV », « Un carnet taché de sang, épuration et purge dans l'ALN »[13]...

Bien sûr, la révolution algérienne tout entière ne se ramène pas à ces égorgements, à cette violence. Même sous la menace interne, et au moment des « règlements de comptes », aucun de ses chefs successifs, de ses militants, ne la désavoue, n'en renie l'idéal. A leurs derniers instants, et l'on songe à ces étudiants victimes de purges dans les maquis en 1958, tous affirment la certitude d'avoir combattu, de mourir pour l'avenir. Dans son vertige, cette révolution-là (comme d'autres...) cède sans doute à des forces, à un esprit suicidaire, extérieurs même à la politique. Peut-on évoquer le fonctionnement d'une société paysanne, où les « ancêtres redoublent de férocité », selon l'expression de Kateb Yacine ? Le prolongement d'une violence existante dans la société coloniale, retournée contre le « colonisateur » et... contre ses propres « frères » ? Largement diffusée dans la société, cette violence se manifestera après l'indépendance. Mais cette fois stockée, emmagasinée par l'État indépendant, elle gagnera en impunité, en respectabilité.

La « question berbère » occultée

Le mérite historique des responsables qui déclenchent l'insurrection en novembre 1954 est d'avoir débloqué, par les armes, le *statu quo* colonial. Ils ont permis que l'idée d'indé-

12. Sur cet épisode, Yves COURRIÈRE, *L'Heure des colonels, op. cit.*, p. 419 et suivantes. Amirouche sera tué, avec un autre responsable, Si Haouès, au cours d'un combat contre l'armée française, le 28 mars 1959 entre Djelfa et Bousaada.

13. *Le Bled*, n° 35, 28 mars 1959 ; 30 mai 1959 ; 30 juin 1960.

pendance prenne consistance pour des millions d'Algériens. Mais, comme le note l'historien algérien Abdelkader Djeghloul, « la guerre enclenche un processus de déperdition du capital d'expérience démocratique et politique moderne que les différentes formations politiques avaient commencé à élaborer avant 1954[14] ».

En matière de fonctionnement politique, ce sont les stratégies d'exclusive, d'autoritarisme et d'hégémonie qui se sont installées dans le nationalisme algérien. Dans le bannissement d'une démarche pluraliste, il ne peut exister que des vainqueurs et des vaincus. Seuls les vainqueurs, en l'occurrence le FLN d'aujourd'hui, ont le droit d'écrire, ou de réécrire, l'histoire, déterminer des valeurs, fixer un cadre d'intervention politique. Cela concernera tout particulièrement la « question berbère[15] ».

Dans la longue marche du nationalisme algérien, la « berbérité » se trouve au centre de bien des questionnements. La nature de la société algérienne, après l'indépendance, reste en débat : société plurielle, ou société fermée appuyée sur les seules valeurs de l'arabo-islamisme ? Soucieux de cohésion, les premiers indépendantistes, en particulier Messali Hadj, s'inquiétaient d'un encouragement français à la reconnaissance d'une originalité kabyle. Mais contrairement à l'attente des Français, dont la politique avait consisté à séparer culturellement et politiquement les Berbères des Arabes, les forces nées de la participation commune aux mobilisations contre la présence française provoquent une fusion, accélérée par les événements de la Seconde Guerre mondiale. Cette fusion nationaliste n'implique pas pour autant la disparition de la question berbère, qui va resurgir avec force dans le PPA-MTLD en 1949, et se traduire, comme on l'a vu, par l'exclusion de plusieurs dirigeants d'origine kabyle, soucieux d'éviter une dilution de l'identité berbère.

La guerre qui arrive balaye toute possibilité de regroupement extérieur au terrain nationaliste. Sous le bouillonnement

---

14. Abdelkader DJEGHLOUL, article « Algérie » *in Encyclopaedia Universalis*, 1990, p. 774.

15. Salem Chaker estime que les berbérophones représentent aujourd'hui au moins 20 % de la population d'Algérie, soit 4,5 millions de personnes sur un total de 22,5 millions (recensement de 1986). *In* Salem CHAKER, *Berbères aujourd'hui*, L'Harmattan, Paris, 1989, p. 9.

d'idées parfois contradictoires, le mot d'ordre du FLN est partout le même : critiquer ce qui a été appris sous la présence française pour revenir à l'essentiel ; court-circuiter l'institution coloniale pour retrouver l'origine de la nation. A la différence des « réformistes » dont le projet est une nouvelle manière de vivre avec la colonisation, les indépendantistes proclament la nécessité absolue de constitution d'une nation nouvelle. Y compris — et surtout — dans l'immigration, cette conscience nationale est présente : lorsque l'on évoque son village et sa « petite patrie », par-delà, l'on pense à l'Algérie, dont on ne croit pas nécessaire de parler mais dont chacun sait parfaitement où se situent les contours précis.

Très liés à l'immigration ouvrière en France, conservant leurs attaches paysannes, révoltés par l'injustice sociale, les militants et responsables kabyles porteront, eux aussi, le populisme révolutionnaire à l'œuvre dans le FLN.

Pendant la guerre/révolution, l'unité nationale fait l'objet d'un large consensus chez les dirigeants du FLN-ALN, face à la puissance de l'État colonial. Toute pratique « régionaliste » d'un responsable le disqualifierait dans la compétition pour le pouvoir, dont la vocation est nationale. Par ailleurs, il est établi que la grande majorité des responsables politiques kabyles n'étaient pas préoccupés au cours de la guerre par l'affirmation d'une identité berbère[16], et s'y sont même parfois opposés violemment, comme Krim Belkacem. Cela dit, comme l'explique de manière fort pertinente le sociologue Lahouari Addi, « le régionalisme a dû être utilisé subtilement par les uns et par les autres comme ressource politique dans la compétition, pour susciter des adhésions clientélistes et des fidélités dans le cadre politique hégémonique[17] ».

L'épisode important du congrès de la Soummam et, surtout, ses suites illustrent parfaitement cette utilisation du « régionalisme », en particulier l'opposition entre « Kabyles » et « Arabes ». Selon Salem Chaker, trente ans après, Ahmed Ben Bella considère toujours ce congrès et l'action

16. Voir, sur ce point, Hocine Aït Ahmed, *Mémoires d'un combattant, op. cit.* ; *L'Affaire Mécili*, La Découverte, Paris, 1989.

17. Lahouari Addi, *L'Impasse du populisme*, ENAL, Alger, 1990, p. 69.

d'Abbane Ramdane « en particulier son laïcisme, comme entachés de berbérisme et tournant le dos à l'islam[18] ».

Dans la guerre/révolution elle-même, l'emprise du régionalisme, fortifiée par le repli montagnard, ne va pas disparaître. Le militant se sentira tout à la fois membre d'une collectivité nationale qu'il s'agira d'affranchir de la présence coloniale, et très dépendant du groupe restreint que délimite autour de lui le facteur « régional ». Il fait à la fois partie d'une population plus mobile, plus ouverte, mais son attachement aux activités anciennes, la fidélité aux traditions et coutumes de vie entraînent presque toujours un ancrage très vif au milieu d'origine, « la petite patrie ». Il revendique sa spécificité et s'opposera éventuellement aux autres groupes, d'autres régions. Mais face à l'étranger envahisseur, il n'hésitera pas à s'affirmer « frère » de ceux-là mêmes qu'il a jadis combattus. Cette situation où, progressivement, l'unité l'emporte sur la diversité (volonté d'unification de la nation et reconnaissance du chatoiement des diversités) peut se vivre comme élan dynamique ou... tension déchirante. Les Kabyles sont ainsi à la fois heureux que leur région ait donné un grand nombre de responsables de l'ALN-FLN (Amirouche, Abbane Ramdane, Krim Belkacem, Hocine Aït Ahmed), et mécontents de se sentir exclus en tant que minorité non arabe. Après l'indépendance, ils s'affirmeront comme de farouches adversaires de l'islamisme.

Le sens du populisme

Conscient des contradictions qui le traversent, le FLN, sans cesse, s'est plié à l'urgence tactique : drainer les convictions, mobiliser les énergies disponibles pour l'indépendance, en reportant à plus tard l'examen des particularités. Cette conception d'une société indifférenciée, « guidée » par un parti unique, implique une vision particulière de la nation. Après l'indépendance, bloc indécomposable, la nation est perçue comme une figure indissociable unie et unanime.

Le thème du « peuple uni » doit réduire les menaces d'agression externe (francisation, assimilation), et de désin-

18. Salem Chaker, *Berbères aujourd'hui, op. cit.*, p. 28.

tégration interne (régionalisme, particularismes linguistiques). Ce dernier aspect concerne essentiellement la question berbère, niée dans la mise en place des institutions nationales de l'après-guerre.

L'appel à l'unité de la nation contribue à simplifier la politique, à radicaliser les couples amis-ennemis, de telle sorte que les conflits ordinaires se trouvent disqualifiés. Toute opposition est perçue comme une menace de guerre civile, ou comme l'indice de complots destructeurs. Tant est forte la pensée de son unité, la nation finit par prendre figure si abstraite qu'elle devient imprésentable.

L'utilisation du populisme accroît en fait le fossé entre la société réelle, différenciée socialement et culturellement, et le système politique du parti unique.

12

La victoire et ses divisions

Dans son discours du 16 septembre 1959, le général de Gaulle reconnaît le droit des Algériens à l'autodétermination. Dans un camp comme dans l'autre, le temps n'est plus à une solution militaire, mais à un règlement politique du conflit.

La France est isolée sur le plan politique international. Le FLN, qui n'a cessé de se battre pour le maintien de l'intégrité du territoire algérien dans le cadre des frontières coloniales, va l'emporter politiquement. Le 5 septembre 1961, le général de Gaulle reconnaît le caractère algérien du Sahara. Le 5 mars 1962, les négociations d'Évian peuvent s'ouvrir avec le GPRA, devenu le seul interlocuteur des Français.

Dans cette phase finale, où prend fin le tête-à-tête avec l'État colonial, la direction du FLN implose. L'image d'unité, forgée dans la guerre, ne résiste plus lorsque s'approche la possibilité de prendre le pouvoir. Le FLN montre au grand jour ses divisions, son incapacité à les gérer autrement que par la violence interne.

« Militaires » contre « politiques » : un conflit à l'extérieur

Sous les coups de boutoir des opérations militaires françaises, dirigées par le général Maurice Challe, les wilayas de l'intérieur s'effondrent dans les années 1958-1960. Dans l'Oranie, les Européens peuvent désormais circuler sans escorte. Après la mort de Mostefa Ben Boulaïd (il s'était évadé de la prison de Constantine quelques mois auparavant), le 27 mars 1956, victime d'un colis piégé parachuté par le deuxième bureau français[1], les maquisards des Aurès n'arrivent toujours pas à se réorganiser. Dans la wilaya III, en Kabylie, Amirouche caresse l'idée d'une refonte de l'organisation qui redonnerait la primauté de « l'intérieur » sur l'extérieur. Si Haouès, le responsable de la wilaya VI (le Sahara) partage les préoccupations d'Amirouche : lui aussi proteste contre le manque d'armes, l'isolement des wilayas de l'intérieur. Mais Amirouche et Si Haouès, on l'a vu, meurent dans une embuscade, le 28 mars 1959. Leur disparition démoralise davantage encore les combattants de l'intérieur, et provoque les tentatives de négociations séparées avec la France, menées en particulier par Si Salah en juin 1960[2], au nom des combattants de l'intérieur.

A la fin de 1960, le GPRA accuse l'EMG d'abandonner les wilayas de l'intérieur, et demande l'entrée de l'état-major en Algérie avant le 31 mars 1961. La crise est ouverte. L'EMG refuse d'obtempérer, remet sa démission le 15 juillet 1961, installe lui-même une direction intérimaire. Lors de la réunion du Conseil national de la révolution algérienne à Tripoli, du 6 au 27 août 1961, le remplacement de Ferhat Abbas par Benyoucef Benkhedda accentue la crise. L'EMG quitte le CNRA. Benkhedda échoue dans sa tentative de réorganiser l'armée en fractionnant le commandement en deux (Maroc-Tunisie). Dans l'épreuve de force, « l'armée des frontières » montre son unité derrière son chef, le colonel Houari Boumediene. Elle reçoit le soutien de trois « chefs histori-

1. Sur les circonstances de la mort de Ben Boulaïd, voir Éric HUITRIC, *Le Onzième Choc*, La Pensée moderne, Paris, 1976, 250 p. ; Claude PAILLAT, *Dossier secret de l'Algérie*, tome 2, 1954-1958, Presses de la Cité, Paris, 1962, 538 p.

2. A propos de cet épisode, voir Pierre MONTAGNON, *L'Affaire Si Salah. Secret d'État*, Pygmalion, Paris, 1987, 187 p.

ques », emprisonnés à Aulnoy : Ahmed Ben Bella, Mohammed Khider, Rabah Bitat.

Qui va diriger le pouvoir national futur, dont la conquête semble très proche ? L'EMG soupçonne le GPRA, qui conduit les négociations avec la France, de l'évincer. Les chefs militaires de l'extérieur redoutent l'utilisation d'une « force locale », créée dans le cadre des accords d'Évian, au détriment de l'ALN des frontières. L'EMG propose de créer un bureau politique du FLN, distinct du GPRA. Sa revendication prouve que l'état-major ne dirige pas seulement une armée, mais représente une force politique, désormais candidate à l'accès au pouvoir politique[3].

Hors de l'Algérie où peuvent se décider les enjeux réels, se construisent les instruments d'un appareil d'État qui viendra coiffer la société algérienne au moment de l'indépendance. Finalement, l'impossibilité dans laquelle s'est trouvé le mouvement nationaliste algérien de se développer à l'intérieur de la structure coloniale conduit à la constitution d'un appareil politique (puis militaire) original, spécifique... extérieur.

Après l'indépendance, cette *extériorité* sera niée, et l'on écrira l'histoire d'un nationalisme puisant ses racines dans l'Algérie « intérieure »[4].

Les « marsiens »

La période qui suit le cessez-le-feu du 19 mars 1962 montre, paradoxalement, la faiblesse de l'ALN-FLN à l'intérieur du pays. Les responsables du FLN sur place ne parviennent pas à contrôler les tractations financières, une masse considérable de terres et d'immeubles changeant de mains dans l'exode massif de la minorité européenne. En quelques semaines, l'effectif des artisans et des petits commerçants algériens passe, brusquement, de cent trente mille à cent quatre-vingt mille. Quelques initiatives, ici et là, tentent de freiner le pro-

---

3. Sur les détails de cette crise, voir Mohammed HARBI, *Le FLN, mirage et réalité, op. cit.*

4. Le modèle de cette histoire mythique, reconstruite, est donné par Aboul-Kassem SAADALLAH dans son ouvrage *La Montée du nationalisme algérien*, ENAL, Alger, 1983, 371 p.

cessus spéculatif, en particulier par la création de « comités de gestion » sur les terres laissées vacantes par les colons.

Mais surtout, les wilayas de l'intérieur dont les effectifs ne dépassaient pas quelques milliers de « djounouds » avant les accords d'Évian, se « gonflent » alors en un temps record. Ces « ralliés » de la dernière heure, dont certains ont été de précieux auxiliaires de l'administration et de l'armée française, on les appellera les « marsiens », ou les « combattants du 19 mars ». Trente ans après, un journaliste algérien écrira justement à ce propos : « Le 19 mars 1962, des milliers d'Algériens, jusqu'alors planqués, se transformaient promptement en d'audacieux alpinistes et grimpaient jusqu'aux cimes des montagnes pour en redescendre harnachés de la tenue des combattants, et s'en allaient négocier attestations communales et prébendes. Pour beaucoup de sincères combattants de la liberté qui ont payé dans la meurtrissure de leur corps et de leur âme l'indépendance de l'Algérie, c'est une profonde humiliation. Le 19 mars 1962, c'était un pont vers la paix, et les affairistes étaient là, attendant leur heure[5]. »

Dans l'effondrement des structures de l'État colonial, la confusion est donc générale ; et les structures locales du FLN ne parviennent pas à gérer la situation nouvelle. En attendant l'arrivée du « contre-État », celui de l'armée des frontières, qui se trouve à l'extérieur de l'Algérie, les pratiques de régionalisme, de clientélisme s'installent. Le programme adopté au congrès du Conseil national de la révolution algérienne (CNRA), réuni à Tripoli, en Libye, du 27 mai au 7 juin 1962, dénonce bien cette émergence « de féodalités politiques, de chefferies et de clientèles partisanes », « la fuite devant la réalité »... mais il est déjà trop tard[6]. Les dirigeants du Front sont eux-mêmes très divisés, et la confusion qui règne en Algérie se retrouve au sommet de l'organisation.

---

5. Lotfi H'Cin, « 19 mars 1962, exorciser les vieux démons », *Le Temps*, hebdomadaire du Constantinois, n° 7, 17-31 mars 1991.

6. Dans le programme de Tripoli, on peut lire : « Le FLN, ennemi acharné du féodalisme, s'il a bien combattu ce dernier à travers nos institutions sociales routinières, n'a rien fait, en revanche, pour s'en préserver lui-même à certains niveaux de son organisation. Il a omis, à cet égard, que c'est précisément la conception abusive de l'autorité, l'absence de critères rigoureux et l'inculture politique qui favorisent la naissance ou la renaissance de l'esprit féodal. » *In Le Programme de Tripoli, Le Communiste*, supplément au n° 84, octobre 1962, p. 10.

Tripoli, un programme et la crise

La crise du FLN éclate en effet au grand jour au congrès de Tripoli. Un programme y est pourtant adopté à l'unanimité, presque sans discussion, par le « Parlement » du mouvement nationaliste victorieux.

Les thèses principales du programme s'inscrivent dans la perspective de l'idéologie populiste déjà exprimée au congrès de la Soummam en août 1956 : « L'effort créateur du peuple s'est largement manifesté à travers les organes et instruments qu'il s'est forgés sous la direction du FLN pour la conduite générale de la guerre de libération et l'édification future de l'Algérie. Unité du peuple, résurrection nationale, perspectives d'une transformation radicale de la société, tels sont les principaux résultats qui ont été obtenus grâce à sept années et demie de lutte armée[7]. »

Mais on constate une coloration anti-impérialiste plus marquée, où se voient les influences de Frantz Fanon, décédé un an auparavant, et du marxisme : « La prise du pouvoir en Algérie exige qu'elle se fasse dans la clarté. L'union nationale n'est pas l'union autour de la classe bourgeoise[8]. » Une importance plus grande est accordée à la dimension religieuse de la personnalité musulmane. « Pour nous, l'islam, débarrassé de toutes les excroissances et superstitions qui l'ont étouffé ou altéré, doit se traduire, en plus de la religion en tant que telle, dans ces deux facteurs essentiels : la culture et la personnalité. » Les rédacteurs du programme espèrent qu'une partie des Européens pourront trouver leur place dans l'Algérie indépendante : « La sécurité de ces Français et leurs biens doivent être respectés ; leur participation à la vie politique de la nation assurée à tous les niveaux. Beaucoup d'entre eux iront s'installer en France, mais une importante fraction restera en Algérie, et le gouvernement français l'y encouragera par tous les moyens en son pouvoir. »

Sur le plan économique, la « révolution démocratique et populaire » se donne pour objectifs une révolution agraire centrée sur la redistribution gratuite des terres et la constitution de coopératives sur la base de l'adhésion libre ; une

7. *Le Programme de Tripoli, op. cit.*, p. 4.
8. *Ibid.*, p. 17 ; les autres citations, p. 19, p. 7 et p. 24.

industrialisation subordonnée aux besoins du développement agricole ; la nationalisation du crédit et du commerce extérieur, celle des hydrocarbures n'étant envisagée qu'à long terme. « Dans l'immédiat, le Parti doit lutter pour l'extension du réseau de gaz et d'électricité dans les centres ruraux ; la préparation des ingénieurs et techniciens à tous les niveaux, selon un plan qui mettrait le pays en mesure de gérer lui-même ses richesses minérales et énergétiques. »

Sur le plan social, la priorité est donnée à la liquidation de l'analphabétisme, au développement de la culture nationale « arabo-islamique », à la nationalisation de la médecine, à la libération de la femme. La politique extérieure est fondée sur le principe du non-alignement.

Sur le plan politique, la primauté du FLN est réaffirmée contre... le GPRA « qui s'est confondu dès sa naissance avec la direction du FLN, et a contribué à affaiblir du même coup les deux notions d'État et de Parti. L'amalgame des institutions étatiques et des instances du FLN a réduit ce dernier à ne plus être qu'un appareil administratif de gestion ». L'attaque est à peine voilé contre le GPRA, qui a négocié les accords d'Évian : « Les accords d'Évian constituent une plate-forme néo-colonialiste que la France s'apprête à utiliser pour asseoir et aménager sa nouvelle forme de domination... »

Une tendance réunie autour de Ben Bella et surtout autour de l'état-major général de l'ALN, dirigé par Houari Boumediene, s'oppose ainsi aux dirigeants du GPRA : elle propose de transformer le FLN en un parti, et de créer un bureau politique. Benkhedda et ses amis, pour leur part, veulent conserver le GPRA jusqu'à l'installation à Alger. Dans la nuit du 5 au 7 juin 1962, Benkhedda quitte le CNRA sans prévenir. Les autres participants se séparent dans la confusion.

Le 30 juin, à la veille du référendum, le GPRA se réunit à Tunis, en l'absence de Ben Bella parti précipitamment à l'étranger. Le GPRA décide alors de dissoudre l'état-major général, de destituer officiellement le colonel Boumediene et ses deux adjoints, Ali Mendjli et Kaïd Ahmed. Il ordonne aux wilayas « de ne tolérer aucun empiétement de son autorité par des éléments inconscients dont les activités ne peuvent déboucher que sur des luttes fratricides ». Il ne va pas, comme le propose Hocine Aït Ahmed, jusqu'à faire arrêter les membres de l'état-major, ce qui, dit-il trente ans après, « aurait changé le cours de l'histoire[9] »...

Chaque clan compte les forces armées, les troupes militantes sur lesquelles il peut s'appuyer. A la guerre contre le pouvoir colonial, succédera la guerre entre fractions du FLN.

Bien à l'abri dans son fief de Ghardimaou, à la frontière de la Tunisie et de l'Algérie, l'état-major qualifie « d'illégale » et de « nulle et non avenue » la décision du GPRA. Le colonel Houari Boumediene ordonne à ses hommes — 21 000 en Tunisie, 15 000 au Maroc — « de se préparer à entrer en Algérie, en unités constituées dans la région désignée par l'état-major ». Les premiers hommes et leur équipement lourd pénétreront dans le pays dans les jours suivants. On reviendra longuement dans la troisième partie sur les affrontements qui s'ensuivront.

Pour la masse des Algériens, « sept ans, ça suffit ! » : le slogan court à travers les villes et les campagnes. On réclame la fin du temps des épreuves. Les excès, les sanglantes épurations, les maquisards de la dernière heure, les bruits de divergences au sommet... troublent les esprits, lèvent quelquefois les cœurs.

Mais plus rien ne doit gâcher le retour de la paix et de la liberté. Après la guerre, après les souffrances et les humiliations, la victoire autorise la joie, donc l'oubli.

9. Cité par Pierre HASKI, « A l'heure où l'Algérie réalise son rêve d'indépendance », *Libération*, 6 juillet 1987. Sur cette crise de l'été 1962, voir également la seconde partie — particulièrement éclairante — du livre de Hocine AÏT AHMED, *L'Affaire Mécili, op. cit.*

13

Le bilan des pertes

Avec l'indépendance algérienne de juillet 1962, vient l'heure de la « fermeture des comptes », du bilan des pertes humaines. Exercice extrêmement difficile. Dans la première partie de la guerre (1954-1958), l'armée française, en fait, ne livre jamais de chiffres, se contente d'égrener des listes de communiqués conçues comme de véritables campagnes psychologiques de démoralisation, et d'usure, sur l'ALN/FLN. Régulièrement, dans *Le Bled*, est publiée la liste des « pertes rebelles » en hommes et en matériel (listes reprises par une partie de la grande presse). Ainsi, le général Salan annonce pour la première semaine de février 1957 : « ... plus de 700 rebelles ont été abattus, près de 200 ont été faits prisonniers, 4 mitrailleuses, 2 mortiers, plusieurs pistolets et 500 fusils de guerre ont été récupérés au cours des combats ». Pour le même mois, Robert Lacoste précise : « ... 2 512 rebelles tués... ». C'est le grand moment de la victoire militaire inéluctable, toute proche, le « dernier quart d'heure ».

Dans un autre numéro, on évoque une opération à Tébessa, le 6 mars 1957, destinée à venger un colonel tué : 94 tués, un prisonnier et 7 blessés, « le colonel Putz a été rapidement vengé... » Mais le plus souvent, il s'agit de simples listes qui donnent laconiquement les pertes : « Fort National : 137 tués, 1 blessé, 4 prisonniers ; Trezel/Tiaret : 51 tués ; Nedromah : 20 tués, armement plus une mitrailleuse ; Meskiana : 23 tués, 1 prisonnier, 20 fusils[1]... » Notons, au passage, que le nombre de blessés ou de prisonniers est sans commune mesure avec celui des tués...

L'armée française ne publie pas de chiffres sur les pertes de ses soldats. Par exemple, il n'y a pas une ligne dans *Le Bled* sur la meurtrière embuscade de Palestro, le 18 mai 1956, lors de laquelle dix-neuf militaires français sont mutilés et massacrés. Il faut attendre la conférence de presse du général de Gaulle du 23 octobre 1958 pour qu'apparaissent les premiers chiffres officiels de la guerre : « Il faut savoir, en effet, que si, depuis quatre ans, en Algérie, environ 1 500 civils, Français de souche, ont été tués, c'est plus de 10 000 musulmans, hommes, femmes et enfants, qui ont été massacrés par les rebelles, presque toujours par égorgement. Dans la métropole, pour 75 Français de souche auxquels les attentats ont coûté la vie, 1 717 musulmans sont tombés sous les balles ou le couteau des tueurs. Que de vies, que de demeures, que de récoltes a protégées l'armée française en Algérie ! Et à quelles hécatombes condamnerions-nous ce pays si nous étions assez stupides et assez lâches pour l'abandonner ! Voilà la raison, le mérite, le résultat, de tant d'actions militaires en hommes et en fatigues, de tant de nuits et de jours de garde, de tant de reconnaissances, de patrouilles, d'accrochages. Hélas ! 77 000 rebelles ont été tués en combattant... »

Dans sa conférence de presse du 10 novembre 1959, le général de Gaulle donne d'autres indications sur le nombre de victimes. A cette date, et « depuis le début de la rébellion », il dénombrait 171 000 morts :
— 13 000 soldats français,
— 145 000 « rebelles »,
— 1 800 « Français civils de souche »,
— 12 000 civils musulmans.

En une année, d'octobre 1958 à novembre 1959, plus de 6 000 soldats français et 68 000 « rebelles » auraient donc été

1. Renseignements tirés du journal *Le Bled*, n° 44, 9 février 1957 ; n° 50, 23 mars 1957 ; n° 48, 9 mars 1957 ; n° 51, 30 mars 1957.

tués, soit autant que pendant toute la première phase du conflit... Ce qui paraît peu probable, en dépit de la férocité des campagnes militaires (opérations « Jumelles »). Un an plus tard, le 25 novembre 1960, le général de Gaulle déclare au directeur de *L'Écho d'Oran* : « Nous en avons tué déjà 200 000, nous en tuons encore 500 par semaine[2]. »

Et pourtant, au moment de la signature des accords d'Évian de mars 1962, le chiffre total des pertes en Algérie est évalué de la sorte par les autorités militaires :

« — Tués : 12 000, dont 9 000 Français de souche, 1 200 légionnaires et 1 250 musulmans. En outre, les forces supplétives ont compté 2 500 morts.

« — Blessés : 25 000, dont 18 500 Français de souche, 2 600 légionnaires et 2 800 musulmans, auxquels s'ajoutent 3 500 blessés des forces supplétives. Les accidents ont d'autre part fait 6 000 morts, dont 4 500 Français de souche, 800 légionnaires et 900 musulmans, et 28 700 blessés, dont 22 000 Français de souche, 2 000 légionnaires et 3 900 musulmans.

« 198 Français de souche sont encore dans la position de disparus. Près de 7 000 blessés rebelles ont été soignés dans des formations sanitaires françaises[3]. »

Avant de passer au nombre de « victimes rebelles », attardons-nous sur un chiffre : celui des « morts par accident ». D'après les chiffres officiels, un tiers des militaires français tués pendant la guerre d'Algérie l'a été par accident, et non au combat. Les blessés par accident représentent les deux tiers des blessés[4]. Il s'agit ici d'accidents en tout genre : erreur de manipulation des armes, sentinelles endormies, tir à l'aveuglette, erreur de cible, et surtout accidents de la route. Plusieurs campagnes sont menées en particulier par les journaux militaires pour tenter de ralentir l'hécatombe : « De mai 1956 à avril 1957, les pertes militaires dues à des accidents divers s'élèvent à 787 tués et 9 000 blessés. Cela signifie qu'en un an, la puissance de feu de l'armée a diminué d'un bataillon et que la valeur d'une division a été immobilisée. *Le chauffard est l'allié du fellagha* [souligné par nous]. Le mala-

2. Pierre LAFFONT, *L'Expiation*, Plon, Paris, 1968, p. 169.
3. Note des Renseignements généraux, 9 mars 1962.
4. Sur les chiffres, voir également Henri LE MIRE, *Histoire militaire de la guerre d'Algérie*, Albin Michel, Paris, 1982.

droit qui ne connaît pas son arme et blesse ses camarades est le complice de l'ennemi[5]. »

Mais les indications fournies par une note des Renseignements généraux du 9 mars 1962, rédigée sur la base de sources militaires françaises, sont les plus surprenantes à propos des « pertes rebelles algériennes ». Elles sont estimées à 141 000 ! Soit 4 000 de moins que le chiffre donné par le général de Gaulle dans sa conférence de presse, tenue deux ans et demi auparavant. A cette époque, personne ne relève l'« anomalie ».

L'armée française décompose en deux catégories les « pertes musulmanes » : pertes de l'ALN/FLN mis hors de combat, et Algériens musulmans tués par le FLN/ALN :

— *Pertes du FLN:* membres de l'ALN et auxiliaires

- Tués en combat 141 000
- Victimes de « purges » internes...... 15 000[6]
- Tués par les armées tunisienne et marocaine 2 000

Total.............. .... *158 000*

— *Musulmans abattus par l'ALN:*

- Soldats musulmans tués au combat .. 3 500
- Civils disparus au 13 mars 1962 .... 50 000
- Civils tués au 19 mars 1961 : 16 378, arrondi à 16 000

Total.................................. *69 000*

Total général des musulmans victimes de la guerre 227 000

Pour ce qui concerne les populations civiles, les chiffres connus sont arrêtés au 19 mars 1961 :

	Tués	*Blessés*	*Disparus**
Souche européenne	2 788	7 541	875
Musulmans	16 378	13 610	13 296
Total	*19 166*	*21 151*	*14 171*

* Au 1er septembre 1962, les demandes de recherches reçues par la Croix-Rouge se montaient à : Européens, 4 500 ; musulmans, 6 050.

5. *Le Bled*, n° 61, 8 juin 1957.

6. Détail des purges : ALN Maroc, 500 ; ALN Tunisie, 1 000 ; wilaya I, 2 000 ; wilaya II, 500 ; wilaya III, 3 000 ; wilaya IV, 1 500 ; wilaya V, 500 ; wilaya VI, 6 000.

Avec ces chiffres civils, le total des Algériens musulmans tués au 19 mars 1962 s'élèverait donc, selon les chiffres officiels français, à 243 378.

Le FLN, à son congrès de Tripoli de juin 1962, livre l'évaluation qui aura force de loi : « Un million de martyrs sont tombés pour la cause de l'indépendance de l'Algérie. » *La Charte d'Alger* (éd. du FLN, 1964) assure qu'il y a trois cent mille orphelins dont trente mille complets, à l'indépendance (p. 81) et « plus d'un million de martyrs, près de trois millions de regroupés arrachés à leurs foyers et à leurs villages pour être parqués dans des centres spécialisés créés à cet effet, quatre cent mille réfugiés principalement en Tunisie et au Maroc, sept cent mille émigrés des campagnes vers les villes ». De toute façon, dès le 3 juillet 1962, le « livre des comptes » de la guerre est dissimulé. Il n'y aura pas, à ce moment, de controverses à propos de ces chiffres (elles éclateront plus tard, comme on le verra dans le chapitre 19).

Le conflit, qui, d'après les approximations les plus vraisemblables, a fait près de 500 000 morts (toutes catégories confondues mais surtout algériens[7]), disparaît dans sa dimension tragique. Le problème n'est pas de disqualifier, critiquer ou simplement regarder lucidement, mais de se détacher de ce passé encombrant.

---

7. Voir en particulier l'article de Guy PERVILLÉ dans *L'Histoire*, n° 53, février 1983 ; Xavier YACONNO, « Les pertes algériennes de 1954 à 1962 », *Revue de l'Occident musulman et de la Méditerranée*, n° 2, 1982. Sur les pertes en France, voir Benjamin STORA, *Histoire politique de l'immigration algérienne en France*, *op. cit.*

III

1962-1982 : désirs d'oubli, bouffées de mémoire

Entre 1962, moment de l'indépendance algérienne, et 1970, date de la mort du général de Gaulle, la guerre d'Algérie se trouve recouverte par un flux de « modernité » envahissante. La France entre définitivement dans l'ère du capitalisme moderne. Expansion économique, bureaucratisation accélérée de toutes les sphères de la vie sociale, « privatisation » de la vie qui installe l'apathie : le citoyen devient consommateur.

C'est également la période des derniers « règlements de comptes » en France et en Algérie. Le 20 octobre 1970, des hommes de main de la Sécurité militaire algérienne retrouvent Krim Belkacem à Francfort, et l'abattent. L'ancien membre du CCE, assassiné sur ordre, est en quelque sorte la dernière victime algérienne de la guerre ; comme le colonel Jean-Marie Bastien-Thiry, fusillé le 11 mars 1963, en avait été la dernière victime militaire française. La fin de cette guerre franco-algérienne illustre tragiquement ce qu'elle a été, aussi : une double guerre civile, à la fois algéro-algérienne, et franco-française.

C'est, enfin, l'instant du bilan d'une guerre, l'époque des investissements dans les symboles, autour d'une geste militaire : la commémoration de la « Résistance » des années quarante en France, et de la « lutte armée » en Algérie.

Recouvrement, règlement, bilan, investissement... la guerre se lit désormais dans le vocabulaire de l'économie. On veut fermer le compte « guerre d'Algérie » dans les banques de l'histoire ; on croit apurer les derniers contentieux en évaluant débit et crédit, les reliquats des sommes à payer. Cette histoire « économique », bancaire, construit l'oubli de l'histoire réelle, tragique.

Entre la mort du général de Gaulle et l'arrivée au pouvoir de François Mitterrand en 1981, sous le régime de Houari Boumediene en 1965 et les débuts de la présidence de Chadli Bendjedid en 1980, la mémoire de la guerre algérienne se trouve mise entre parenthèses.

En France, dans ces années soixante-dix/quatre-vingt, l'heure est à l'effacement volontaire. Valéry Giscard d'Estaing est le premier président de la République française à se rendre en visite à Alger en avril 1975. Il déclare : « Le passé peut être une coupure, ou une charnière. Le sens de ma visite, c'est évidemment la charnière. » Il avait été, à moins de trente-trois ans, en janvier 1959, le plus jeune ministre du gouvernement de Michel Debré au moment de la guerre d'Algérie. Et, selon le portrait que lui consacre *Le Monde* le 21 mai 1974, au lendemain de son élection, « nul doute qu'il était favorable, tout à fait favorable, aux thèses de l'Algérie française ». Marcel Bigeard entre, comme secrétaire d'État à la Défense, dans le gouvernement de la France en janvier 1975.

En Algérie, plus que jamais, l'histoire héroïque et anonyme s'impose. Dans les écoles commence l'arabisation, il faut oublier la langue du colonisateur. Dans les manuels scolaires se trouvent effacés les noms d'Ahmed Ben Bella (toujours en prison après sa destitution en 1965), de Ferhat Abbas (définitivement écarté de toute responsabilité), de Messali Hadj (qui décède en juin 1974). Cette période est celle du grand refoulement de l'histoire plurielle, de la construction de l'unanimisme autour des valeurs produites par le parti unique.

Pieds-noirs, harkis, anciens soldats en France ou anciens « moudjahidin » en Algérie... les porteurs du souvenir de la guerre/révolution semblent voués à la solitude. Véhémentes, boursouflées, vengeresses, leurs mémoires, non reconnues, ne veulent pas se confondre, se partager. Comment, dans ces circonstances, peut se construire une mémoire authentique, celle qui ne prend son sens qu'en une compréhension des souffrances que d'autres groupes ont subies ? La déploration stérile annonce les affrontements ouverts de la décennie suivante.

14

La guerre ininterrompue

En Algérie

« Voulez-vous que l'Algérie devienne un État indépendant coopérant avec la France dans les conditions définies par la déclaration du 19 mars 1962 ? » Le dimanche 1er juillet 1962 en Algérie, six millions d'électeurs répondent « oui » à cette question, à peine 16 534 disent « non ».

Les résultats, rendus publics le 3 juillet, donnent 91,23 % de « oui » par rapport aux inscrits et 99,72 % par rapport aux suffrages exprimés. Le général de Gaulle tire les leçons de ce résultat si prévisible. Lors d'une brève cérémonie, le 3 juillet, à la cité administrative de Rocher-Noir, près d'Alger, Christian Fouchet, haut-commissaire de France, remet à Abderrahmane Farès, le président de « l'Exécutif provisoire » constitué après les accords d'Évian, la lettre du Général qui reconnaît l'indépendance de l'Algérie : « La France a pris acte des résultats du scrutin d'autodétermination du 1er juillet 1962 et de la mise en vigueur des déclarations du 19 mars 1962. Elle a reconnu l'indépendance de l'Algérie. En conséquence, et conformément au chapitre v de la déclaration générale du 19 mars 1962, les compétences afférentes à la souveraineté sur le territoire des anciens départements français d'Algérie sont, à compter de ce jour, transférées à l'Exécutif provisoire de l'État algérien. En cette solennelle circonstance, je tiens à vous exprimer, monsieur le Président, les vœux profondément sincères qu'avec la France tout entière je forme pour l'Algérie. »

La guerre est finie. De façon définitive ? Ce même 3 juillet, les Algériens sont bien trop occupés pour s'intéresser au message du chef de l'État français, ou à la cérémonie du Rocher-Noir. C'est ailleurs que l'histoire continue. Ce mardi marque surtout, pour eux, le retour à Alger du GPRA, le Gouvernement provisoire de la République algérienne, formé à Tunis en 1958 par le FLN, au plus fort de la lutte contre la France.

La fête et la fracture

La Caravelle de Tunis-Air se pose sur l'aéroport d'Alger. Plusieurs milliers de personnes sont là pour accueillir les nouveaux dirigeants de l'Algérie. « La dernière fois où je m'étais trouvé à cet aéroport, se souvient Hocine Aït Ahmed, c'était lorsque notre avion fut intercepté par la chasse française en octobre 1956. Nous avions été forcés d'atterrir à Alger, et, en pleine nuit, l'avion avait été encerclé par les blindés français[1]... » Les membres du GPRA conduits par leur président, Benyoucef Benkhedda, font leur entrée triomphale dans Alger.

Dans la ville, la foule envahit les rues pour manifester sa joie. Équipés avec des mitraillettes en bois et des calots militaires, les enfants algériens célèbrent la fête en imitant ceux qu'ils admirent : les combattants des maquis. Alger n'est plus qu'une gigantesque kermesse. La ville, pavoisée de milliers de drapeaux vert et blanc, retentit du bruit des clameurs et des sifflets qui scandent sur cinq notes : *Ya-ya, Dje-za-ïr* (« Vive l'Algérie »). Les véhicules sont décorés comme les chars d'un corso fleuri. Sans arrêt, autos et scooters, arborant des drapeaux algériens, sillonnent la ville.

Et pourtant, l'apparition des nouveaux dirigeants au bal-

1. Hocine Aït Ahmed, cité par Pierre Haski, « La fête commence à déraper », *Libération*, 6 juillet 1987.

con de la préfecture d'Alger provoque un choc. Le reporter de *Paris-Match* écrit : « Au milieu de cette allégresse, un coup de tonnerre a soudain retenti : pas encore née, la République algérienne dénonçait déjà son putsch et ses ultras. Benkhedda annonçait la dégradation et la mise au banc de la Révolution des principaux chefs de l'Armée de libération[2]. »

La population avait pris pour de la « propagande colonialiste » les informations de la presse internationale faisant état de divisions, voire de « crise » au sein du FLN. Aucun doute n'est désormais possible. Les Algériens ne voient pas au balcon deux des « chefs historiques » du FLN, Mohammed Khider et surtout Ahmed Ben Bella, restés à l'étranger. L'ivresse de la joie s'accompagne de l'inquiétude des lendemains. D'autant que Benkhedda affirme dans son discours à la foule assemblée que « la volonté populaire constitue le barrage le plus solide contre la dictature militariste dont rêvent certains, contre le pouvoir personnel, contre les ambitieux, les aventuriers, les démagogues et les fascistes de tous poils ».

L'allusion vise Houari Boumediene, installé à Ghardimaou, à la frontière tunisienne. Deux camps s'opposent au moment où l'Algérie réalise son rêve d'indépendance. D'un côté, le GPRA qui a rallié autour de lui les responsables des wilayas II, III, IV, ainsi que la Fédération de France du FLN. De l'autre, l'état-major de Boumediene peut compter sur les wilayas I (Aurès), V (Oranie), VI (Sahara) — qui en fait ne pèsent guère au plan militaire — et surtout, l'armée des frontières. Ferhat Abbas, le célèbre pharmacien de Sétif, et Ahmed Ben Bella ont, eux aussi, choisi de défier le GPRA.

Le 5 juillet, dans la rue, les syndicats, des jeunes, des militants de la « zone autonome d'Alger » manifestent dans la capitale. Ce jour-là, Benkhedda prend la parole, demande aux manifestants de se remettre au travail. Il faut savoir terminer une fête... D'autant que parviennent à Alger les échos faisant état de « massacres » de pieds-noirs à Oran.

---

2. « Cette semaine, l'Algérie a changé de visage », *Paris Match*, n° 691, 7 juillet 1962.

Tueries et disparitions à Oran

Les derniers jours de la guerre ont été terribles dans la grande cité de l'Ouest algérien. Le lundi 25 juin, à 17 h 45, c'est l'apocalypse dans le ciel d'Oran. Les réservoirs à mazout de la British Petroleum ont été plastiqués par les commandos de l'OAS, cinquante millions de litres de carburant brûlent. Sur toute la surface des installations, tout est carbonisé et tordu. « Les flammes s'élèvent à plus de cent mètres au-dessus de la ville. Pendant plusieurs heures, l'énorme nuage couleur d'encre qui se déplace jusqu'à Mers el-Kebir recouvre Oran d'un voile crépusculaire. Dans le port, cargos et paquebots appareillent en toute hâte. C'est le dernier épisode de la terre brûlée[3]. » Les derniers « desperados » tirent à la mitrailleuse sur les réservoirs voisins. A cette date du 25 juin, plus de la moitié des 200 000 Européens ont quitté la ville. Les départs s'intensifient, au rythme de 8 000 par jour.

Le 4 juillet, c'est le drame. Il y a dans la rue des centaines de milliers de manifestants algériens, quand, soudain, éclatent des coups de feu. La foule, prise de panique, se disperse dans toutes les directions. Les causes de cette fusillade, qui fait une centaine de morts ? Pour les reporters de *Paris-Match*, « on parle, bien sûr, d'une provocation OAS, mais cela semble peu vraisemblable. Il n'y a plus de commandos, ou presque, parmi les Européens qui sont demeurés à Oran après le 1er juillet, que, d'ailleurs, on considérait là au moins comme une date aussi fatidique que l'an 40[4] ». Dans les rues, soudain vides, commence une traque des Européens, qui n'ont plus qu'une seule défense : lever les bras. Vingt et un d'entre eux sont tués sur-le-champ (treize ne portent pas de traces de balles, mais ont été tués à coups de couteau). D'autres chiffres sont avancés (on parle de 150 morts). Des enlèvements d'Européens ont lieu dans l'Oranie, l'Algérois, qui relèvent surtout de l'anarchie ambiante.

Dans son numéro du 8 septembre 1962, *Paris-Match* mène l'enquête sur ces disparitions : « En deux mois, 2 000 Fran-

3. « Oran, il faisait nuit sur la ville », *Paris-Match*, n° 691, 7 juillet 1962.
4. Serge LENTZ, « Oran, c'est sur nous qu'ils tirent ! », *Paris-Match*, n° 692, 14 juillet 1962.

çais peut-être (impossible d'être plus précis) ont disparu. Certains sont dans des camps de prisonniers : à Gouraya (7 à 8 Européens), aux Attafs (4 Européens), à Marceau, à Sainte-Monique, et à Karicha, pour ne citer que ceux de l'Orléansvillois. D'autres ont été tués : tels la femme et l'enfant du gendarme Robert. Enlevés le 5 août, ils ont été rendus le 11, la gorge tranchée[5]. »

Le 8 mai 1963, le secrétaire d'État aux affaires algériennes déclare à l'Assemblée nationale qu'il y avait 3 080 personnes signalées comme enlevées ou disparues, dont 18 avaient été retrouvées, 868 libérées et 257 tuées. Il cite, au Sénat, le 5 novembre 1963, le chiffre de 1 800 disparus, 1 185 rapports d'enquête ayant conclu à la certitude (308 cas), ou à la présomption de décès (444 cas). Le 24 novembre 1964, le ministre indique que sur les 3 018 disparus en 1962, 1 245 avaient été libérés ou retrouvés. « Il reste donc 1 773 personnes disparues sur lesquelles nous avons la certitude de 1 165 décès. »

La polémique commence, à propos des « disparus ». L'Association pour la sauvegarde des familles et enfants de disparus (ASFED), longtemps présidée par le colonel de Blignières et animée par le capitaine Leclair, conteste les chiffres officiels, et évalue les victimes à plus de 6 000[6]. Cette association, née en 1967, avait pris le relais de l'Association de défense des droits des Français d'Algérie (ADDFA) du général Bouvet, qui interrompit ses activités après 1964, persuadé que les disparus avaient tous péri. L'ASFED mènera campagne en expliquant que des personnes enlevées en 1962 survivraient toujours et demeureraient secrètement détenues en Algérie. Il n'y a aujourd'hui, en 1991, aucun indice permettant d'établir que des Français vivent secrètement, emprisonnés, en Algérie.

---

5. « Algérie : avec les Français qui ont peur », *Paris-Match*, n° 700, 8 septembre 1962.

6. Sur cette question des « disparus » en Algérie, on peut se reporter à Francine DESSAIGNE, *Journal d'une famille pied-noir*, France-Empire, Paris, 1972, 239 p. ; colonel DE BLIGNIERES, « Nuit et brouillard sur les disparus », *Itinéraires*, n° 264, numéro spécial consacré à l'Algérie, vingt ans après ; Gérard ISRAEL, *Le Dernier Jour de l'Algérie française*, Robert Laffont, Paris, 1972, 327 p. ; *OAS parle*, mémorandum sur les enlèvements, témoignage d'un officier au procès Murat, Julliard, coll. « Archives », Paris, 1964, 356 p.

Ultime élimination des messalistes

Le 5 juillet 1962, cinq jours après le référendum, les dirigeants algériens proclament l'indépendance algérienne. La date n'est pas choisie au hasard : le 5 juillet 1830, cent trente-deux ans auparavant, le dey d'Alger apposait son sceau sur la convention livrant Alger aux Français. La conquête pouvait commencer. C'est le 5 juillet (et non le 3 juillet) qui sera officiellement choisi comme date d'anniversaire de l'indépendance nationale.

Au référendum du 1er juillet, le FLN est le seul parti algérien reconnu, autorisé. Le Parti du peuple algérien, issu du Mouvement national algérien de Messali Hadj, est interdit. Le leader du MNA avait protesté contre les conditions d'organisation du référendum : « Bien que nous n'ayons pas participé aux négociations d'Évian, dès le cessez-le-feu, malgré les réserves que nous avons faites sur ces accords politiques, nous avons décidé de participer activement à l'édification de l'État algérien conformément aux principes de l'autodétermination. [...] La démocratie ne peut s'accommoder d'aucune réserve, ni d'aucune restriction. Or, la commission centrale du contrôle du référendum n'est qu'un bureau de l'Exécutif algérien, lequel est à prédominance FLN[7]. » Le PPA n'a pas d'existence légale. Mais il reste des maquis messalistes, dans le Sud saharien, sous la conduite de Si Abdallah Selmi.

Le 1er juillet 1962, Selmi lance un appel : « Algériens, sans distinction aucune, nous vous demandons, et avec insistance, d'œuvrer ensemble pour barrer la route à ceux qui veulent mettre notre chère Algérie à feu et à sang. En avant pour la construction de l'Algérie de demain dans la fraternité de tous ses habitants, dans la patrie retrouvée ! »

Les maquisards messalistes, au nombre de 2 000 à 3 000, tentent une remontée du Sahara vers le nord. Ils sont taillés en pièces par l'Armée des frontières qui fait son entrée sur le territoire algérien, venant du Maroc et de la Tunisie. Le messalisme survivra encore, mais uniquement dans l'immigration, essentiellement dans le nord de la France.

---

7. *La Nation socialiste*, n° 56, juin 1962.

Le FLN n'a plus de concurrents à l'extérieur de ses rangs. Toute formation de partis, autres que le FLN, est dénoncée : elle signifierait une inconcevable division du peuple, une inadmissible fissure dans les fondations de l'État à construire. Il ne saurait y avoir la moindre distance entre le peuple et ses représentants du FLN. Tout va se jouer, désormais, à l'intérieur du Front. Les débats, polémiques, controverses (et évictions) en son sein ne peuvent pourtant pas être tenus pour une amorce de pluralisme politique.

Été 1962 : la lutte pour le pouvoir

Le GPRA est donc à Alger, tandis que la coalition réunissant l'état-major, Ben Bella et Khider, s'installe à Tlemcen. Le 22 juillet, Ahmed Ben Bella annonce la constitution unilatérale d'un « Bureau politique ». C'est un coup de force institutionnel contre le GPRA. Diverses personnalités comme Tewik el Madani (dirigeant de l'Association des oulémas, et ministre des Affaires culturelles dans le premier GPRA de 1958), Ferhat Abbas, ou Yacef Saadi (l'ancien responsable de la zone autonome d'Alger), appuient le « groupe de Tlemcen », qui passe à l'offensive. Le 25 juillet, Constantine, capitale de l'Est algérien, est occupée. Le sang coule. Les affrontements font 25 morts et 30 blessés. Le chef de la wilaya, Salah Boubnider, dit « Saout el-Arab » (« la voix des Arabes »), et Lakhdar Ben Tobbal, ministre de l'Intérieur du GPRA, l'un des responsables « historiques » de novembre 1954, sont arrêtés.

Le « groupe de Tlemcen » s'affirme avant tout comme le parti de la force militaire, physique. Il dessine de plus en plus clairement le vrai visage du FLN. L'occupation de Constantine provoque un réflexe d'unité entre Mohammed Boudiaf, Krim Belkacem et Omar Boudaoud, l'ancien responsable de la Fédération de France. En son nom personnel, Mohammed Boudiaf fait une déclaration le 25 juillet au soir : « Jusqu'à ce jour j'ai gardé le silence dans le but de ne pas aggraver la situation et ce dans un esprit constructif... Hélas ! devant la gravité de la situation je prends la parole pour assumer mes responsabilités comme je l'avais déjà fait le 1er novembre 1954. Une fois de plus, je m'adresse à tous les militants de la cause nationale et au peuple algérien tout entier [...] pour faire barrage au coup d'État qui déjà a fait couler le sang des militants algériens. Le coup d'État, s'il venait par malheur à réussir, signifierait l'instauration d'une dictature à caractère fasciste. Le but évident de cette tentative est de frustrer le peuple algérien de sa victoire à la seule fin de satisfaire les ambitions de certains hommes assoiffés de pouvoir[8]. »

Les positions de Krim Belkacem sont très proches de celles de Mohammed Boudiaf dans la crise en cours. Comme ce dernier, il lance un « appel à toutes les forces révolutionnaires d'Algérie pour s'opposer à ce coup de force armé et à toute tentative de dictature ». Les deux hommes annoncent la création d'un Comité de liaison et de défense de la Révolution, dont les principaux objectifs sont :

« *1.* Unité de l'Algérie : peuple, armée et organisation politique.

« *2.* Création de conditions en vue de dépasser le "phénomène wilaya" par la formation d'un commandement unifié à l'échelle nationale et d'un comité de liaison politique dont le rôle sera d'uniformiser les structures des wilayas en vue d'un congrès large, libre et démocratique.

« *3.* Préparation avec toutes les wilayas, quelles que soient les positions de ces dernières, des prochaines élections à l'Assemblée, afin de doter enfin notre pays d'institutions démocratiques et légales.

« *4.* Lutter partout contre les enlèvements, les brimades, les exécutions soit contre le peuple artisan de la victoire, soit contre des étrangers[9]. »

Au moment où Krim Belkacem et Mohammed Boudiaf créent le CLDR, par calcul ou par impuissance, Hocine Aït Ahmed annonce de Paris, le 27 juillet, sa démission de tous les organismes directeurs de la révolution. « Cette décision est irrévocable. Elle répond au consensus populaire, au désir profond du peuple qui rend responsable tous les dirigeants sans exception de la situation actuelle et qui voudrait les voir tous s'en aller[10]. »

---

8. *Le Monde*, 27 juillet 1962.
9. *Ibid.*, 29 juillet 1962.
10. *Ibid.*

Les complots, les dissidences rythment la formation et le développement du FLN, de plus en plus morcelé, en proie à des conflits de pouvoir acharnés. Le 2 août, un compromis est passé entre Mohammed Khider et le tandem Belkacem-Boudiaf qui reconnaissent finalement le Bureau politique. Ce dernier s'installe à Alger. Le président du GPRA, Benkhedda, accepte de s'effacer. Le 6 août, la Fédération de France du FLN, qui, jusque-là, soutenait le GPRA, fait allégeance au Bureau politique. La résistance continue cependant dans les wilayas III (Kabylie) et IV surtout (Alger), dont les responsables exigent de participer à la désignation des futurs candidats à l'Assemblée nationale. Un compromis semble se dégager avec la réunion d'une commission mixte Bureau politique-wilayas qui dresse la liste des cent quatre-vingt-seize « candidats » dont la majorité est loin d'être favorable au Bureau politique. Le 25 août, Mohammed Khider annonce le report des élections prévues pour le 2 décembre et le refus du Bureau politique de maintenir sa caution à certains candidats. A partir de ce moment, les événements se précipitent.

Derrière le sigle FLN, s'affrontent des groupements d'intérêts militaires et sociaux. Avec l'exode massif des Européens, l'irruption des ruraux dans le mouvement politique ainsi que dans toute la société urbaine, s'accélère le retour aux formes politiques nées de la guerre elle-même : tendance à l'autonomie des wilayas, clanisme, régionalisme... Les wilayas III et IV décident de maintenir leurs conseils « jusqu'à la constitution d'un État algérien issu légalement ». Mohammed Boudiaf démissionne du Bureau politique tandis que l'état-major général se déclare prêt à intervenir.

Le 23 août, le Forum d'Alger, qui fut le témoin des heures historiques du 13 mai 1958 et du putsch d'avril 1961, voit se dérouler deux manifestations en sens inverse : l'une organisée par la wilaya IV, l'autre, un peu plus tard par le « Bureau politique ». Dix mille personnes sont là, présentes aux deux meetings, mêlant leurs pancartes aux inscriptions contradictoires : « L'ALN » (mais laquelle ?) prétend représenter le peuple qui a combattu ; le « Bureau politique » (mais sans Mohammed Boudiaf ou Hocine Aït Ahmed...) dénonce « le culte de la personnalité »... La confusion est totale.

Le 29 août, à Alger, les commandos de Yacef Saadi attaquent les unités de la wilaya IV. Il y a plusieurs morts. Le peuple d'Alger descend dans la rue aux cris de « Sept ans, ça suffit ». L'UGTA (Union générale des travailleurs algériens, organisation syndicale créée par le FLN en 1956) tente de s'interposer. En vain. L'épreuve de force est définitivement engagée. Le 30 août, le Bureau politique donne l'ordre aux wilayas I, II, V et VI ainsi qu'aux troupes de l'état-major général de marcher sur Alger. Les violents accrochages de Boghari et d'El-Asnam font plus de mille morts. Malgré l'accord du 5 septembre, qui fait d'Alger une « ville démilitarisée et mise sous la responsabilité du Bureau politique », le colonel Boumediene impose l'entrée de ses bataillons dans la capitale. Désormais, seule la wilaya III (la Kabylie) échappe au contrôle de l'état-major général. Dans l'immédiat, l'intervention militaire de l'état-major général donne les mains libres au Bureau politique pour achever son entreprise d'appropriation du pouvoir et d'élimination des contrepoids potentiels. La liste unique des candidats à l'Assemblée nationale sera amputée de cinquante-neuf noms et plébiscitée à 99 %, le 30 septembre. Les différentes composantes de la coalition de Tlemcen se répartissent les lieux du pouvoir. Ahmed Ben Bella devient chef du gouvernement, et Mohammed Khider secrétaire général du Bureau politique. La présidence de l'Assemblée échoit à Ferhat Abbas.

La crise se prolonge pourtant. Le 27 septembre, Mohammed Boudiaf crée le Parti de la révolution socialiste (PRS) qui conteste la légitimité du Bureau politique formé par Ahmed Ben Bella.

Mais la nouvelle Algérie politique se « stabilise » avec l'armée au centre du pouvoir, et le parti unique qui a pour fonction de légitimer cette armée omniprésente. Pour Abdelkader Djeghloul, « cette Algérie ne ressemble guère à celle dont rêvaient les premiers combattants de novembre, qui, pour la plupart, sont absents des sphères dirigeantes de l'Algérie indépendante[11] ». Ajoutons que la plupart des dirigeants de la Fédération de France du FLN se retrouvent écartés du pouvoir. Ont-ils fait le « mauvais choix » dans cet été 1962 (pour le GPRA, et contre le Bureau politique) ? Ils

11. Abdelkader DJEGHLOUL, « Algérie », *Encyclopaedia Universalis, art. cit.*, p. 777.

seront de toute façon accusés de n'avoir pas combattu sur « le sol national » (mais combien l'ont-ils fait de bout en bout ?), suspectés d'« européanisme », parce que trop liés aux cadres ouvriers français de l'immigration en France.

Le massacre des harkis

Les hommes qui ont combattu pour l'indépendance de leur patrie, et se battent désormais, dans cet été 1962, pour le pouvoir, possèdent une perception bien particulière de la révolution algérienne. Ayant besoin de croire à la justesse de leur cause, l'arrachement de l'Algérie à la France coloniale, certains ne veulent pas voir l'installation d'intérêts particuliers, la transformation de la personnalité algérienne par cent trente-deux ans de « francisation ».

Ainsi, l'engagement, même momentané, du côté de la France, est nécessairement le fruit d'un mal exogène : dans le corps « sain » de la société nouvelle qui s'affirme par la guerre, il ne peut pas y avoir de place pour l'hésitation, l'erreur, qui se convertissent en fautes, puis en crimes. La définition du « délit », avec l'indépendance qui arrive, se dilate jusqu'à inclure la « passivité », le manque d'enthousiasme.

Le mot « harki » apparaît dans le vocabulaire politique (et... quotidien) pour désigner les « complots » dirigés contre la difficile marche de la révolution. Et la violence du verdict contre ce « harki » s'exacerbe encore par les luttes de factions pour le contrôle du pouvoir, la recherche d'une légitimité nationaliste. Trente ans après, Mohammedi Saïd, ancien responsable de la wilaya III, réaffirme cette logique, avec conviction : « Le harki, c'est l'homme indigne de vivre, d'exister. [...] Ce sont des traîtres qui massacraient tous les jours des dizaines et des dizaines [...].

Question : Vous n'avez jamais pensé que les harkis aussi étaient des victimes de l'armée française ?

M. SAID : Tant pis pour eux, ils l'ont voulu, ils l'ont voulu. Ils l'ont voulu... Qu'est-ce qui les a poussés à aller dans l'armée française ?... Qui ? Qui les a obligés à aller dans l'armée française ? Pourquoi aller dans l'armée française ? L'armée française vous demande de rentrer... bon... Je n'y vais pas tuer, moi. Je meurs. Je préfère mourir que d'aller faire la basse besogne !... Des massacreurs de civils, de femmes, d'enfants, de vieillards... ! De viols !... Ils méritent la mort. Aujourd'hui, ils méritent la mort[12]. »

A partir de juillet 1962, une vague d'arrestations suivies de sévices, de supplices, frappe les harkis. Des témoignages effroyables rapportent ce massacre. Ainsi Jack Averseng, ancien maire d'El-Affroun, raconte :

« *Ce massacre des harkis, vous y avez personnellement assisté ?*

J. A. : Oui.

— *A El-Affroun ?*

J. A. : A El-Affroun. Mais, bien sûr !

— *Qu'est-ce qui s'est passé ?*

J. A. : On leur faisait boire du pétrole, et on leur mettait le feu.

— *Vous l'avez vu, ça ?*

J. A. : Mais oui ! Ça se passait sur la place publique.

— *Vous étiez encore maire ?*

J. A. : Non. Ça s'est passé après moi.

— *Et vous n'avez pas pu vous opposer ?*

J. A. : Mais l'armée n'a rien fait ! L'armée n'est pas sortie.

— *Parce que l'armée française était encore là ?*

J. A. : L'armée française avait ordre de ne pas bouger...

— *Et on a laissé massacrer les harkis ?*

J. A. : Oui !... On n'a pas voulu les avoir en France[13]. »

Les chiffres avancés sur les massacres dont furent victimes les harkis et autres supplétifs qui ne trouvèrent pas refuge en France varient, selon les sources, de 10 000 à 150 000. Mohand Hamoumou cite un rapport adressé par le sous-préfet d'Akbou[14] au vice-président du Conseil d'État en mai 1964, et dont l'auteur, dépositaire de nombreux témoignages, évaluait le bilan de ces tueries entre 1 000 et 2 000 victimes par arrondissement entre mars et décembre 1962, ce qui représenterait environ 100 000 morts en neuf mois[15].

12. Mohammedi SAÏD, entretien pour *Les Années algériennes.*

13. Jack AVERSENG, entretien pour *Les Années algériennes.*

14. Reproduit également par Michel ROUX, *Les harkis. Les oubliés de l'histoire, op. cit.*, p. 195 *sq.*

15. Mohand HAMOUMOU, « Les harkis, un trou de mémoire », *art. cit.*, p. 29-45. Cet article reprend des éléments de la thèse très complète de Mohand HAMOUMOU, *Les Français musulmans rapatriés : archéologie d'un silence*, thèse EHESS, Paris, 1989.

Dans *Le Monde* du 13 novembre 1962, Jean Lacouture annonce que plus de 10 000 harkis avaient été tués. Le rapport Vernejoul de janvier 1963 penche pour 25 000. En 1965, la Croix-Rouge recense encore 13 500 anciens supplétifs incarcérés en Algérie[16].

Vingt ans plus tard, la polémique sur les chiffres rebondira, avec les ouvrages du général Jacquin, d'Henri Le Mire, et les études de Xavier Yacono et Guy Pervillé. Les travaux de ce dernier sont sans doute les plus fouillés[17]. Soulignant la difficulté d'établir une estimation sérieuse du nombre de victimes (la plupart des chiffres avancés reposent sur « la généralisation hâtive d'estimations partielles »), Guy Pervillé rejoint l'évaluation du général Faivre : « 55 000 à 75 000 disparus[18] ».

L'ampleur et la férocité[19] de ces massacres de l'été et de l'automne 1962 constituent en tout cas l'une des pages les plus tragiques de la guerre d'Algérie, et elle restera soigneusement cachée dans l'histoire officielle qui se construira ensuite à Alger. D'autant plus, sans doute, que beaucoup de ces meurtres furent commis par les fameux « marsiens », ces ralliés de la vingt-cinquième heure qui en rajoutèrent dans l'horreur pour se constituer une légitimité qui leur serait bien utile par la suite.

La marche au coup d'État

Au lendemain de l'indépendance algérienne, les tentatives de s'appuyer sur la société réelle pour reconstruire un État et l'économie se heurtent à la puissance de l'appareil militaire. Mohammed Harbi note : « Le goût du changement brusque et total, le refus de l'action politique patiente, la pré-

16. Alain ROLLAT, « Sept questions sur un abandon », *Le Monde*, 7 août 1991.

17. Voir notamment Guy PERVILLÉ, « Guerre d'Algérie : l'abandon des harkis », *L'Histoire*, n° 140, janvier 1991, p. 120-123.

18. Maurice FAIVRE, « Une histoire douloureuse et controversée », *Hommes et migrations*, n° 1135, septembre 1990.

19. « Corps mutilés et ébouillantés, enterrés ou brûlés vifs, éventrations et dépeçages à la tenaille, énucléations, lapidations, émasculations, membres arrachés ou découpés en lanières et salés..., un invraisemblable raffinement dans l'horreur semble bien avoir marqué le massacre des anciens supplétifs dans les semaines et les mois qui suivirent l'indépendance. » (Michel ROUX, *Les Harkis. Les oubliés de l'histoire, op. cit.*, p. 192.

férence de Ben Bella pour les voies irrégulières dans la conduite des affaires publiques, tous ces facteurs mènent droit au coup d'État de Boumediene[20]. »

En Algérie, de 1963 à 1965, les luttes nées au moment de la guerre d'indépendance s'amplifient. Les « chefs historiques » poursuivent un combat pour le pouvoir, se divisent sur le type d'organisation de la société algérienne à édifier. Le 16 avril 1963, Mohammed Khider démissionne de son poste de secrétaire général du FLN. Ahmed Ben Bella lui succède. Le 25 juin, les principaux responsables du PRS, dont Mohammed Boudiaf, sont arrêtés pour « complot contre l'État[21] ». Et, surtout, le 29 septembre, débute le mouvement d'insurrection kabyle contre le gouvernement central mené par Hocine Aït Ahmed, qui crée le Front des forces socialistes (FFS). Il sera arrêté un an plus tard, le 17 octobre 1964. Condamné à mort le 7 avril 1965, il sera gracié et s'évadera en 1966[22]. La recherche des bases d'une culture politique nouvelle, à l'intérieur ou en dehors de la force politique principale installée (le FLN), s'opère dans un désordre total. L'armée entre en scène, le 19 juin 1965, pour mettre fin à ces guerres des suites d'une guerre : Houari Boumediene démet Ahmed Ben Bella et déclare assumer tous les pouvoirs.

Les élections libres promises ne viendront pas, pas plus que le pluripartisme qui avait attiré derrière le nouvel homme fort certains responsables politiques civils (vite éloignés). Le FLN devient simple courroie de transmission du président, il n'aura son congrès qu'à la fin des années soixante-dix. L'État et sa police encadrent l'ensemble de la société. Périodiquement, des machinations de type stalinien sont montées par la toute-puissante Sécurité militaire, en vue « d'éliminer » tel ou tel opposant. Ahmed Ben Bella est envoyé en prison. Il y restera quinze longues années. La Sécurité militaire joue également un rôle décisif dans l'assassinat d'hommes de l'opposition, à l'étranger.

---

20. Mohammed HARBI, « La fin d'une époque », *Libération*, 12 octobre 1988.
21. Sur le détail de ces différents épisodes, voir Ramdane REDJALA, *L'Opposition en Algérie depuis 1962*, L'Harmattan, Paris, 1988, 210 p.
22. Sur le FFS et l'insurrection de 1963-1964, voir Hocine AÏT AHMED, *L'Affaire Mécili, op. cit.*

Deux terribles assassinats de leaders prestigieux « soldent les derniers comptes ». Le 4 janvier 1967, Mohammed Khider est assassiné à Madrid. Avec lui disparaît un vétéran de la lutte nationaliste algérienne, membre de l'Étoile nord-africaine en 1936, du Parti du peuple algérien, et fondateur du FLN en 1954. Les derniers « règlements de comptes » atteignent, aussi, celui qui fut le trésorier du Front.

Le 20 octobre 1970, un autre grand « chef historique », Krim Belkacem, est découvert étranglé dans un hôtel de Francfort. Il avait appuyé Abbane Ramdane pendant la guerre d'Algérie, dans sa lutte pour la primauté des « politiques » contre « les militaires ». Avec son assassinat, triomphe la conception militaire de la guerre d'indépendance.

En France

L'OAS continue

Le 5 juillet 1962, jour où l'Algérie proclame officiellement son indépendance, l'Assemblée nationale en France lève l'immunité parlementaire de Georges Bidault. Il avait été désigné par le général Raoul Salan comme son successeur en mars 1962, et présidait le « Conseil national de la résistance », fondé en avril 1962 à Rome par l'OAS.

Le lendemain, le 6 juillet, le lieutenant Roger Degueldre, qui dirigeait les « commandos Delta » à Alger, est fusillé au fort d'Ivry. Une seule balle atteint le condamné. Roger Degueldre vit encore. Il faudra lui tirer encore dans la tête cinq coups de pistolet.

Les activistes, partisans de l'Algérie française, entendent poursuivre leur combat. Georges Bidault multiplie les conférences de presse à l'étranger ; un mandat d'arrêt est délivré contre lui, le 9 août. Le journal à grand tirage *Paris-Match* consacre son éditorial du 7 juillet à l'OAS : « En Algérie, l'OAS pouvait passer, à la rigueur, pour l'expression armée d'un refus collectif désespérant de l'emporter par les voies légales. En France, l'armée secrète reconstituée en parti clandestin ne serait plus qu'une association de guerre civile assez bien équipée pour le meurtre politique, mais incapable de prendre le pouvoir. Son activité ne favoriserait guère que le parti communiste qu'elle prétend combattre, et auquel elle fournirait gratuitement le "drapeau antifasciste" qui manque à la propagande d'extrême gauche depuis l'effondrement du poujadisme[23]. »

Le 22 août 1962, la DS du général de Gaulle fonce sur l'avenue de la Libération, au Petit-Clamart, en direction de la base aérienne de Villacoublay. La DS dépasse une estafette jaune, à demi garée sur le trottoir de droite. C'est là que des tueurs attendent, l'un allongé à terre derrière son fusil-mitrailleur, l'autre, debout, braquant un FM. A 20 h 20, la première rafale crépite. Le chauffeur accélère... Le général de Gaulle échappe à un attentat minutieusement préparé. On découvrira, sur place, plus de cent douilles d'armes automatiques.

La répression s'abat ; le spectre de la guerre intérieure franco-française ne semble pas devoir disparaître. Le 14 septembre, les membres du commando sont arrêtés : Wattin (dit « la Boiteuse »), Louis de Condé, Pierre Mayade, Pascal Bertin, Alain Bougrenet de la Tocnaye[24]. Le lendemain, le commandant Henri Niaux, soupçonné d'avoir organisé l'attentat du Petit-Clamart, se suicide. Ce n'est pourtant pas lui le véritable responsable de l'opération, mais Jean-Marie Bastien-Thiry. Il passe aux aveux dans la nuit du 16 au 17 septembre[25]. Agé de trente-cinq ans, polytechnicien, ancien pilote d'essai, ingénieur militaire, Jean-Marie Bastien-Thiry est condamné à mort ; il est fusillé le 11 mars 1963 au fort d'Ivry.

Le 22 septembre 1962, une information est ouverte contre Jacques Soustelle, responsable des relations extérieures du « CNR », pour complot contre l'autorité de l'État. Le 8 décembre, un mandat d'arrêt est lancé contre lui.

---

23. Éditorial de *Paris-Match*, n° 691, 7 juillet 1962.

24. Sur cet attentat, voir A. Bougrenet de la Tocnaye, *Comment je n'ai pas tué de Gaulle*, Éd. E. Nalis, Paris, 1969.

25. « Le commissaire Bouvier : comment nous avons réussi », *Paris-Match*, n° 703, 29 septembre 1962.

Les harkis, des témoins gênants

L'abandon et le massacre des harkis en Algérie provoquent en France un profond malaise, et aggravent la crise qui secoue l'armée française, en particulier les officiers des SAS[26]. Certains d'entre eux, après les accords d'Évian, avaient pris des initiatives de rapatriement (par exemple, 400 personnes à Aïn-Chedra réunies à Palestro, 600 à Mers el-Kebir, rassemblées par les fusiliers-marins...). Nicolas d'Andoque, l'un des plus actifs parmi ces officiers, raconte : « C'est le jour même où *Combat* publiait les textes de Joxe et de Buis, demandant le refoulement de ces immigrations, cette émigration clandestine — c'était le terme, "émigration", utilisé par le colonel Buis. Nous avons donc organisé à Marseille un comité de réception, avec les journalistes du *Méridional*, et la police était là. Il n'ont pas été expulsés, ils ont pu prendre le train. Ils sont arrivés jusqu'à Redon, en pleine Bretagne, où leur ancien chef de SAS leur avait trouvé une ferme et du travail. Et quand ils sont arrivés à la gare de Redon, la gare était encerclée par les gardes mobiles, avec fusils-mitrailleurs en batterie. On attendait le groupe de vingt-cinq harkis — ils étaient cinq anciens combattants, accompagnés de leurs familles, d'enfants en bas âge et de vieilles mères —, pour les expulser. [...] Voilà l'accueil de la France en 1962[27]. »

Les officiers se heurtent donc aux pouvoirs publics, qui réprouvent ces initiatives d'aide. En août 1962, le général de Brebisson, commandant supérieur des forces armées françaises en Algérie, donne des instructions précises aux chefs de corps : « Je vous demande de n'accorder asile que dans des cas exceptionnels. [...] Le ministre m'a fait savoir que les possibilités d'absorption de la métropole en hiver seraient, après les derniers départs prévus, largement saturées[28]. »

Cette politique de « pas d'histoire » avec les autorités de l'Algérie indépendante annonce l'abandon volontaire d'une communauté, et la position ambiguë des autorités françai-

---

26. Le 17 février 1962, un décret avait créé les « centres d'aide administratifs », qui remplaçaient les SAS, désormais supprimées.

27. Nicolas d'ANDOQUE, entretien pour *Les Années algériennes*.

28. Cité par Henri LE MIRE, *Histoire militaire de la guerre d'Algérie, op. cit.*, p. 380.

ses à l'égard de personnes s'étant rangées du côté des Français durant la guerre d'Algérie. A partir du 15 août 1962, les anciens supplétifs seront spoliés de tous leurs biens par le gouvernement algérien. Beaucoup seront condamnés à mort, sans débat ni plaidoiries, ni défense.

En Algérie, reconnaître l'histoire des supplétifs musulmans conduirait à relativiser « l'élan spontané et l'enthousiasme permanent suscités par le FLN » ; ce serait briser le mythe fondateur du « peuple uni » contre la colonisation. En France, admettre l'existence de ces acteurs d'un drame désormais retiré de l'affiche, ce serait mettre en accusation le gouvernement du général de Gaulle qui n'a jamais voulu planifier leur départ.

Les harkis deviennent ainsi les témoins gênants de la guerre d'Algérie. L'absence d'intervention des troupes françaises entre mars et décembre 1962, on l'a vu, amène la « disparition » de dizaines de milliers d'Algériens musulmans. D'un côté, la gêne des gaullistes, anciens partisans de l'Algérie française, sommés de choisir entre convictions, parole donnée et fidélité au Général ; de l'autre, l'embarras de la gauche, mal à l'aise devant le succès de l'indépendance algérienne obtenue sous le régime gaulliste tant décrié, et, qui, pendant longtemps, ne décrira les harkis que comme des « collaborateurs » : le silence sera le seul moyen pour la classe politique française de conserver sa crédibilité, par-delà reniements et déchirements.

André Wormser, qui joua un grand rôle dans cette difficile bataille du rapatriement des harkis et leurs familles, explique : « L'ensemble de nos compatriotes, l'ensemble de la population métropolitaine a considéré tous ces Algériens, tous ces harkis comme étant des traîtres. Cette étiquette leur a été accolée par les médias, par les enseignants, par la classe politique, surtout de gauche. Que les Algériens les considèrent comme des traîtres, pourquoi pas ?... C'est leur droit. Mais ce qui est invraisemblable, c'est que les Français considèrent que des gens qui ont porté l'uniforme et fait l'option de nationalité française, même si de quelque façon ils se rattachent à un passé colonial que l'on veut désavouer, que ceux-là soient des traîtres. Des traîtres à quoi ? A la France ?... C'est cette ambiguïté, cette étiquette qui leur est tombée dessus comme une chape glacée dès les premiers mois du rapatriement. Cela a été l'obstacle majeur à l'insertion dans la communauté française et à nos efforts pour arriver à les aider matériellement et concrètement[29]. »

Dans cette « mémoire honteuse[30] », s'enracine durablement l'oubli des Français musulmans. L'oubli et l'atrocité de la répression en Algérie engendreront un martyrologe qui va nourrir la ferveur, la mémoire collective de la « communauté harki » en France.

Cassures dans la hiérarchie militaire

Après la guerre d'Algérie, mutations et mises à la retraite de nombre d'officiers se poursuivent. Ainsi, le lieutenant-colonel de Puy-Montbrun (dix-neuf citations, commandeur de la Légion d'honneur, trois blessures) : « Le pouvoir n'a rien à lui reprocher, aucune participation à quelque activité que ce soit, étranger au putsch, et, évidemment, aucune activité OAS. On l'invitera pourtant à demander sa mise à la retraite. Il refusera et sera alors placé à la retraite d'office, sans explication[31]. »

Près de 800 officiers et fonctionnaires sont relevés de leurs fonctions entre 1961 et 1963. Beaucoup d'autres départs, volontaires ou non, interviendront dans les années suivantes. Car si nombre d'officiers ont été révoltés par l'abandon et le massacre des harkis, ils sont nombreux encore à considérer que de Gaulle — un officier comme eux — les a trahis et a transformé leur victoire militaire face au FLN en débâcle politique. Comment surmonter les amertumes, cacher les brisures, le désarroi qui traverse alors l'armée française ? On lui dit, à cette armée, qu'il faut désormais tourner la page algérienne, s'engager dans la modernité, en entrant dans « l'ère nucléaire ». Mais dans ses sommets, elle savait, par raison ou par instinct, que son destin se trouvait impliqué dans l'issue de la terrible affaire algérienne. Celle-ci réglée par l'indépendance, la longue, glorieuse et sanglante aventure de « l'armée française d'outre-mer » s'achèverait pour

29. André WORMSER, entretien pour *Les Années algériennes*.
30. Mohand HAMOUMOU, « Les harkis, un trou de mémoire franco-algérien », *art. cit.*
31. Henri LE MIRE, *Histoire militaire de la guerre d'Algérie, op. cit.*, p. 354.

toujours. Pour toute une génération d'officiers qui avait grandi et vécu dans la conviction que son Empire donnait à la France sa puissance (pour ceux en particulier qui avaient vu l'Empire servir de base arrière pour libérer la France dans la Seconde Guerre mondiale), l'indépendance de l'Algérie signifie la fin de toute une expérience historique, d'une histoire mondiale avec la France en son centre.

Jusqu'à la guerre du Golfe de 1991, c'est la « mémoire algérienne », et non celle de la « France libre », qui hantera de ce fait une grande partie des gradés. Ce que rappellera un éditorialiste de *Minute* en 1991 : « La blessure des soldats perdus de l'Algérie française ne se refermera jamais. On peut comprendre : la seule victoire politique des centurions de l'Empire, celle de mai 1958, celle qu'ils nommeraient eux-mêmes une "révolution nationale" après l'humiliation indochinoise, imposée par les politiques, avait servi de marchepied à leur plus grande mystification[32]. »

L'esprit de l'OAS survivra dans la hiérarchie militaire, à un degré insoupçonné. Au début des années quatre-vingt, il est signalé à la Ligue des droits de l'homme qu'à Saumur, pour pénétrer les élèves aspirants de l'École de cavalerie de leurs futurs devoirs, on leur lisait un texte du capitaine Sergent[33]...

Derniers bruits de guerre

L'année 1963 est parsemée de bruits d'une guerre qui ne veut décidément pas s'achever. L'Assemblée nationale en France adopte le 4 janvier deux projets créant la Cour de sûreté de l'État. L'ex-colonel Argoud est enlevé le 26 janvier à Munich par des polices parallèles françaises, et emmené à Paris (il sera condamné le 30 décembre à la détention criminelle à perpétuité). Plusieurs officiers français sont arrêtés le 14 février. Ils préparaient un attentat contre le général de Gaulle, à l'occasion de la visite qu'il devait accomplir à l'École militaire. Le 23 février, une opération de police permet d'appréhender un commando OAS dirigé par Gilles Buscia, qui voulait assassiner Georges Pompidou, Premier

32. « Si l'Algérie était restée française », *Minute*, 17 avril 1991.
33. *La Lettre des cercles Condorcet*, n° 5, janvier-février 1989.

ministre, et faire s'évader Jean-Marie Bastien-Thiry[34]. Et c'est le 4 mars que les six conjurés du Petit-Clamart sont condamnés à mort par la Cour militaire de justice. A peine un mois plus tard, le 13 avril, le démantèlement d'un réseau de l'OAS est rendu public. L'ex-capitaine de corvette Roy et une dizaine d'activistes sont arrêtés.

Le 14 avril 1963, l'ex-capitaine Pierre Sergent, la cheville ouvrière de l'OAS en France, annonce qu'il prend la tête de l'Armée secrète et transforme le « Conseil national de la résistance » en « Conseil national de la révolution ».

Un an plus tard, le 15 août 1964, sera découvert le dernier projet d'attentat contre le général de Gaulle, lié aux affaires algériennes : une charge de plastic devait exploser près du monument du Mont-Faron (inauguré à l'occasion des cérémonies de commémoration du débarquement en Provence en 1944). Pourtant, à ce moment, la page guerre d'Algérie semble définitivement tournée.

Le 31 mai 1963, le gouvernement avait annoncé la fin de l'état d'urgence en France, en vigueur depuis le putsch d'Alger du 22 avril 1961. Et en décembre 1965, la défaite de ceux qui n'admettaient toujours pas l'indépendance algérienne semble définitive. Le gaulliste Louis Vallon commente de la sorte le second tour de l'élection présidentielle, qui voit la victoire du général de Gaulle : « Le bon sens du peuple a fait échouer le Petit-Clamart mis en place au second tour. »

---

34. Voir Gilles Buscia, *Au nom de l'OAS, objectif Pompidou*, préface d'Antoine Argoud, Éd. Alain Lefevre, Nice, 1980, 241 p.

15

La guerre ensevelie

France : dans la « modernité », l'amnistie

Les dernières lueurs d'une guerre qui semble ne plus finir s'éteignent donc, soufflées par un vent de « modernité » frénétique. Dès 1962, lorsque la guerre d'Algérie se termine officiellement, lorsque le soldat français rentre des Aurès ou de Kabylie et la famille « pied-noir » d'Oran débarque à Marseille, ils découvrent une société française lancée à grande vitesse dans le changement. Les guerres, franco-algérienne ou franco-française, se trouvent vite ensevelies.

Dans ce court moment d'avant et d'après-guerre d'Algérie, mélange de crises, de larmes et de violence, la France s'engage sur la voie du plus extraordinaire développement qu'elle ait jamais connu[1].

Les Français, qui n'avaient vraiment pas le temps de s'ennuyer entre un changement de régime et des menaces de

1. Sur la profonde transformation de ces années, voir en particulier Colette BOURDACHE, *Les Années cinquante*, Fayard, Paris, 1980, 585 p. ; Michel WINOCK, *Chronique des années soixante*, Le Seuil, Paris, 1987, 380 p. ; Henri MENDRAS, *La Seconde Révolution française (1965-1984)*, Gallimard, Paris, 1988, 336 p.

guerre civile, ne voient pas le bouleversement. Et pourtant... Le visage de ce pays se modifie davantage en quinze ans (1950-1965) qu'il ne s'est modifié au cours d'un siècle.

Profonds bouleversements

Le parc des véhicules automobiles passera, de 1950 à 1960, de 2 150 000 à 7 885 400. Le nombre des usagers des transports aériens est multiplié par cinq. C'est le temps de la *Caravelle*... Le Trans-Europ-Express est mis en service au début de 1957. De 1950 à 1960, la longueur des lignes électrifiées est multipliée par deux. En 1950, on ne compte que 92 kilomètres d'autoroutes ; en décembre 1955, le ministère des Travaux publics met à son programme la construction de 2 000 kilomètres d'autoroutes, qui sera réalisée en dix ans. Grâce aux grands barrages électriques, les coupures de courant ne sont plus qu'un mauvais souvenir pour les Français. Et c'est en 1957 que EDF met en chantier sa première centrale nucléaire, à Avoine, près de Chinon. L'usine de traitement du gaz de Lacq entre en fonction en mai 1957 ; grâce à cette production, on ne compte plus en 1960 que 182 centrales thermiques au charbon sur les 546 existant en 1945. On peut ainsi multiplier les exemples (utilisation accrue du pétrole, déclin du charbon...) qui constituent autant de signes d'une entrée massive en modernité.

Dans ces années décisives, la France s'arrache définitivement à sa ruralité. Mais elle est mal préparée à cet immense bouleversement. La mentalité paysanne va se retrouver radicalement transformée. La cellule même de la société agricole, l'exploitation familiale, va se désintégrer. Les générations vont s'opposer sur les méthodes de production, mais aussi sur les valeurs mêmes de cette société. La masse des fils de paysans qui font la guerre d'Algérie en reviennent changés...

La guerre livrée sur une terre lointaine réveille et conforte le sentiment d'appartenance à sa « petite patrie », son village, sa région... Pour les jeunes paysans, la guerre d'Algérie symbolise aussi la fin de la concurrence économique des colonies. Le repli sur l'Hexagone favorise la montée des régionalismes qui se manifesteront dans les années soixante-dix en Bretagne, au Pays basque et en Corse.

Désormais, on ne parlera plus de paysan, mais d'agriculteur. Ce dernier devra penser en termes de productivité, d'investissement, d'amortissement et non plus simplement en termes d'épargne. Il va s'affronter à un mode de production, de vente, radicalement différent. Cette transformation structurelle, qui s'impose, va « tuer » les plus faibles. L'exploitation traditionnelle est appelée à évoluer ou à mourir. « L'affaire Dominici », qui passionne alors la France, est aussi un symbole de cette mise à mort du monde rural (reconnu coupable du triple crime de Lurs, Gaston Dominici est condamné à mort le 28 novembre 1954).

Enfin, en toile de fond de ces mutations, le paysage urbain se modifie profondément. La fin des « années algériennes », c'est la construction des grands ensembles, l'accroissement des banlieues, et un nouveau moyen de vivre (mal ?). Le premier hypermarché est inauguré à Sainte-Geneviève-des-Bois (Carrefour, 1963), tandis que se développent les banlieues avec Sarcelles (1961) pour emblème. Réfrigérateurs et postes de télévision se multiplient (800 000 récepteurs en 1958, 10 millions en 1969) dans les foyers. La fin de la guerre voit l'explosion du microsillon, l'entrée de Bach, Beethoven et Vivaldi dans la consommation de masse. Par le transistor, qui servira au contingent dans son refus de suivre le putsch des généraux, arrivent les bruits du rock américain.

Les révolutions culturelles

La presse elle-même subit de profonds bouleversements. De puissance, elle devient pouvoir. Non seulement elle peut influencer les modes de vie et de pensée, mais elle est capable de former, de diriger les opinions. Par la guerre d'Algérie, elle se trouve contrainte à une rapide adaptation. Les hebdomadaires, en particulier, prennent un nouveau départ grâce à l'affaiblissement de la presse quotidienne des partis. *France-Observateur* naît en 1950, d'une scission de l'équipe de *Combat* ; *L'Express*, créé en 1953, ou *Témoignage chrétien* trouvent rapidement leur place dans le marché des périodiques politiques. *Le Canard enchaîné*, reparu en 1944, dépasse très vite les 200 000 exemplaires.

La presse change également grâce à la photo. Les modèles culturels explosent notamment du fait de la télévision. Car les « Années algériennes », ce sont aussi les débuts de l'audiovisuel. L'âge héroïque de la RTF pose d'emblée les termes du débat : la télévision est-elle un outil de propagande, ou un formidable instrument d'information ?

Dans l'été 1963, la culture musicale fait un immense pas en avant. Jusque alors, la musique se résumait à la « variété » des parents, au « jazz » des frères et sœurs aînés, au « classique » des professeurs de musique, et au « rock and roll » de quelques marginaux... L'arrivée de quatre garçons de Liverpool change le cours de l'existence d'une génération entière. Portée par les Beatles, l'ère de la pop music s'ouvre par un déferlement qui fait aujourd'hui de ces *sixties* un point de référence, et pas seulement dans le domaine musical...

En 1965, le taux de natalité diminue pour la première fois, et la productivité du capital fixe commence à baisser. Le nombre de femmes occupant un emploi commence à augmenter, ainsi que l'immigration. Le président de la République est élu au suffrage universel. A Rome s'achève le concile Vatican II. L'université de Nanterre s'ouvre. Le nu apparaît dans les magazines et au cinéma... Les Français découvrent la mer et la montagne : la civilisation industrielle crée la civilisation des loisirs. En 1961, le « Club Méditerranée » compte à peine 60 000 adhérents, en 1970, on les évalue entre 250 000 et 400 000.

Amnisties : la guerre recouverte

Dans ce tourbillon, comment pouvaient-ils se faire entendre, ceux qui « crapahutèrent » dans les djebels, ou se cramponnaient au souvenir d'une terre perdue ? Dans l'euphorie du « progrès », chacun cède à la pression de l'immédiat, happé par l'avalanche des nouveautés et de la consommation. Émergence d'un monde rationnel et désenchanté ; sentiment angoissant de l'éphémère et de la relativité des valeurs dans l'univers urbain de la marchandise souveraine : tout se brouille, devient plus confus. La société digère, vite, le temps antérieur de la guerre d'Algérie, *beaucoup plus rapidement que ce ne fut le cas après la Seconde Guerre mondiale* (où il fallait reconstruire, vivre avec les tickets de rationnement, trouver un logement...). Au risque d'ébranler, de disloquer l'axe qui relie le présent au passé immédiat. La mémoire de la guerre d'Algérie va s'enkyster, comme à l'intérieur d'une forteresse invisible. Non pour être « protégée », mais pour être dissimulée, telle la figure irregardable d'une Gorgone.

Les amnisties successives viennent alors entériner, dans un climat d'indifférence, cette dissimulation de « la tragédie algérienne ». Il faut bien s'arrêter un jour... tenter de congédier les remords, les doutes, les ombres douloureuses qui hantent les mémoires.

Le 17 décembre 1964, est votée la première loi d'amnistie liée aux « événements » d'Algérie. Le 21 décembre, 173 anciens membres de l'OAS bénéficient de la grâce présidentielle à l'occasion de Noël.

Il faudra attendre 1968 pour que se « ferme le compte ». Après la grève générale, le 7 juin 1968, tous les membres de l'OAS sont graciés. Dans les jours suivants, ils rentrent d'exil (Georges Bidault), ou sortent de prison (Raoul Salan). L'Assemblée nationale vote le 24 juillet 1968 un texte de loi qui efface la peine pénale liée aux « événements » d'Algérie. Mais ce texte ne prévoit pas la réintégration dans les fonctions publiques (civils ou militaires), et les droits aux décorations[2]. Le 24 octobre, Jacques Soustelle rentre en France, après un exil dû à ses activités en faveur de l'Algérie française.

Le 9 novembre 1970, meurt le général de Gaulle. L'homme qui lança à la fois, en 1958 « Algérie française ! » et « Je vous ai compris ! », cris entendus par le monde entier. Celui qui polarisa sur sa personne l'admiration et les haines ; symbole des reniements, des retournements ; celui qui avait signé un pacte impossible avec les partisans de l'Algérie française, et qui livra contre les Algériens une guerre très dure avant la promesse d'indépendance. Sa mort signifiera-t-elle l'épuisement de la haine des survivants ? Les effets des « règlements de comptes » sanglants resteront pourtant intacts dans la mémoire de ceux qui les avaient organisés.

Dernier prisonnier politique de la guerre d'Algérie à quitter les prisons françaises, en juin 1968, Jean-Marie Curutchet

---

2. Reprenant un projet de loi déjà proposé en 1966 par François Mitterrand, Guy Mollet et Gaston Deferre (et qui avait alors été repoussé par l'Assemblée), le groupe socialiste dépose un amendement, repoussé, proposant le rétablissement dans leurs grade et fonction de tous les fonctionnaires impliqués dans l'OAS.

fait publier la déclaration suivante : « J'ai beaucoup appris durant ces cinq années, mais je n'ai pas tout oublié. Je n'ai pas oublié que notre lutte pour le maintien de l'Algérie dans la République était juste et nécessaire. En franchissant la porte de cette citadelle, ma pensée est allée vers ceux de nos camarades pour lesquels les portes des prisons se sont ouvertes non sur la liberté, mais sur la mort[3]. »

Algérie : temps nouveaux

Ces flux de modernité existent aussi de l'autre côté de la Méditerranée. Télévision et musique se font entendre à travers la société algérienne ; et dans le contentement de la victoire, s'édifient de grands ensembles à la périphérie des villes. Mahmoud Zemmouri, dans son film *Les Folles Années du twist* (sorti en 1985), a fort bien montré ce petit peuple de la banlieue d'Alger naviguant au jour le jour entre le rire et le drame : Salah et Boualem, les deux « héros », vivent leurs vingt ans en chemises à carreaux et lunettes noires, découvrent l'avènement de l'indépendance au rythme des chansons de Richard Anthony et des Shadows...

Les Algériens voient partir en masse les Européens. Alice Cherki, née à Alger, et qui s'était engagée pour l'indépendance algérienne, dit cette « surprise » des Algériens devant ce départ : « Dans une espèce de panique, de bousculade... Il n'y avait plus, d'un coup, de parole possible. [...] Restaurer la parole était à ce moment-là impossible, et les Algériens étaient vraiment désolés que tout cela se passe comme cela[4]. »

La modernité à marche forcée

Ce départ massif de la minorité européenne, qui a fortement désorganisé l'économie du pays, provoque une très grande mobilité des personnes et des biens. En 1961, les Européens d'Algérie étaient 1 050 000 ; ils ne sont plus, au début du mois d'août 1962, que 340 000. En juillet, 4 670

3. Jean-Marie CURUTCHET, *Je veux la tourmente, op. cit.*, p. 255-256.
4. Alice CHERKI, entretien pour *Les Années algériennes*.

Européens, en moyenne, partent chaque jour d'Alger. Dans cette ville, les entreprises de déménagement enlèvent huit cents « cadres » par jour. « Le directeur de l'une d'entre elles m'affirme, dit un journaliste de *Paris-Match*, que les déménageurs de la région algéroise ont réalisé, en deux mois, plus de 25 milliards de chiffre d'affaires[5]. »

Des centaines de milliers de ruraux, tout juste sortis des lieux de regroupement, emplissent les villes d'Algérie. Ils s'installent dans les appartements laissés vacants. Ce « surgissement paysan » transforme en profondeur, et de manière durable, la physionomie des villes algériennes. Pour Gauthier de Villers, « la large pénétration dans toutes les couches de la société des rapports marchands et salariaux, et l'exposition des Algériens aux modèles de l'Occident industrialisé contribuent à expliquer la force des aspirations à une amélioration rapide et radicale des conditions collectives et individuelles d'existence, par la modernisation de la société[6] ». En quelques semaines, une masse considérable de terres et d'immeubles change de mains. Les couches moyennes et les possédants algériens profitent de cette occasion.

L'écrivain Rachid Mimouni, dans *Le Fleuve détourné*, décrit le retour de ce combattant qui ouvre ses yeux sur un monde nouveau, étranger : inquiétant chaos, vive lucidité, Algérie nouvelle bouleversée, détournée du fleuve de sa tradition... Entre l'obéissance à l'ancien colonisateur, et la soumission anonyme et collective à la nouvelle « administration », entre le fleuve détourné par des parachutistes étrangers, ou déformé par des militaires autochtones... y a-t-il espoir pour un juste milieu ? Rachid Mimouni dépeint le parcours indécis, maladroit, d'un Algérien parmi tant d'autres, coupable, derrière sa naïveté paysanne, de chercher à comprendre et de croire encore aux qualités de l'homme et à la vertu de l'histoire[7].

La perte du sens de la durée accompagne la perte des responsabilités politiques. L'économie a l'air de tout dominer : batailles autour de la collectivisation de l'économie, et de

5. « Algérie : économie à zéro », *Paris-Match*, n° 696, 11 août 1962.
6. Gauthier DE VILLERS, *L'État démiurge. Le cas algérien*, L'Harmattan, Paris, 1987, 273 p.
7. Rachid MIMOUNI, *Le Fleuve détourné*, Robert Laffont, Paris, 1982, 218 p.

l'autogestion ; mode d'accaparement et de gestion des terres reprises aux colons français (les dernières le seront le 1er octobre 1963) ; régulation et contrôle de l'émigration algérienne vers la France, avec les accords du 29 mai 1963 (sur la migration familiale), du 25 avril 1964 (les premières tentatives de coup d'arrêt), du 27 décembre 1968 (le contingentement...) ; les nationalisations des sociétés de distribution des produits pétroliers et du gaz, dans un certain mois de mai 1968. La rente pétrolière ainsi que diverses allocations de ressources clientélaires permettent au régime de se concilier une grande partie de l'opinion. La « modernisation », fondée sur des industries difficiles à maîtriser, sacrifie l'agriculture, l'hydraulique et les équipements.

Du coup, le passé colonial se transforme, globalement, en passé-repoussoir, référence d'autojustification dont le présent social a besoin. On montre volontiers tout ce que ce passé avait de précaire, sordide, impitoyable pour la vie, le travail humain. Le rappel de toutes ces tares joue le rôle d'une référence de camouflage, aide à exorciser les mutations traumatisantes, dissimule les blessures du présent. L'Algérie veut avancer, mettre entre parenthèses cent trente-deux ans de présence française, se lancer dans la construction d'une société nouvelle. Maximisation des ressources et mobilisation de tous : au populisme politique, s'ajoute le populisme économique. Ainsi se répand peu à peu un état d'esprit opposant un avant-guerre colonial noir, à une actualité, toute proche, de la guerre glorieuse et à l'espérance d'un avenir radieux.

Les bruits du monde

En France, et en Algérie, entre 1962 et 1982, l'énorme fracas des bruits de la « modernité » qui envahit le monde recouvre encore davantage le temps de la guerre d'Algérie : l'assassinat de John F. Kennedy en 1963, puis de son frère Robert en 1968, le meurtre de Martin Luther King en 1968, les répressions policières et les occupations militaires, la « guerre des Six-Jours » (1967) et l'invasion de la Tchécoslovaquie (1968), le besoin de mystifier l'histoire et celui de la démystifier, la fin du colonialisme en Asie, et le déplacement de la guerre au Vietnam qui se termine en 1975... Avec tant de figures, de visages, effacés : Nasser et Ahmed Chukeiri, Nikita Khrouchtchev et Leonid Brejnev, Herbert Marcuse et Jean-Paul Sartre, Che Guevara et Salvador Allende... Des années où l'histoire semble s'être formidablement accélérée, avec les hommes qui ont marché sur la Lune et les événements de Mai 68 ; 1973, son premier choc pétrolier et « la guerre du Kippour » ; 1975 et la « stagflation » ; 1981 et l'alternance politique en France, le coup d'État en Pologne et le début de la fin du communisme stalinien...

Comment, aussi, dans ces conditions, ne pas comprendre que la sortie du « traumatisme » algérien provoque une perte de connaissance, suivie d'une période confusionnelle ? Mais le mauvais « stockage » de souvenirs ne signifiera jamais amnésie globale, oubli massif des faits.

16

La guerre « oubliée »

France : sous « Vichy » et « 68 », oublier l'Algérie

Pour toute une génération d'hommes qui ont fait la guerre et rentrent d'Algérie (ils sont plus de deux millions dans la société française...), parler de « leur » guerre était, au mieux, inutile, et au pis douloureux. Loin de se sentir soutenus dans cette France prospère et qui « s'ennuie » (selon le mot de Pierre Vianson-Ponté dans *Le Monde* du 15 mars 1968...), ils constituent, comme l'écrit dès 1967 Philippe Labro dans son beau roman *Des feux mal éteints*, « une multitude de solitudes » (on y reviendra dans le chapitre 18). Ils ont le sentiment d'avoir été des chiffres insignifiants dans l'énoncé truqué d'un problème sans solution, d'avoir infligé et subi des souffrances que l'évolution prévisible du monde et la montée des indépendances ont rendues, avec le recul des années, dérisoires.

Ce désinvestissement, par les acteurs du conflit eux-mêmes, des représentations liées à la guerre d'Algérie va être redoublé par d'autres évolutions de la société française : les commémorations autour du thème de la Libération de 1945, les « événements » de 1968, puis l'éclatement du « mythe résistancialiste » (selon l'expression d'Henry Rousso[1]) dans les années soixante et soixante-dix, vont reléguer dans l'ombre les « années algériennes ».

La commémoration d'autres guerres

Dans l'apogée du temps gaullien des années soixante, démarre un grand mouvement muséographique. Un mouvement fortement lié à une politique de commémoration ambitieuse : celle des cinquantième et vingtième anniversaires de la Première et de la Seconde Guerre mondiale.

43 musées militaires sont créés dans la décennie soixante/soixante-dix: musées de 1914-1918, musée de l'Armistice à Compiègne (1962), mémorial de Verdun (1967), musée de la Caverne du Dragon (1969), musées divers de la Seconde Guerre mondiale. Se poursuit également la création des musées du Débarquement (4), et le début des premiers musées de la Résistance : Morette (1963), Grenoble (1966), Lyon (1967), Bordeaux (1967), Anvers (1969). Durant cette période, l'État crée également les musées de Struthof, et le mémorial du Mont-Faron, lieu du dernier attentat des partisans de l'Algérie française contre le général de Gaulle... La décennie soixante est marquée par le début des créations des musées militaires par le ministère de la Défense, avec le musée des Chasseurs à Vincennes en 1965, des Blindés à Saumur en 1965, de la Légion à Aubagne en 1966, du Génie à Angers en 1966... La Résistance dans la Seconde Guerre mondiale apparaît ainsi comme l'un des moments fondateurs de la vie politique contemporaine française[2]. Des films sur la période (*Le Jour le plus long*, en 1962, et *Paris brûle-t-il ?* en 1965) remportent des succès publics considérables.

Mais la mémoire gaulliste, ou plutôt gaullienne (tant le général de Gaulle joue un rôle personnel dans sa construction) met plus l'accent sur le thème du rassemblement que sur celui de l'opposition, de la distinction. De Gaulle fait fondre la spécificité du combat résistant « à la flamme sacrée

1. Henry ROUSSO, *Le Syndrome de Vichy, op. cit.*
2. Voir les textes réunis et présentés par Georges KANTIN et Gilles MANCERON, *Les Échos de la mémoire. Tabous et enseignement de la Seconde Guerre mondiale*, Le Monde Éditions, Paris, 1991, 372 p.

qui honore tous ceux qui sont tombés depuis 1914 dans cette guerre de trente ans[3]. Officiellement, on ne cesse de le répéter, l'heure est à la réconciliation franco-allemande, à la construction de l'Europe... Bernard Tricot, l'homme qui mena toutes les négociations secrètes au moment de la guerre d'Algérie, explique : « Au fond, l'élément essentiel pour de Gaulle était alors de mettre fin à la rivalité franco-allemande. L'idée "Nous sommes des nations, nous voulons l'Europe mais nous ne voulons pas pour autant la disparition des nations" correspondait au sentiment dominant des gens[4]. »

Mais cette *réconciliation* dans la commémoration des deux guerres mondiales ne se fait-elle pas au détriment d'autres guerres, coloniales celles-là ? Déjà le 8 mai 1954, au lendemain même du désastre de Dien Bien Phu en Indochine, le général de Gaulle, alors en « réserve de la République », était venu se recueillir sur la tombe du Soldat inconnu, et avait fait le tour de l'arc de Triomphe sous les vivats : « De Gaulle au pouvoir[5] ! » Cet investissement massif dans les symboles de l'autre guerre, au cours des années soixante, n'était-il pas le meilleur moyen de dissimuler les origines de la Ve République ? *Le régime a honte en effet de sa naissance*, et le premier putsch d'Alger qui a ouvert la voie au retour du Général au pouvoir et permis le passage de la IVe à la Ve République n'est pas un événement que l'on peut célébrer. On peut y voir l'explication de l'absence de commémorations autour de la guerre d'Algérie. Le consensus qui s'édifie avec le mythe mobilisateur de la Résistance, sorte de glorieuse improvisation patriotique, ne vise, dans les faits, qu'à surmonter les amertumes, cacher les brisures.

Les « anciens d'Algérie » attendront, eux, pour « leur » commémoration. Le général de Gaulle ne veut pas officialiser la date avancée par une association, la FNACA (Fédération nationale des anciens combattants d'Algérie), le « 19 mars », pour « commémorer les morts tombés en

3. Charles DE GAULLE, *Discours et messages. Dans l'attente, 1946-1958*, Plon, Paris, 1970.
4. « Un colloque sur de Gaulle en son siècle », *Le Monde*, 16 novembre 1990.
5. Robert FRANK, « A propos des commémorations françaises de la Seconde Guerre mondiale », communication au colloque *Les Échos de la mémoire*, 15-16 juin 1990, Paris.

Algérie[6] ». Admettre cettre commémoration, ce serait réaffirmer sans détour, année après année, qu'une guerre a eu lieu en Algérie, reconnaître le choc entre deux nations, alors que la France a accordé l'indépendance à un ancien département français. Ceux d'Algérie doivent donc encore patienter pour se voir reconnaître la qualité de combattant.

La relégation par « 68 »

Arrive 1968 et son célèbre mois de mai, qui va, momentanément, ensevelir l'existence d'un fonds de souvenirs communs liés à l'Algérie. Car 1968 joue aussi comme un contre-investissement qui protège, empêche que le « refoulement algérien » fasse irruption.

Dans « 68 », la mémoire algérienne, mélange composite de frustrations et de colères, trouve à s'exprimer, en particulier, contre le général de Gaulle. Toutefois, la plupart des jeunes hommes qui ont fait la guerre d'Algérie ne seront pas visibles aux avant-postes du mouvement de mai. On trouvera plutôt, au cœur des assemblées générales ou en tête des cortèges, ceux qui *ont protesté contre cette guerre, sans forcément la faire*.

« Je suis à Orléans quand éclate la révolte étudiante et je sens bien que la France ne suit pas, observe Michel de la Fournière, premier président de gauche de l'UNEF des années cinquante/soixante. Pour moi, Krivine est un frustré de la guerre d'Algérie qui veut à tout prix faire quelque chose. Sa génération est celle des tiers-mondistes fous. Nous qui avons connu les hommes, Ben Bella et d'autres, nous ne nous faisons pas d'illusions, et ne prenons pas au pied de la lettre les communiqués des révolutionnaires d'Amérique latine ou d'ailleurs[7]. »

Pour la majorité de ceux qui composent la « génération algérienne », la guerre a détruit l'idée d'une société harmonieuse. La brutalité des comportements individuels, le cynisme de l'État, l'absence de morale ont entamé sérieuse-

6. C'est au congrès de Noisy, les 30 et 31 mars 1963, que la FNACA choisit de commémorer le cessez-le-feu en Algérie. Voir Frédéric ROUYARD, « La bataille du 19 mars », *in La Guerre d'Algérie et les Français, op. cit.*, p. 545-552.

7. Témoignages d'Alain Geismar, Michel de la Fournière et Pierre-Yves Cossé dans *Les Nouvelles littéraires*, 19 mars 1982.

ment la volonté de porter un projet de « société idéale ». Ayant vécu la guerre, ils seront, en politique, plus pragmatiques et moins partisans d'une rupture radicale. Pierre-Yves Cossé, ancien de la JEC et autre responsable de l'UNEF : « En 68, je ne me sens à l'aise que sur une seule chose : la certitude qu'une hiérarchie politique et sociale peut s'effondrer brutalement, et laisser place à une autre. Car cela, je l'ai vu se mettre en place à Alger, au moment du putsch des généraux, quand en quelques heures nous avons repris une autorité qui se liquéfiait entre les mains de nos officiers. »

Les « anciens d'Algérie », après Mai, vont peu s'investir dans l'État, dans les appareils politiques destinés à le conquérir, et beaucoup dans la « société civile ». Ils vont parcourir un long détour, fait de méfiance, avant de rejoindre l'action politique « professionnelle ». On retrouvera certains d'entre eux aux postes de commande en 1981 (Lionel Jospin, Pierre Joxe, Jean-Pierre Chevènement...), et pas sur l'avant-scène de 68.

Le fait d'avoir côtoyé la mort exerce également une forte influence sur les conduites personnelles. Les « anciens d'Algérie » sont peu enclins à rechercher un danger factice. Ils savent, sentent intuitivement, qu'invectiver de Gaulle ce n'est pas commencer une « nouvelle guerre de partisans »... Alain Geismar, un des leaders de 1968 et fondateur de la Gauche prolétarienne, a vingt-trois ans quand l'Algérie accède à l'indépendance. Ses premières expériences du racisme et de la répression datent de cette époque. La révolte étudiante, nous dit-il, lui paraît être la continuité absolue de son engagement d'alors : « On se battait en 1968 contre les flics de Charonne. Le slogan "CRS-SS" qui pouvait passer pour excessif évoquait pour nous les massacres d'Algériens. Mais, cette fois, nous nous battions pour nous-mêmes. »

Le moment de 1968 au quartier Latin évoque l'acquittement d'une dette contractée par une génération auprès des morts de la Résistance. Les « événéments » de 68 (en différant le travail de deuil des « événements » algériens) amorcent la critique d'une France unanime, sûre de son histoire et de ses valeurs, image construite au lendemain de la Libération de 1945.

L'entrée en scène d'hommes jeunes qui veulent connaître l'attitude de leurs pères sous Vichy ; les dynamismes émotionnels qui traversent la société après 1968 ; le départ et la mort du général de Gaulle ; l'arrivée de Georges Pompidou puis de Valéry Giscard d'Estaing, qui entendent ne plus se référer au passé (le premier, avec Chaban-Delmas, parlera de « nouvelle société », le second supprimera la commémoration du 8 mai 1945...) : tous ces éléments se combinent pour faire éclater « le mythe du résistancialisme » forgé dans la période précédente. Après s'être crus tous des résistants, les Français craignent de se découvrir tous des collaborateurs.

En 1971, le film de Marcel Ophuls, André Harris et Alain de Sédouy, *Le Chagrin et la Pitié*, fait découvrir, pour la première fois, le contraste des attitudes face à Vichy et à l'occupant. Le renouveau historiographique et en particulier *La France de Vichy* de l'historien américain Robert Paxton, qui, délaissant la description de la France résistante, s'intéresse sans complaisance à la spécificité de la « Révolution nationale » de l'État français en 1940, montre un fascisme à la française. La mémoire juive se réveille sur fond de débat politique interne. L'amnistie de Paul Touvier (ce sinistre « collaborateur », condamné à mort par coutumace, gracié par Georges Pompidou[8]), surnommé par Jacques Derogy, dans *L'Express*, « le bourreau de Lyon », provoque l'une des plus grandes affaires de presse connue depuis les années cinquante : 350 articles en un seul mois, 2 000 pour l'année 1972 et 5 000 jusqu'en 1976.

Après 1974, avec « l'affaire Darquier », un regain d'intérêt se manifeste dans les médias pour la sombre période vichyssoise. Le scandale éclate à la suite de la publication choc, dans *L'Express*, d'une interview donnée par Louis Darquier, dit de Pellepoix, commissaire général aux Affaires juives de mai 1942 à février 1944. L'hebdomadaire titre : « A Auschwitz, on n'a gazé que les poux. » La colère s'élève dans la communauté juive, et parmi les déportés et résistants. Antisémite pur et dur, exilé en Espagne avec le soutien de franquistes, Darquier nie de façon odieuse l'extermination des juifs, les chambres à gaz. Le « négationnisme » (qui s'autoqualifie de « révisionnisme ») apparaît ainsi au grand jour, et il ne s'arrêtera pas à cette seule affaire. L'universitaire

8. Accordée en catimini le 23 novembre 1971, cette mesure de grâce fut le véritable détonateur de « l'affaire Touvier ».

Robert Faurisson s'emploie lui aussi à nier, dans *Le Monde* du 16 novembre 1978, l'existence des chambres à gaz. Cette nouvelle tendance alimentera une petite frange de la gauche, dont l'antisionisme a des relents d'antisémitisme. Le scandale rebondira dans les années quatre-vingt, provoquant des procédures administratives à l'encontre de certains professeurs.

Au cours de la décennie soixante-dix, des journaux, des ouvrages, des films (comme *Lacombe Lucien* de Louis Malle) sont engagés dans une « mode rétro » qui, à elle seule, donne à réfléchir. D'autres images de la Seconde Guerre mondiale et de la collaboration émergent, sous couvert d'une esthétique nouvelle, qui vient confirmer que l'exorcisme n'est pas encore terminé, qu'il faut encore voir, dire, montrer et, surtout aussi, dénoncer.

Le souvenir conflictuel et chargé d'angoisse de l'Occupation, mêlé aux espoirs en forme de rêves du mouvement de mai 1968, recouvre donc momentanément la signification de la guerre d'Algérie. Mais « Vichy » ou « 68 » mettent en évidence la puissance de l'État en France dans ses formes successives, répressives. Et des acteurs très engagés de la guerre d'Algérie ne parviennent décidément pas à se réconcilier avec le pays. Jean-Paul Ribes, ancien « porteur de valises », et aujourd'hui journaliste, explique[9]. « Non, je ne me réconcilie pas. C'est vrai que les dix années qui ont suivi, en gros la décennie 1962-1972, a été une décennie de rupture, de rumination de cette rupture. [...] Mai 68 a été l'explosion de cette rupture, le début de la faille qui avait commencé pour nous dans les années 1956-1957, s'est poursuivie jusqu'au milieu des années soixante-dix. Avec, toujours, ce même sentiment d'être face à un système politique qui n'acceptait pas ses torts. »

L'apparition d'une mémoire arabe dans la période quatre-vingt/quatre-vingt-dix (après celle de la mémoire juive des années soixante-dix) poursuivra ce travail critique à l'encontre de la représentation politique, prise dans la forme d'un État toujours continué.

---

9. Jean-Paul Ribes, entretien pour *Les Années algériennes*.

Algérie : la « décolonisation » du passé

Après l'indépendance de 1962, les structures du nouveau pouvoir algérien restent celles de l'ancien pouvoir colonial : ce n'est que le 5 juillet 1973 qu'une ordonnance abroge officiellement la loi du 31 décembre 1962 qui reconduisait jusqu'à nouvel ordre la législation française en vigueur. L'Armée nationale populaire (ANP) se proclame l'héritière de l'ALN, alors que son premier souci a été la destruction de l'autonomie des wilayas de l'intérieur. Le FLN éclate, progressivement, en multiples factions qui se contestent mutuellement la légitimité révolutionnaire de la guerre de l'indépendance.

Et pourtant... En dépit des « règlements de comptes », des mises à l'écart, de l'encadrement autoritaire de la société, de l'absence de médiations politiques et sociales, le FLN dispose toujours d'un capital de légitimité extraordinaire dans les masses algériennes. Son succès constitue une revanche sur le temps colonial. L'accouplement de la révolution et de la violence n'efface pas la victoire de juillet 1962[10].

Reste encore présent dans les mémoires ce moment-rupture de la guerre, où la force prime, se comprend, pour pouvoir exister, vivre libre et indépendant. Il est donc normal qu'en Algérie l'héritage de cette culture de guerre soit assumé avec fierté. Mais à partir de 1965, c'est une autre culture qui émerge, une « culture militaire » de la guerre.

1965 : la « culture militaire »

Avec l'installation définitive des militaires au pouvoir en 1965, la culture militaire acquiert une position hégémonique, considérée à la fois comme un bagage national et un acquis historique. Elle devient culture dominante, où l'on peut discerner une trinité d'idées forces : la communauté, la justice sociale, la nation.

C'est d'abord une culture communautaire dans laquelle on exalte l'union et l'harmonie. Voilà qu'après des années de division et de luttes intestines, pendant la guerre et après

10. Pour un tableau de l'Algérie des villes et des campagnes après l'indépendance, voir Juliette MINCES, *L'Algérie de la Révolution*, L'Harmattan, Paris, 1988, 231 p.

l'indépendance, les Algériens peuvent se retrouver ensemble, grâce à l'armée : « Le pays se trouvait livré aux intrigues tramées dans l'ombre, à l'affrontement des tendances et des clans ressuscités pour les besoins d'une vieille astuce de gouvernement : diviser pour régner. [...] L'Armée nationale populaire, digne héritière de la glorieuse Armée de libération nationale, ne se laissera jamais (quelles que soient les manœuvres et les tentations) couper du peuple dont elle est issue, et dans lequel elle puise à la fois sa force et sa raison d'être. » (Déclaration du Conseil de la révolution du 19 juin 1965.)

Par ailleurs, la culture de guerre, devenue militaire, se veut, sinon égalitaire, du moins décidée à combattre les inégalités au nom de la justice sociale. Toujours dans la déclaration établie par les militaires, le 19 juin 1965 : « Il faut substituer la probité à l'amour du luxe, le travail opiniâtre à l'improvisation, la morale de l'État aux réactions impulsives, en un mot un socialisme conforme aux réalités du pays, au socialisme circonstanciel et publicitaire. »

Troisième trait de cette culture de guerre, qui doit se poursuivre après l'indépendance : l'esprit d'une nation défendant son patriotisme : « La nation tout entière unie dans la confiance et la sérénité doit œuvrer pour la revalorisation de nos institutions, pour la stabilité politique dans la fraternité retrouvée, pour la consolidation du pouvoir révolutionnaire[11]. »

Pour les militaires algériens qui prennent le pouvoir en 1965, il s'agit de refaire l'histoire algérienne en faisant oublier l'absence de victoire par les armes en 1962. Il s'agit aussi de faire oublier, par cette histoire-fiction où les militaires jouent un rôle central, certains moments de l'histoire partisane du nationalisme algérien. Parmi d'autres fonctions, la frénésie commémorative qui commence élimine l'intervention des masses paysannes (août 1955), urbaines (décembre 1960), le rôle de l'immigration et donc de la Fédération de France du FLN, et enfin la mise à profit des relations internationales pour gagner la guerre. L'« armée des frontières », dirigée par

11. Déclaration du Conseil de la révolution du 19 juin 1965, *in La Révolution algérienne à travers les textes fondamentaux*, publication de la Commission d'orientation et information du FLN, brochure, juillet 1965, 44 p.

Houari Boumediene, entre enfin, en force, dans l'histoire algérienne.

Une histoire anonyme

Par le coup d'État de 1965 s'opère la concentration des pouvoirs entre les mains d'un seul homme. « Il lui faut à la fois articuler entre elles les trois structures — *État/Armée/FLN* — pour en faire un triangle fonctionnel, et les "nationaliser" pour faire oublier leur "illégitimité originale" », note Abdelkader Djeghloul[12].

Une bureaucratie militaire s'empare du pouvoir et encadre de manière autoritaire la société, sous le prétexte d'éviter tout éclatement du cadre national. Mais rien n'est plus dangereux pour ce pouvoir établi par la force que de manquer de « légitimité ». Le FLN deviendra donc ce lieu de légitimation symbolique. Les idéologues du parti optent délibérément pour une histoire massive résumée par la formule lapidaire « par le peuple et pour le peuple », qui, en réalité, consiste à éliminer tous les acteurs du mouvement national (avant et pendant la guerre) que les canons du système n'ont pas retenus.

Cette *écriture de l'histoire* commence dès juin 1966, lorsque est décidé de mettre en œuvre une mesure de souveraineté en « nationalisant », par l'arabisation, l'enseignement de l'histoire. Les bibliothèques, et surtout les librairies, sont contrôlées par le biais du monopole du commerce extérieur. En 1974, le système se perfectionne par la création du Centre national d'études historiques (CNEH). Un arrêté publié au *Journal officiel*, quelques années plus tard, limite les recherches en histoire qui ne sont pas autorisées par le CNEH.

Il est alors courant de lire dans la presse algérienne officielle des articles contre les chercheurs étrangers, accusés d'exploiter l'histoire « de la révolution algérienne à des fins mercantiles ». Encourage-t-on les historiens algériens, pour autant, à se mettre au travail ? Les réponses à cette question oscillent entre deux extrémités. D'un côté, il est répondu qu'il

---

12. Abdelkader DJEGHLOUL, « Algérie », *Encyclopaedia Universalis, art. cit.*, p. 777.

est encore trop tôt pour faire œuvre objective, et se retrouvent écartés les travaux de Mohammed Harbi (*Aux origines du FLN* en 1975 et *Le FLN, mirage et réalité*, paru en 1980), de Ferhat Abbas (*Autopsie d'une guerre*, 1980), ou même du commandant Azzedine (*On nous appelait fellaghas*, paru en 1976). Cela fait dire au professeur Mahfoud Kaddache, auteur d'une imposante *Histoire du nationalisme algérien* qui ne traite pas de la guerre mais aborde ses prémices, lors d'un « Séminaire d'écriture sur l'histoire » à Alger en 1981 : « Quelle que soit l'analyse partisane de ces auteurs, quel que soit le reproche que l'on peut faire à leur méthode d'investigation, il n'en demeure pas moins que leurs œuvres constituent des témoignages importants, qui, objets d'une critique scientifique, permettront d'avancer dans l'écriture de cette histoire. » Et de conclure : « On ne peut interdire à personne d'écrire, les critères devant rester d'ordre scientifique[13]. »

D'un autre côté est encouragée la production de récits d'une geste révolutionnaire projetant l'image mythique d'un univers manichéen où les rôles sont clairement définis entre les héros et les traîtres, les libérateurs et les oppresseurs. Slimane Chikh, auteur de *L'Algérie en armes*[14], critique cette conception « d'écriture » de l'histoire : « La parole si longtemps contenue donne assez volontiers de la voix en se libérant. L'histoire de la lutte armée emprunte ainsi souvent le ton de l'hymne triomphaliste, qui se veut un juste hommage aux martyrs, hagiographie plutôt qu'histoire[15]. »

Dans la période 1965-1980, paradoxalement, jamais l'histoire de « la révolution algérienne » n'a été tant célébrée, commémorée. Mais de quelle histoire s'agissait-il ? D'une histoire aseptisée, avec pour devise centrale « Un seul héros, le peuple ». Une histoire anonyme, puisque disparaissaient des manuels scolaires, ou des plaques de rue, les noms des principaux acteurs de cette « guerre de libération ». Les morts, seuls, avaient droit de cité. Effacées les traces des terribles « règlements de comptes » entre Algériens (qui ont fait des milliers de victimes, parmi les émigrés en particulier). Occul-

---

13. Article dans *El Moudjahid*, cité dans « Un séminaire à Alger a levé les tabous sur l'histoire de la révolution », *Le Monde*, 4 novembre 1981.
14. Slimane CHIKH, *L'Algérie en armes, ou le temps des certitudes, op. cit.*
15. Slimane CHIKH, « Faire, dire, écrire l'histoire », *Le Monde*, 3 juillet 1982.

tée l'existence du pluralisme politique, à l'œuvre dans la longue marche du nationalisme algérien avant 1954, avec les radicaux indépendantistes du PPA de Messali Hadj qui s'opposaient aux « réformistes » de Ferhat Abbas ou aux religieux oulémas... L'Histoire (avec un grand H) au présent s'écrivait, au contraire, sur le mode de l'uniformité, refusant toute approche plurielle. Il n'est pas étonnant, dans ces conditions, que la jeunesse algérienne se débatte avec ces « trous de mémoire » et se retrouve dépolitisée.

Le procès du passé

Dans son discours inaugural au symposium du premier festival culturel panafricain, tenu à Alger du 21 juillet au 1er août 1969, Houari Boumediene explique dans quelles conditions il faut désormais en Algérie construire un « homme nouveau » : « Un hommage à l'homme, le respect de son entreprise la plus noble, passe d'abord par le souci d'être soi-même, non point un homme emprunté, mais un homme réel, tel qu'en lui-même, l'histoire, la géographie, l'économie et le sang de ses pères l'ont fait. *Rejeter les contre-vérités répandues par le colonialisme, apporter les preuves du passé et de la présence culturelle de l'Afrique fut, dès le début de notre combat, une tâche à laquelle nous avons accordé sa place et son rôle*[16]. »

Au lendemain de l'indépendance de l'Algérie, il s'agit de dresser d'implacables réquisitoires contre les visions coloniales de l'indigène. Ahmed Taleb Ibrahimi, en 1973, veut démontrer que « la France a tué la culture algérienne en la coupant de toute sève vivifiante, et en la tenant en dehors du moment de l'histoire. Il s'agit là d'un véritable assassinat[17] ». Abdelmajid Meziane, en 1972, décrit le plan voulu par la France de déculturation des populations algériennes. Ce plan conduisait « au déracinement généralisé » : il n'y avait plus aucun refuge, aucune planche de salut ; « la religion elle-même fut colonisée ». La tradition orale des

16. Houari BOUMEDIENE, *Symposium d'Alger*, brochure, Alger, 1969, p. 16 (souligné par nous).

17. Ahmed TALEB IBRAHIMI, « Réflexions sur la décolonisation culturelle en Algérie », *in De la décolonisation à la révolution culturelle*, SNED, Alger, 1973, p. 12.

poètes errants sauva ce qui pouvait être sauvé (rappel des gloires anciennes, des épopées légendaires des héros de l'islam, idéalisation des valeurs traditionnelles)[18]. Pour Mostefa Lacheraf, en 1975, de fausses élites furent promues par l'école coloniale, loin du peuple ou à mi-chemin entre les autorités coloniales et le peuple, pour servir d'intermédiaires, des élites souvent en porte à faux : « Une intelligentsia, libérale celle-là, et d'alibi national-bourgeois, alliera commodément réformisme et utopie en militant, d'abord en faveur d'une assimilation hybride, puis d'une personnalité sans contour authentique et qui, vivant sous la dure loi d'une France colonialiste, s'adresse à elle au nom des principes "immortels" de la Révolution française de 1789[19] ! » Pour tous ces auteurs, et d'autres, l'histoire de l'Algérie s'est trouvée meurtrie, violentée par le système colonial, jamais perçu comme porteur d'une quelconque modernité. Si la sociologie, par exemple, a bénéficié comme discipline d'un destin particulier au Maghreb durant cette période, c'est moins parce que le grand historien, et aussi le premier sociologue, Ibn Khaldoun (1332-1406) est originaire de cette contrée que parce que l'administration coloniale avait besoin de connaître parfaitement la société coloniale qu'elle avait décidé de dominer. Il s'agissait donc d'affirmer le monopole colonial sur un espace et sur une société, puis de construire un ensemble explicatif du Maghreb s'imposant aux conquérants, comme aux Maghrébins eux-mêmes. Pour le Marocain Tahar Ben Jelloun : « La sociologie a fait ainsi partie de la stratégie de pénétration coloniale et de pacification : elle fut organisée dans un esprit utilitaire et dans un objectif d'application[20]. »

Le procès de l'idéologie coloniale se met en place, les leitmotive et clichés de la période sont taillés en pièces. Historiens, philosophes, ethnologues ou anthropologues se retrouvent au banc des accusés : ils ont placé ce pays hors de l'histoire du fait de l'absence d'État ; refusé de s'y intéresser vraiment en percevant des sociétés froides, répétitives, sans conscience historique, ce qui ne permet qu'une mise en

18. Abdelmajid MEZIANE, « La culture algérienne : permanence et dynamisme », *in L'Algérie en Europe*, n° 146, 16-30 avril 1972.

19. Mostefa LACHERAF, « Spécificités culturelles et industrialisation dans le monde arabe », *in Revue tunisienne de sciences sociales*, n°s 36-39, 1975.

20. Tahar BEN JELLOUN, *in Le Monde diplomatique*, août 1975.

musée... Et si des enquêtes se menaient, elles étaient surtout le fait des missionnaires, des militaires...

Le caractère « ethnographique » et « colonialiste » de cette sociologie de « l'âme indigène » va-t-il disparaître de manière définitive avec l'avènement des indépendances ? Les intellectuels se fixent la tâche d'affronter la décolonisation dans le domaine des sciences humaines. La plupart des Maghrébins de formation française ne se concevaient qu'à l'image ou en fonction de l'étranger, explique l'Algérien Taleb Ibrahimi. Il faut vraiment rompre avec cette attitude : « *La révolution culturelle consiste à œuvrer pour former un homme nouveau au sein d'une société nouvelle* [souligné dans le texte], en faisant prévaloir un nouveau style de vie, en habituant à un mode d'existence plus conforme aux idéaux de la Révolution et propre à favoriser l'implantation et le succès de cette révolution[21]. » Les titres de chapitre de l'ouvrage, paru en 1973, de cet auteur révèlent les préoccupations de reconquête d'un héritage culturel : « Reconquête et découverte du patrimoine culturel », « Enracinement et authenticité », « Culture et personnalité algérienne », « Pour une renaissance du monde arabe. »

Le travail de longue haleine consiste, pour ceux qui ont été dépossédés de leur culture, non seulement à reconquérir un patrimoine ancestral perdu, mais aussi à rompre radicalement avec la tradition héritée de la présence française. La conception « Du passé faisons table rase » s'impose. Elle s'exerce, principalement, dans le domaine de l'arabisation, dans le combat contre la perpétuation de la langue française. Pour Ali Ammar, « dans l'Algérie de 1974, on parle beaucoup plus souvent et dans une plus vaste échelle que par le passé la langue héritée du colonialisme. Presque par instinct, deux personnes qui se rencontrent pour la première fois entreprennent leur dialogue en français. Cela veut dire que l'Algérien de 1974 s'identifie d'autant plus volontiers à la culture dominante (donc à l'idéologie) que par le passé[22] ».

En Algérie, sous la présidence de Houari Boumediene, les

21. Ahmed TALEB IBRAHIMI, « Réflexions sur la décolonisation culturelle en Algérie », *art. cit.*, p. 219.

22. Ali AMAR, « Au commencement, il y eut le choc culturel », *El Moudjahid culturel*, n° 140, 15 novembre 1974.

tentatives d'arabisation de toute la société s'accélèrent. Il s'agit d'abattre l'édifice linguistique qui falsifie, de remettre de « l'ordre » dans les mémoires, de tourner définitivement la page coloniale. Tel est le sens profond du discours prononcé par Houari Boumediene devant Valéry Giscard d'Estaing, premier chef d'État français en visite officielle dans l'Algérie indépendante, le 10 avril 1975 : « Le peuple français doit comprendre, le passé est définitivement révolu. »

Une lourde langue de bois s'installe, en particulier dans les médias officiels. Sur le sujet très particulier de l'écriture historique, on retrouve les termes du débat au début de la présidence de Chadli Bendjedid. Dans le numéro 84 de la revue *Ath Thaquafa*, Nasreddine Saïdouni plaide « pour une conception nouvelle de notre histoire algérienne[23] ». Il envisage « la réappropriation du passé » en se débarrassant de « toutes les conceptions contraires à l'authenticité de la nation algérienne, et qui font obstacle au développement de la société dans *son creuset islamique et arabe*, et qui ne sont pas conformes aux fondements sur lesquels repose l'État algérien moderne ».

Effacer cent trente-deux ans de présence française, revenir à la pureté mythique d'un État arabe et islamique, passe par la création d'un « État souverain algérien » qu'auraient détruit les soldats de Charles X en 1830. Cet État serait ressuscité en 1962. De la sorte, l'historiographie officielle transforme la période française en insurrection continue, permanente.

Sous la nationalisation de l'histoire, résurgences berbères

Dans la décennie soixante-dix, la conception de la nation qui s'impose fortement est celle de l'arabo-islamisme. Ahmed Taleb Ibrahimi n'hésite pas à écrire, en 1973 : « En lisant tout ce qui a été écrit sur les Arabes et les Berbères en Algérie, on se rend compte qu'un véritable travail de sape a été entrepris pour diviser le peuple algérien. Avancer, par exemple, que la population algérienne se compose d'Arabes et de Berbères est historiquement faux. Les premiers Arabes installés en Algérie au VIIe siècle épousèrent les femmes autoch-

23. Nasreddine SAÏDOUNI, article *in Ath Thaquafa*, n° 84, Alger, 1984.

tones et le sang est mêlé (la religion et la langue qu'ils ont répandues, eux et leurs descendants, allaient devenir un ciment, un ferment et un rempart). Par conséquent, l'Algérie, sur le plan ethnique, n'est pas une juxtaposition d'Arabes et de Berbères (comme on l'entend dire souvent), mais un mélange arabo-berbère qui, embrassant la même foi et adhérant au même système de valeurs, est animé par l'amour de la même terre[24]. »

Cette « écriture de l'histoire » vise à l'effacement de toute revendication spécifique portant sur la culture berbère, élimine toutes traces conflictuelles surgies dans la guerre d'indépendance sur ce sujet, détermine l'*unicité* d'un mouvement fondé exclusivement sur l'islam et l'arabité. La Charte nationale, adoptée le 27 juin 1976 par 98,5 % des suffrages exprimés, « légalise » cette version de l'histoire. Le préambule rappelle que l'Algérie doit son indépendance à une guerre de libération « qui restera dans l'histoire comme une des grandes épopées ayant marqué la résurrection des peuples du tiers monde ». Aucun nom propre n'est cité. Dans le premier chapitre de cette Charte, « De la République », il est précisé que l'État est « socialiste », et que « l'islam est la religion de l'État et l'arabe est la langue officielle » (un autre article, en fixant les attributions du président de la République, mentionne que ce dernier doit être obligatoirement musulman). Un autre chapitre, « De la fonction politique », rappelle que « le système institutionnel algérien repose sur le principe du parti unique » (article 94) et souligne que le « FLN est la force d'avant-garde, de direction et d'organisation du peuple en vue de l'édification du socialisme » (article 97). Le FLN n'est pas pourtant, au sens strict, un parti de socialisation politique, mais un simple lieu de légitimation symbolique de l'État dirigé par l'armée. Sa fonction consiste à « comprimer » idéologiquement toutes les références multiples de la guerre, séquence décisive de légitimation historique des pouvoirs en Algérie. En particulier la question berbère. Sur le même registre, Omar Saadi, dans un ouvrage paru en 1983, centre sa démonstration sur l'arabité des Berbères, de leur culture, de leur langue et de leur insertion totale

24. Ahmed Taleb Ibrahimi, *De la décolonisation à la révolution culturelle*, SNED, Alger, 1973, p. 225.

dans l'identité islamique[25]. Ce qui fait dire à Salem Chaker que « cet ouvrage est un bon résumé des fantasmes de l'arabisme algérien. L'histoire est réduite aux récits mythiques des historiens médiévaux[26] ».

Par le biais de la question berbère, on entre dans une remise en cause généralisée de l'histoire officielle de la révolution algérienne, de la nature même du nationalisme algérien depuis ses origines. La Charte nationale en 1976 avait non seulement omis toute référence à la langue et à la culture berbères, mais spécifié que « l'usage généralisé de la langue arabe et sa maîtrise en tant qu'instrument fonctionnel créateur sont une des tâches primordiales de la société algérienne ».

Le 7 avril 1980, le gouvernement interdit une conférence de l'écrivain Mouloud Mammeri, à l'occasion de la parution de son livre *Poèmes kabyles anciens* (Maspero), à l'université de Tizi-Ouzou. Des enseignants et des étudiants occupent l'université en signe de protestation. Une grève générale commence en Kabylie.

Le « printemps berbère » d'avril 1980 secoue fortement l'édifice institutionnel, idéologique algérien. Il pose, en premier lieu, le problème de la définition nationale en Algérie ; mais, aussi, il permet de resituer l'histoire algérienne dans une autre dimension. Deux des animateurs de ce « printemps », Salem Chaker et le docteur Saïd Sadi expliquent, en 1983, que, « les berbérophones, tout particulièrement en Algérie, ont puissamment contribué au processus d'affirmation nationale et à la reconquête de la souveraineté. Ils ont été à l'avant-garde de la lutte anticoloniale pendant toute la durée de la domination française. Ils se sont toujours placés dans la perspective nationale dont ils ont été les principaux promoteurs. Depuis l'indépendance, les courants idéologiques du pouvoir et notamment l'arabo-islamisme exercent un monopole sur la vie culturelle, intellectuelle du pays fondé sur la censure et l'autoritarisme. Ils développent vis-à-vis de la dimension berbère et de toute pensée autonome une volonté explicite d'étouffement et de liquidation[27] ».

25. Omar SAADI, *Arabité de l'Algérie à travers l'histoire*, SNED, Alger, 1983, 148 p.

26. Salem CHAKER, *Grand Maghreb*, n° 36.

27. « Qu'est-ce que le mouvement culturel berbère algérien ? », *Tafsut*, Tizi-Ouzou, décembre 1983, p. 147.

L'effet du « printemps berbère » produit, pour la première fois et de l'intérieur de l'Algérie, un contre-discours public d'une réelle ampleur dans un pays fonctionnant sur le principe de l'unanimisme. Dans cet univers compact où société et État, privé et public, sont fondus en un seul bloc, la floraison d'associations et d'organisations populaires autonomes donne consistance à la société algérienne. L'apparition du pluralisme culturel, démocratique, permet de traduire et de résoudre par la voie politique des conflits « au sein du peuple ».

17

La guerre intériorisée

Le livre : la guerre comme une affaire privée

Absente du débat public secoué par les « événements » de 1968, recouverte par les soubresauts de la mémoire vichyssoise, la guerre d'Algérie a-t-elle « disparu » entre les années soixante-dix et le début des années quatre-vingt ? Elle se manifeste, en fait, massivement, à travers la production d'ouvrages. Près de mille livres seront publiés dans cette période, en France, avec pour objet principal la guerre d'Algérie[1]. L'écriture est une réaction retardée qui demande du temps. Mais elle semble plus stable, dure longtemps, pour toujours. Elle naît de la névrose, elle ne la guérit pas, mais la fixe, la rend permanente. Les résistances mémorielles qui affleurent, dans les sociétés française et algérienne, s'expri-

1. Sur la bibliographie de la guerre d'Algérie, voir le recensement établi par Guy PERVILLÉ pour l'*Annuaire de l'Afrique du Nord* ; René GALLISSOT, *Maghreb-Algérie, classe et nation*, Éd. Arcantère, tome II, Paris, 1987, p. 121-168 ; sous la direction de Jean PLANCHAIS et Patrick ÉVENO, *La Guerre d'Algérie, op. cit.*, p. 411-417 ; Benjamin STORA et Jacques SIMON, *Bibliographie de la guerre d'Algérie*, publication du GREMAMO, université Paris-VIII, 90 p. dactylographiées. On se reportera à ces études pour les références précises des livres cités dans ce chapitre.

ment à travers l'écrit. Le livre apparaît comme un intermédiaire. Il fait dériver les solitudes des groupes porteurs de la mémoire de guerre, transfère les conflits, cristallise les agressivités, se transforme en arme.

En France, la « nostalgeria »

L'inégale production de livres entre, par exemple, partisans et adversaires de l'Algérie française fournit des indices intéressants, trace des clivages, détermine qui détient, toujours et encore, le monopole de représentation, de parole sur la guerre d'Algérie. Comme au temps des années 1955-1962, les opposants à cette guerre restent nettement minoritaires. Ceux qui ont lutté pour l'indépendance ou la « paix en Algérie » sont des intellectuels (*Bloc-notes*, de François Mauriac, *Mémoires*, tome 1, de Raymond Aron) ; des militants anticolonialistes qui ont anticipé le mouvement vers la « nouvelle gauche » issue de la guerre d'Algérie (*Ci-gît le colonialisme*, de Daniel Guérin, *Chronique de la décolonisation*, de Jean Rous) ; des militants communistes retraçant l'importance de la séquence algérienne, qui conforte ou relativise les certitudes de l'engagement politique (*Afin que nul n'oublie, l'itinéraire d'un anticolonialiste*, de Gaston Donnat, *Ma guerre d'Algérie*, d'André Moine, *Notre génération communiste*, de Philippe Robrieux) ; des « porteurs de valises » résolument aux côtés du FLN, que l'on retrouve dans l'ouvrage paru sous ce titre en 1979 d'Hervé Hamon et Patrick Rotman.

Près de 70 % des ouvrages publiés en France de 1962 à 1982 sont favorables aux thèses du maintien de la présence française en Algérie. Les officiers, soldats harkis, pieds-noirs ou hommes politiques partisans de l'Algérie française, occupent en effet une place prépondérante dans le livre-témoignage. D'Antoine Argoud à Jacques Soustelle, du bachaga Boualem à Jo Ortiz, du général Jouhaud à Georges Bidault, ces nombreux ouvrages du souvenir sont dus à la piété et au besoin instinctif d'arrimer au présent un passé estimé trahi, ou massacré.

L'écriture personnelle se place souvent sous le signe de la confession (*Je veux la tourmente*, de Jean-Marie Curutchet), haine, culpabilité et justification mêlées. Dans *Et qu'ils m'accueillent avec des cris de haine*, Henri Martinez, l'auteur, dit au préalable qu'il a porté ce livre pendant vingt ans, « comme une mère qui ne se résigne pas à voir sortir d'elle ce fils qui sera peut-être un monstre ». Mille blessures ne sont toujours pas cicatrisées : « Depuis 1962, nous sommes tout ce que l'on voudra, sauf des rapatriés. De patrie, on en a qu'une, la nôtre, on nous l'a volée il y a vingt ans. » Plusieurs années après, l'écriture de la colère demeurée colère veut garder sa force de conviction (*Je ne regrette rien*, de Pierre Sergent). Transformation d'un malheur en écriture, conversion d'un bouleversement en structure narrative (*Du soleil et des larmes*, de Michèle Susini). Beaucoup de ces livres veulent coller à l'amertume (*Serons-nous enfin compris ?*, d'Emond Jouhaud), mais l'enlisement et la violence dont ils témoignent paraissent incarner une sorte de refus de l'histoire accomplie (*La page n'est pas tournée*, de Jacques Soustelle).

Quelques rares voix, comme celles de Jean Pelegri, Jean Daniel, Roland Bacri, Jules Roy ou Robert Laffont, tentent de dévoiler une autre réalité : « Nous sommes un certain nombre à avoir voulu une issue de la guerre d'Algérie qui fût une République interculturelle, une synthèse savoureuse de la Méditerranée : arabe, berbère, juive, hispanique. L'histoire a fait exploser ce rêve dans l'inexpiable combat[2]. »

Pour les Français d'Algérie, les récits s'organisent autour d'une mémoire à plusieurs temps : le temps lent, long, perdu, de l'existence familiale, communautaire (*Ils croyaient en l'éternité*, de N. Regina) ; le temps de l'irruption de la guerre dans cet univers, de la mise en mouvement de ses protagonistes sous l'effet d'une histoire en proie aux spasmes et aux cataclysmes (*On a triché avec l'honneur*, de Pierre Lagaillarde) ; le temps de l'arrachement du départ (*L'Algérie pour mémoire*, de Fernande Stora) ; le temps de l'après, où reste le mythe et rarement l'histoire (*Algérie mon amour : Constantine 1920-1962*, de Jean Sutra).

L'Algérie c'est l'Atlantide engloutie, reconstituée par anamnèse, réinventée ou, dans la mesure du possible, éternisée.

Dans la préface du livre (sorti en 1990) de Jean-Pierre Stora et Monique Ayoun, *Mon Algérie, 62 personnalités*

2. Robert LAFFONT, *Visions du Maghreb*, Edisud, 1987, p. 134.

témoignent, l'écrivain Alain Vircondelet dit bien la motivation de ces innombrables récits de la « nostalgie »: « Dans moins d'un siècle, les derniers dépositaires de cette mémoire vaincue s'éteindront. L'histoire de cette vie "coloniale", orale et forcément fugitive, fondée sur des sensations et des traces fragiles s'effacera. [...] C'est dire l'importance de ces livres de mémoire. »

Dix ou quinze ans après l'indépendance algérienne, beaucoup de ces ouvrages témoignent, en fait, du manque de travail intérieur, comparable au travail de deuil: absence de plaintes contre soi-même, pas d'autocritiques exacerbées, peu d'examens des « faiblesses » manifestées durant cette guerre.

L'effet Courrière

Mais ce qui domine dans la période des années soixante-dix et quatre-vingt, c'est « l'effet Courrière ». En avril 1968, paraît le premier volume d'une « Histoire de la guerre d'Algérie », *Les Fils de la Toussaint*, d'Yves Courrière. Trois autres volumes paraîtront en 1969, 1970, 1971 et connaîtront un immense succès (plusieurs centaines de milliers d'exemplaires vendus). Les premières publications de l'immédiat après-guerre formaient une « littérature de vaincus »: l'OAS réglait ses comptes, ainsi que les militaires, voire les policiers. Les agents des services secrets expliquaient les dessous d'une guerre souterraine, clandestine. Les livres de Courrière indiquent une volonté de dresser un panorama d'ensemble, de faire revenir la guerre d'Algérie sur le terrain. Marquent-ils pour autant le démarrage d'une histoire distanciée, scientifique ? La méthode de l'auteur, ancien journaliste, est en fait un habile montage de récits de vies racontées. L'histoire sur témoignages est donnée comme histoire vécue, alors que le plus souvent la source est orale, provient d'interviews et d'enregistrements postérieurs (du côté algérien, le colonel Ouamrane et, surtout, Krim Belkacem). On y voit la guerre comme un conflit entre chefs, officiers ou hommes politiques. Cette technique valorise l'anecdotique et l'éphémère, décolle difficilement de la dominante militaire ou du mémorial héroïque.

« L'effet Courrière » inaugure en fait le « récit de vie », genre le plus utilisé à propos de cette guerre. C'est là, entre autobiographies et mémoires, que se déploient les écritures les plus nombreuses, les plus intenses.

Pendant près de vingt ans, de 1962 à 1982, les livres de ce type s'avancent en rangs serrés (près de cinq cents...). Dans un éparpillement, apparaissent les fragments d'une mémoire éclatée toujours conflictuelle, les mosaïques de consciences individuelles refusant de se fondre dans une impossible mémoire collective. On peut identifier, distinctement, chaque groupe porteur de la « mémoire algérienne ». Ainsi, les hommes appartenant à la mouvance gaulliste (et qui s'opposent aux partisans de l'Algérie française). Ce groupe compact de gaullistes (Lucien Bitterlin, Alain de Boissieu, Étienne Burin des Rosiers, Robert Buron, Pierre Clostermann, Maurice Couve de Murville, Georges Buis, Christian Fouchet, Yves Guéna, Olivier Guichard, Louis Joxe, J. Massu, Edmond Michelet, Maurice Papon, Georges Pompidou, Louis Terrenoire, Bernard Tricot et... le général de Gaulle lui-même) livre bataille pour l'héritage de mémoires sur la guerre d'Algérie, le plus souvent avec le souci de justifier les positions du général de Gaulle. Nombre d'entre eux ont été des partisans de l'Algérie française avant de combattre l'OAS. Leurs témoignages, récits, autobiographies tentent, quelquefois, l'impossible recherche d'une écriture consensuelle (sur le mode de l'après-Seconde Guerre mondiale). Mais sans y parvenir vraiment.

En Algérie, la parole, l'écriture

En Algérie, dans le même temps, on retrouve cet engouement pour les histoires de vie cherchant à glorifier un passé qui s'évanouit, à célébrer les obscurs et les humiliés, puisqu'il n'y a « qu'un seul héros, le peuple ». C'est le cas en particulier de *Récits de feu*[3], ouvrage publié à Alger en réplique à la *Guerre d'Algérie*, d'Yves Courrière et qui retient quarante-trois témoignages. Ce qui fait écrire à René Gallissot, sur ce point précis :

« Comme l'histoire de la guerre est dite d'avoir pâti d'être racontée comme un combat de chefs, l'intention de glorifier "les martyrs", qui l'ont "écrite de leur sang", l'histoire

---

3. *Récits de feu*, présentation de Mahfoud Maddache, SNED, Alger, 1977.

devient chanson de geste de la résistance armée selon un crescendo sacrificiel[4]. »

Certains ont pourtant tenté, après l'indépendance de l'Algérie, de sauver les vestiges d'une mémoire militante, de créer les conditions de sa perpétuation, de recueillir des « légendes », des faits précis, de faire parler les vieux militants dans leur langue. Pour l'historien algérien Slimane Chikh : « La lutte de libération nationale en tant qu'affirmation de soi est prise de parole exprimée non seulement par le langage des armes mais à travers chants et poèmes dont il reste peu de traces. Le transistor a étouffé la voix du *meddah*, et pourtant cette voix a contribué pour une part à dire l'histoire. Toute une littérature militante et populaire risque de disparaître si elle [n'est pas] soigneusement répertoriée, recueillie et consignée[5]. »

Car la forme la plus pernicieuse et efficace de l'occultation reste le rejet dans l'ombre d'acteurs encore vivants, menacés par l'âge, mais tenus par des fidélités encore anciennes. Briser un silence qui laisse inexpliqués de grands morceaux d'un passé récent constitue donc l'objectif, mais est-ce le seul ?

Le recours à la tradition orale se situe dans une orientation idéologique bien précise, celle de garder un lien, de magnifier un monde en train de disparaître : la tradition orale serait en fait le dernier écho, le dernier sursaut d'une culture populaire authentique qui fut étouffée par la présence française. Le populisme officiel chante la culture ancestrale et les héros anonymes.

La mémoire populaire existe, elle a été seulement occultée ou trahie. Et même si les récits de paysans ou d'artisans sont fatalement empreints de culture antérieure coloniale, si leur langue écrite trahit leur langue parlée, si leur maladresse, leur retenue gênent parfois, elles n'en laissent pas moins passer une authenticité populaire que l'on serait bien en mal de trouver dans la « littérature officielle ». Cette valorisation de la source orale dans la société algérienne traduit le refus de l'uniformisation, accélérée par la destruction des campagnes et le développement des centres ouvriers de villes, sus-

---

4. René GALLISSOT, *Maghreb-Algérie, classe et nation, op. cit.*, p. 126.
5. *Le Monde*, 3 juillet 1982.

citant un désir de recours au passé personnel. La course aux témoignages est relayée par d'incessantes campagnes de presse, en particulier dans l'élaboration d'un « musée du Djihad » consacré au début des années quatre-vingt à des objets ou documents : « Les objets, documents ou lithographies qu'il recèle sont le produit de divers dons faits par les anciens moudjahidin, soit des acquisitions faites à l'étranger [...]. Cependant, ce mouvement de donations spontanées semble s'être ralenti. Inquiets de ne pas voir présenter les documents et objets dont ils s'étaient départis, certains citoyens ayant encore d'autres trésors historiques en leur possession refusent de s'en séparer[6]. »

Ces « citoyens » qui se méfient de l'État et de la geste officielle préféreront raconter leur propre histoire. L'acte d'écrire pour les autres le récit de sa vie implique manifestement un effort, un travail de prise de conscience, un besoin de laisser une trace ou de se justifier par rapport à la collectivité dans laquelle on a vécu et combattu. Depuis plusieurs années en Algérie, des militants engagés dans le combat nationaliste, ou de simples personnages plongés dans la tourmente de la guerre, livrent leurs témoignages. Mahieddine Bachetarzi retrace ainsi la naissance du théâtre algérien à partir du début des années vingt jusqu'en 1951. Le second tome (1939-1951) de ses *Mémoires* nous dévoile la montée rapide de la politique indépendantiste en Algérie. L'ouvrage, composé pour l'essentiel des souvenirs de l'auteur accompagnés de nombreuses coupures de presse de l'époque, permet de saisir l'impact du théâtre dans l'opinion publique algérienne[7].

Djamel-Eddine Bensalem évoque ses souvenirs d'étudiant en médecine qui quitte Montpellier le 31 décembre 1956 et se met à la disposition du FLN. L'auteur raconte ses pérégrinations militantes, fait revivre la quotidienneté d'un médecin de l'ALN[8]. Ferhat Abbas raconte son itinéraire d'homme politique algérien dans *Autopsie d'une guerre*[9], et Jules Roy

---

6. Ahmed MOSTEFAI, « Musée du Djihad : où sont nos collections ? », *Algérie-Actualité*, n° 1036, 22 août 1985.
7. Mahieddine BACHETARZI, *Mémoires*, préface de A. Meziani, ENAL, 1984, 317 p., tome II.
8. Djamel-Eddine BENSALEM, *Voyez nos armes, voyez nos médecins*, ENAL, 1985, 289 p.
9. Ferhat ABBAS, *Autopsie d'une guerre, op. cit.*

écrit à propos de ce livre : « Inguérissable que la coexistence des deux communautés ne se soit pas réalisée, il n'en finit pas d'accuser le système colonial sourd, aveugle et satisfait de lui-même, puis la politique qui a conduit les pieds-noirs à se croire menacés et à refuser la politique algérienne. Pour lui tout vient de nos erreurs plus que de la prise de conscience du nationalisme algérien[10]. » Malek Ouary livre un document-roman, véritable témoignage en fait de l'éveil de la révolte algérienne à travers le parcours d'un paysan des Aurès[11]. Saïd Ferdi raconte la descente aux enfers d'un homme traqué, ballotté dans la guerre, rejeté par les siens, car passé à l'ennemi, ce qui fait dire à Michel del Castillo : « Saïd Ferdi, égaré dans son délire, coupé de ses racines, est l'un parmi ces dizaines de milliers de pauvres bougres que la France a entraînés dans sa défaite. Méprisés par les vainqueurs, oubliés des Français, ils croupissent dans leur solitude[12]. »

Ahmed Mahsas[13], M'Hamed Yousfi[14] et Hocine Aït Ahmed[15] retracent leurs itinéraires de militants nationalistes, combattant pour l'indépendance algérienne. Lakhdar Ben Tobbal, ministre dans le GPRA, se prépare à la publication de ses souvenirs.

En attirant l'attention sur son idéal, sa lutte, son sort, celui qui écrit découvre et fait découvrir le rôle qu'il a joué, évoque les autres personnes avec lesquelles la vie l'avait mis en contact et, de proche en proche, va à la découverte de la vie sociale.

Récits de vie et récits critiques

1968-1982 : moment de l'attente, temps du retrait et de la méditation. En France et en Algérie, de très nombreux ouvrages sont donc publiés, surtout, comme on l'a vu, des auto-

10. Jules ROY, *Nouvel Observateur*, 3 novembre 1980.
11. Malek OUARY, *La Montagne aux chacals*, Garnier, Paris, 1981, 218 p.
12. Critique dans les *Nouvelles littéraires* à propos du livre de Saïd FERDI, *Un enfant dans la guerre*, Le Seuil, Paris, 1981, 168 p.
13. Ahmed MAHSAS, *Le Mouvement révolutionnaire en Algérie*, L'Harmattan, Paris, 1979, 362 p.
14. M'Hamed YOUSFI, *L'Algérie en marche*, ENAL, Alger, 1985, 178 p. ; *L'OAS à la fin de la guerre*, ENAL, Alger, 1985, 219 p.
15. Hocine AÏT AHMED, *Mémoires d'un combattant, op. cit.*

biographies et des récits de vie: la quête du sens se fait d'abord dans le retour sur soi. La guerre/révolution se vit comme une affaire individuelle, privée. Toutefois, la multiplicité des points de vue, des impressions rétrospectives des acteurs, entrave l'effort de recherche vers une réalité qui dépasse les témoignages. Les autobiographies arrangent et élaborent une vérité où les erreurs et oublis éventuels peuvent être involontaires (limites de la mémoire), où volontaires (exclusion ou censure d'épisodes peu glorieux). Car la forme la plus pernicieuse et efficace de l'occultation peut être le fait des acteurs ou témoins eux-mêmes: rentrer discrètement dans le rang, accepter d'entériner une « version officielle » des événements, des structures, des responsables... D'autres, et parfois contradictoirement les mêmes, prennent pourtant conscience de leur devoir de témoins et voudraient rattraper le temps perdu alors que les rangs de leur génération se sont clairsemés, que l'érosion du temps a quelque peu obscurci leur mémoire et que leur vision des événements tend naturellement à l'exaltation de certains faits.

Mais dans cette même époque, l'histoire critique, scientifique de la guerre commence. Avec, en 1975 et 1980, la publication des ouvrages de l'historien algérien Mohammed Harbi, qui s'attaque aux « légendes » de l'histoire héroïque, *Aux origines du FLN* (C. Bourgois), et *Le FLN, mirage et réalité* (Jeune Afrique). Et, en 1979, le monumental travail de Charles-Robert Ageron, *Histoire de l'Algérie contemporaine* (PUF). On y découvre, avec toute la distance critique de l'historien, les structures coloniales de l'Algérie, sources de conflits. Une étude de même nature, du côté algérien, est accomplie par Mahfoud Kaddache avec son *Histoire du nationalisme algérien* (SNED, 1980).

Une fuite devant le présent?

Après 1980, une multitude de livres continue de paraître sur la guerre d'Algérie (en particulier, au moment du vingtième anniversaire de l'indépendance, en 1982). En France, dans les six derniers mois de l'année 1989, une vingtaine de livres, romans, souvenirs ont débarqué dans les librairies. Et Jean-Pierre Rioux de noter, à ce propos, dans *Le Monde* (24 novembre 1989): « Cette vague n'a rien d'exceptionnel car, quoi qu'on ait dit sur les traumatismes muets ou les "refoulements" indicibles de cette guerre sans nom dans l'inconscient français, le flot des publications a été ininterrompu depuis 1962. »

Français et Algériens, grâce au livre, ont pu rester arrimés à cette période. Alors, attrait de cette histoire, sous forme privée, par la lecture silencieuse et solitaire, comme une fuite devant le présent ? Oui, si l'on considère que beaucoup d'histoires racontées dans tous ces livres ne visent que trop peu à exposer des actions politiques, économiques ou culturelles, dont on ne veut pas connaître les origines réelles, donc l'issue. En sanctifiant les petits bonheurs bien réglés d'antan, en cultivant la « nostalgeria », l'histoire n'est pas regardée en face... Il y a ceux qui doivent oublier pour apprendre à s'intégrer dans une société en pleine mutation ; ceux qui souffrent de réminiscences cruelles ; ceux qui restent tourmentés par les trous de mémoire volontaires de « l'histoire présente ».

Il s'agit en fait d'un type de « mémoire religieuse », d'une mémoire ritualisée de sorte que chaque événement ne prend son sens que par rapport à l'organisation légendaire du passé. Cette forme d'écriture entraîne une stérilisation de l'historiographie, le déluge de détails historiques provoquant le déclin de la mémoire réelle, le blocage de la représention visuelle.

Non, si l'on voit, par le rassemblement et le classement de tous ces livres, que se structure à travers eux l'imaginaire d'une période décisive de l'histoire contemporaine française. En dressant la bibliographie d'un temps et d'un espace mixte (France/Algérie/colonie), l'histoire du livre permet de comprendre en quoi la guerre d'Algérie est bien la fracture centrale de l'après-Seconde Guerre mondiale : affrontements au sommet de l'appareil d'État, cassures dans l'armée, émergence d'une nouvelle culture politique, entrée en politique d'une nouvelle génération, bouleversements culturels...

Dans ce sens, l'histoire même du lectorat sur la guerre d'Algérie est indicative. Il s'élargit et se déplace de 1960 à 1990 en France. D'une littérature faite exclusivement pour les nostalgiques de l'Algérie française, on passe progressivement à des ouvrages d'ensemble sur la société française de cette époque (droit, économie, culture...), pour en arriver à une production touchant à la crise d'identité française (nationalité et citoyenneté) en rapport avec la guerre d'Algérie. En Algérie, les livres démystificateurs de Mohammed Harbi ou Hocine Aït Ahmed rencontrent une audience croissante, en dépit des interdictions[16].

Images : cette sensation d'absence

Il existe donc, en France, une véritable avalanche de l'écrit à propos de la guerre d'Algérie, surtout à partir des années soixante-dix : des centaines d'ouvrages, d'articles, de brochures, de magazines ou de revues à grand tirage (que l'on se reporte à l'immense succès, en 1972, de la série d'*Historia-Magazine* consacrée à cette guerre...). Pourquoi alors parler « d'amnésie » lorsque l'on évoque cette période ? Parce que s'est installée la confusion entre l'écrit et l'image. Les années soixante-dix/quatre-vingt sont celles de la montée en puissance de l'audiovisuel. Les images peuvent constituer un autre moyen par lequel l'écrit circule dans l'espace social. Surtout pour la guerre d'Algérie. Le silence des parents, l'absence d'une « histoire à la famille » auraient pu donner à l'image un rôle décisif.

Mais sur cette guerre particulière, l'impression prévaut d'un non-compromis entre l'écrit et sa possible représentation par l'image. On dit et on répète que l'Algérie en guerre est peu montrée, que le cinéma français a longtemps refoulé ce qu'il considérait comme un sujet maudit.

En avril 1989, le journal *Libération* consacre un article à cette « caméra qui expurge le temps » de la guerre d'Algérie. Il est expliqué qu'« au traumatisme algérien, le cinéma français répond depuis trente ans par l'amnésie [...]. Le sujet brûle toujours et les quelques tentations d'exorcisme connaissent un véritable chemin de croix[17]. » Pourtant, entre 1962 et 1982, 45 longs métrages de fiction (31 en France, et 14 en Algérie) ont traité, directement ou indirectement, de la guerre

16. Hocine Aït Ahmed, *L'Affaire Mécili, op. cit.*
17. « Guerre d'Algérie : la caméra expurge le temps », *Libération*, 12 avril 1989.

d'Algérie[18]. Pourquoi alors ce sentiment d'absence complète de l'image ?

L'impossible réconciliation par l'image

Dès 1960, Jean-Luc Godard donne le ton sur les rapports entre le cinéma et la guerre d'Algérie. Dans *Le Petit Soldat*, film qui sera interdit, on l'a vu, il fait dire à son personnage principal : « La photographie c'est la vérité, et le cinéma c'est la vérité vingt-quatre fois par seconde[19]. » Puissance terrible de l'image filmée. Dès sa sortie, *Le Petit Soldat* est violemment critiqué à gauche, notamment par Raymond Borde et Robert Benayoun, et par Rachid Boudjedra, qui parle d'un « film de tendance néofasciste[20] ».

Jean-Luc Godard, lui, a choisi : la « vérité » sur cette guerre sera personnelle, subjective. Son film attrape au vol des morceaux de réalités contradictoires, les organise dans *un récit à la première personne*, où l'on découvre l'engagement et le désengagement ; l'anarchisme de droite, et la conscience de gauche ; la valse hésitation des sentiments ; et surtout, le balancement d'un camp à l'autre, de l'OAS au FLN. Le sujet du *Petit Soldat*, c'est bien la confusion d'une situation que la conscience tente de rendre cohérente sans y parvenir. Au moment où la guerre est sur le point de s'achever, le film a l'air de renvoyer tout le monde face à face, dos à dos. Impossible consensus par l'image.

La guerre finie, il n'y a pas de réconciliation possible. Chaque groupe porteur d'une mémoire spécifique veut aller voir « son » film, revivre « ses » propres engagements ou espérances de l'événement encore proche. La différence est grande avec l'après-1945. Le cinéma français, réorganisé après la Libération, célèbre vite la Résistance et ses héros.

---

18. Pour un inventaire des films consacrés à la guerre d'Algérie, on peut se reporter à l'excellente étude d'Alain Garel, « Le cinéma français et la guerre d'Algérie », *Grand Maghreb*, n° 57, 19 avril 1989, p. 18-25 ; l'article de Pascal Ory, « L'Algérie fait écran », *La Guerre d'Algérie et les Français, op. cit.*, p. 572-581 ; du côté algérien, l'ouvrage pionnier de Rachid Boudjedra, *Naissance du cinéma algérien, op. cit.*, Lotfi Maherzi, *Le Cinéma algérien*, SNED, Alger, 414 p. (sans date).

19. Cité dans « Godard, trente ans après », *Les Cahiers du cinéma*, novembre 1990, p. 13.

20. Rachid Boudjedra, *Naissance du cinéma algérien, op. cit.*, p. 25 ; Raymond Borde, Robert Benayoun, *Positif*, n° 46, juin 1962.

Pas de divisions, pas d'ambiguïtés : un peuple tout entier, dans l'action clandestine ou sous l'uniforme, s'est opposé aux nazis et à quelques poignées de collaborateurs. Les « films de résistance » cautionnent l'idée d'un consensus national, rejettent dans l'ombre la réalité d'une France sous le régime de Pétain. Rien de tel à propos de l'Algérie. Les divisions de la guerre se poursuivent à travers l'occupation des écrans.

En 1966, le jury du festival de Venise attribue le Lion d'or à *La Bataille d'Alger*, le film italo-algérien de Gillo Pontecorvo. Le film s'appuie sur des faits réels, l'assaut donné, dans l'hiver 1957, par le colonel Bigeard à la Casbah d'Alger. Les officiers coloniaux sont décrits comme des « professionnels » froids de la lutte antiguérilla, tortures y compris. La délégation française quitte le festival de Venise, et, sous la pression d'organisations de rapatriés, *La Bataille d'Alger* n'est pas montrée en France. Le distributeur américain du film attend 1970 pour demander un visa de censure afin de l'exploiter en France. Le 4 juin, à la veille de sa sortie, les directeurs de salle parisiens décident de retirer le film de l'affiche, à la suite de protestations d'organisations d'anciens combattants. Il faut attendre le 20 août 1970 pour que *La Bataille d'Alger* soit projetée publiquement pour la première fois en France (à Coutances). En octobre 1971, le Studio Saint-Séverin le programme en séance régulière à Paris. Les vitrines du cinéma sont brisées à plusieurs reprises[21].

Quels soldats dans la guerre ?

Au lendemain de 1962, si l'on ne voit pas directement la guerre, on voit des soldats qui en parlent. Et pour beaucoup d'entre eux, dans des films comme *Cléo de 5 à 7* (1962), *La Belle Vie* (1963), *Les Parapluies de Cherbourg* (1964), les années algériennes ont surtout été celles de la séparation avec la famille, la déception d'un retour tant attendu causée par le chômage, l'absence d'une femme aimée, la difficulté de reconstruire une situation sociale.

La guerre d'Algérie est montrée directement, pour la première fois, avec *Les Centurions*, long métrage réalisé par...

21. Thomas SOTINEL, « Algérie, la guerre sans images », *Le Monde*, 31 août 1990.

l'Américain Mark Robson en 1966. Le film s'attache à restituer l'évolution psychologique d'un groupe de soldats qui, pris dans l'engrenage de la guerre, vont s'éloigner les uns des autres. Une sorte de « fin des frères d'armes ». D'autant que le chef militaire, le colonel Raspéguy (Anthony Quinn), mène, lui, une guerre pour la gagner et être « lavé » de son échec en Indochine. Pour le réalisateur, la guerre d'Algérie devient juste un prétexte, un « théâtre » pour condamner la violence. Alors que la guerre avait mobilisé pratiquement toutes les couches de la jeunesse française, *Les Centurions* reste un film où ce conflit est abordé à partir de *l'évolution individuelle* de quelques soldats. L'adversaire, l'Algérien, l'autre, qui voulait se libérer, reste enfoui dans le maquis de l'inconnu. Dans ce film, soldats et officiers n'éprouvent aucun sentiment de gêne, de culpabilité. *Les Centurions* remportent un succès public considérable. Dès 1966, les spectateurs français veulent voir des « héros » en situation de guerre.

Après 1968, la « gauche anticoloniale » tente de rattraper son retard. En nous montrant, là aussi, des groupes de soldats (cette guerre est toujours montrée comme une addition de parcours individuels). En 1971, au moment même où sort *Le Chagrin et la Pitié*, le documentaire sur la collaboration des années quarante, René Vautier retrace dans *Avoir 20 ans dans les Aurès* l'itinéraire moral de jeunes appelés membres d'un commando de chasse. En 1973, l'événement se produit avec *RAS*, du cinéaste Yves Boisset. Film sur les rappelés d'Algérie qui montre que la présence militaire française était assimilable, sur le terrain, à la présence militaire allemande en France. Rien de moins... *RAS*, dont l'impact sur les jeunes générations d'après-68 est évident, montre certains officiers d'active chargés d'encadrer les recrues et qui se conduisent comme des SS : bornés, fanatiques, sadiques, répugnants... *RAS* explique qu'il n'y a pas de différence « qualitative » entre le nettoyage d'un village algérien par l'armée française, et le nettoyage d'Oradour-sur-Glane... Pour le critique Jean-Louis Bory, « ... une telle lourdeur rend anodin ce qui se voulait explosif. [...] En fin de course, ce film endort les consciences qu'il voulait révolter[22] ». Mais

22. Jean-Louis Bory, « A la française ! », *Le Nouvel Observateur*, 20 août 1973.

tout de même, après les grands films réalisés par un Italien (Pontecorvo) ou un Américain (Robson), les cinéastes français dans la décennie soixante-dix montraient-ils quelque chose... En 1977, Laurent Heynemann s'attaque à *La Question*, avec l'histoire d'un directeur de journal sympathisant du FLN arrêté et torturé par des parachutistes en 1957.

Jusqu'aux années quatre-vingt, dans tous les films, le soldat est donc un « anti-héros », incapable de vivre des situations complexes, contradictoires. L'Algérien est absent, ou sa présence ne sert qu'à révéler les « passions » du soldat français.

L'autre, absent

Cette volonté de cloisonnement de la mémoire, ce refus absolu de reconnaissance des motifs de l'autre (adversaires et partisans de l'indépendance...) se manifestent dans la différence de traitement entre cinémas français et algérien. L'absence d'images du côté des maquis algériens, par rapport à celle de l'armée française en action, et dont l'accumulation était renforcée par le caractère répétitif et le peu de densité (par exemple, dans l'émission TV « Cinq colonnes à la une ») marquait déjà, pendant la guerre elle-même, une des grandes disproportions du conflit. Après l'indépendance de 1962, faute de représentations et d'images, l'Algérie (comme pays réel) se volatilise dans la conscience française. On ne se déplacera pas beaucoup pour voir, en France, *Le Vent des Aurès*, tourné en 1965, histoire du jeune Lakhdar qui ravitaille des maquisards, se fait arrêter, et que sa mère cherche désespérément dans les casernes, les bureaux, les camps d'internement... Ni *Décembre*, sorti en 1973, qui raconte la capture de Si Ahmed, responsable du FLN, et « interrogé » par des parachutistes français (il s'agit là des premiers films de Mohammed Lakhdar-Hamina). Pas plus que *Les Fusils de la liberté, Djazaïrouna (Notre Algérie)* ou *Patrouilles à l'Est...*, autant de titres-programmes qui, sur le front des images, dessinent le rapport que les autorités algériennes veulent entretenir entre le cinéma « avec le peuple en marche ». Ces films souvent manichéens (l'héroïque combattant se dressant face au vilain colonialiste) se trouvent estampillés par le label « propagande ». Mais ce label permet surtout un travail de déréalisation, ajoutant à l'effacement de l'Algérie dans l'imaginaire du spectateur français.

Dans *Certaines Nouvelles*, prix Jean-Vigo en 1979, Jacques Davilla fait sentir cette disparition. Son film évoque les souvenirs de l'Algérie française, dans l'été 1961. Dans le monde clos des vacances, sur une plage, vient un homme vêtu de noir, le col de chemise ouvert, le visage hébété d'un sourire aveugle. Un Algérien surgi de nullle part, qui longe le rivage vers nulle part, sous la ligne figée et silencieuse des regards de deux jeunes femmes européennes, pour s'évanouir dans le néant...

Après 1965, le cinéma algérien participe de cette « culture militaire » de la guerre d'indépendance. Le critique Serge Daney évoque ce « post-cinéma soviétique avec les cinéastes-moudjahidin devenus les notables du cinéma d'État[23] ». Les résistants algériens sont courageux et intelligents, les pieds-noirs sont absents (ou quelquefois confondus avec les attentats de l'OAS), et les soldats français toujours cruels et méprisants. « On a tiré plus de coups de feu dans les films algériens que durant toute la guerre », lance le public algérien en guise de boutade.

Le véritable tournant se produit avec *Chroniques des années de braise*, première des nombreuses fictions consacrées à l'Algérie coloniale, qui ne traite pas de la « guerre de libération », son récit s'arrêtant avant le déclenchement de novembre 1954. Le film de Mohammed Lakhdar-Hamina obtient la Palme d'or au festival de Cannes de 1975.

En France, l'Algérie (coloniale) revient, et c'est déjà beaucoup... Le film suscite peu de réactions violentes. Il n'en est pas de même en Algérie. *Chroniques des années de braise* devient le grand sujet polémique du jeune cinéma algérien d'État des années soixante-dix, le régime de Boumediene se trouvant partagé entre la fierté de la Palme d'or flattant son nationalisme exacerbé, et l'agacement à l'égard d'un sujet consacré à l'avant-guerre, considéré officiellement comme une séquence historiquement vide. Le pouvoir tirait alors toute sa légitimité de la culture militaire de la guerre d'indépendance. Pour les historiens du régime, l'Algérie moderne

---

23. Serge Daney, « Cinéma et histoire, le divorce consommé », *Libération*, 12 avril 1989.

n'avait commencé à exister qu'à partir de la guerre anticoloniale. Sous le règne du parti unique que connaissait le pays, il ne fallait pas dire que, durant la colonisation, l'Algérie disposait du multipartisme, d'une certaine liberté d'expression. Ce que le film faisait en montrant des militants messalistes qui apportaient la parole nationaliste dans les campagnes.

Les fictions avant le documentaire

Les anticolonialistes français allaient voir *RAS*, ou *Avoir 20 ans dans les Aurès*; le cinéma algérien cultivait l'héroïsme ; les pieds-noirs pleuraient en découvrant *Le Coup de sirocco*, en 1979, avec Roger Hanin, et les militaires appréciaient *L'Honneur d'un capitaine*, de Pierre Schoendoerffer en 1982. Ces films intéressent des publics distincts, qui ne se mêlent pas. La décennie s'achèvera-t-elle sans le documentaire qui permettrait de comprendre le « drame algérien » ? Car l'on devine bien que c'est par le documentaire (*Le Chagrin et la Pitié* en a fait la démonstration pour Vichy) que cette guerre pourra être exorcisée, traitée.

Il y en aura un, pourtant : *La Guerre d'Algérie*, monté en 1972 par Yves Courrière, à la suite de ses ouvrages. On y entend Guy Mollet s'indigner que l'on puisse évoquer des tortures en Algérie, alors que l'on vient de lire les ouvrages du général Massu parus en 1971 et 1972 *(La Vraie Bataille d'Alger, Le Torrent et la Digue)*, où il ne nie pas la réalité ; on y voit Robert Lacoste et Max Lejeune défendre « les trois couleurs » ; on assiste aux ravages de la pacification et du terrorisme... Le tout débouchant sur l'atroce séquence de la rue d'Isly (« Mon lieutenant, halte au feu ! » hurle une voix anonyme), où un détachement français mitrailla des pieds-noirs le 26 mars 1962... Mais il manque à ce film d'archives la complexité. La vérité n'est pas restituée dans sa richesse, faite de haines et de passions. C'est, *a posteriori*, la démonstration d'un déroulement inéluctable. Le montage est schématique, éludant trois questions principales. Pour le spectateur français, comment comprendre les succès militaires du plan Challe en 1959-1960, et pourtant l'accession de l'Algérie à l'indépendance ? Comment un Algérien accepterait-il le fait que le FLN ait été inactif, immobile et même paralysé à tous les moments où les divisions de l'adversaire lui offraient l'avantage insurrectionnel (13 mai 1958, ou putsch des généraux en avril 1961) ? Et, surtout, pourquoi cette évacuation du côté *guerre civile* de cette guerre ? Tout se passe dans ce documentaire comme si, depuis toujours, tous les musulmans algériens avaient été FLN. Or, pendant de longues années, les résistants algériens étaient non seulement divisés, mais aussi, à certains moments, coupés du reste de la population musulmane. De l'autre côté, il n'est pas du tout évident d'isoler la masse des pieds-noirs des « chefs égarés » de l'OAS... Ce documentaire se regarde, en somme, comme l'envers du *Chagrin et la Pitié.*

Si amnésie il y a, elle se situe surtout dans ce refus d'une mise en scène. La guerre d'Algérie finie, il n'y a pas de représentations d'images *complexes* de cette séquence particulière. C'est l'absence de travail sur l'image qui provoque cette sensation diffuse d'oubli collectif. A la fin des années soixante-dix, les souvenirs tragiques de ce passé très proche restent enfouis, absents de l'univers visuel du présent.

On peut invoquer l'épuisement d'une conscience historique saturée par le poids de la Seconde Guerre mondiale, et bientôt dissoute par le culte du nouveau et de la « modernité ». Mais la faiblesse de la représentation d'archives filmées, ou le « retard » dans l'élaboration de fictions, l'omniprésence de l'écrit illustrent surtout l'impossibilité d'un passage : celui de l'expérience individuelle au choc de la visualisation collective par le film.

Échappant à l'explosion audiovisuelle, la guerre d'Algérie survit par la transmission écrite. La lecture, silencieuse et intérieure, reste la forme privilégiée de son expression et de sa connaissance. Au même moment, en 1978, les Américains produisent *Voyage au bout de l'enfer...* Cette production en série de films américains sur la guerre du Vietnam, commencés dès la fin des années soixante-dix, va être salutaire : « Et nous ? et la guerre d'Algérie ? »

18

La solitude des porteurs de mémoire

En France, dans ces années soixante-dix et quatre-vingt, pieds-noirs, harkis et soldats forment des groupes porteurs d'une mémoire algérienne qui ne se mélange pas. Pour les deux premiers, l'enjeu est moins la re-possession d'un « Sud » évanoui que l'affirmation de soi, moins une guerre qu'il faudrait reprendre que la peur d'une perte d'identité.

Pieds-noirs : le sanglot et la réussite

Un jour de l'été 1962, un pont de bateau encombré de baluchons et de valises, la panique, l'angoisse. Et, dans des yeux que des larmes embuent, la côte de l'Algérie qui, lentement, s'estompe. Cette terre natale qu'ils ne reverront plus. Les parents fixent encore ce qui ne sera, demain, qu'un souvenir paré de toutes les couleurs du rêve. L'enfant, déjà, regarde l'autre rive. Là où il faudra vivre.

En 1962, on compte officiellement un million quatre cent mille « rapatriés », parmi lesquels 930 000 arrivaient d'Algérie, et 370 000 du Maroc et de la Tunisie. Dans la décennie soixante-dix, les mélancoliques de l'Algérie perdue ne se montrent pas accablés de remords et d'autoreproches. Dans le souci de s'épancher, de s'exposer, de se livrer, n'apparaît que rarement la honte. Au contraire : la guerre perdue a renforcé le respect de soi. La perte de l'objet aimé renforce l'identité de soi-même, l'appartenance à la société française. Là réside, en grande partie, le secret de la réussite sociale des pieds-noirs. En vingt ans à peine, ils auront leurs « champions » dans l'industrie, la finance, l'enseignement, le show-business, la recherche scientifique, la technologie, la médecine, le commerce en France, et ailleurs[1].

Mais ce nationalisme extrême manifesté par beaucoup de ces « rapatriés » (quelquefois descendants d'Espagnols, d'Italiens, de Maltais, devenus français outre-mer deux ou trois générations plus tôt) ne doit pas masquer l'écart culturel qui les séparait des habitants de la « métropole » quand ils y sont arrivés en 1962. Les préjugés anti-pieds-noirs allaient bon train dans les années soixante, comme en témoigne Jacques Roseau : « On a vécu une période très dure dans les années qui ont suivi l'indépendance et sous la période du gaullisme historique du général de Gaulle. Et là, c'est vrai qu'on a été animés, au moment de notre arrivée et de notre réinstallation ici, d'une très vive rancœur. C'est le moins qu'on puisse dire, à l'égard de la France et de l'immense majorité des Français, qui s'est même traduite par une véritable haine réciproque. Mais c'était aussi un donné pour un rendu, parce qu'il est vrai aussi que de la part d'une certaine fraction de la population métropolitaine, nous n'avons pas été très bien accueillis et qu'on s'est fait insulter, au cours d'incidents de voiture... de "sale pied-noir !". C'est souvent arrivé. Et nous répliquions : "Sale Français !" Et ça, ça correspond à la période des années soixante/soixante-dix. Et puis, ensuite, les choses se sont apaisées, estompées. On peut dire aujourd'hui que c'est quelque chose qui n'existe plus. Jamais dans une altercation avec un automobiliste, je ne me ferai traiter de "sale pied-noir" et je ne le traiterai de "sale Français". Mais c'est vrai qu'à l'époque, c'est arrivé. C'est une réalité. Il y a eu une distance qui a été prise par la com-

1. Sur cet aspect, voir les dossiers « La revanche des pieds-noirs », *L'Express*, 19-25 juin 1987 ; « La réussite des pieds-noirs », *Le Point*, 16-25 mars 1987 ; « Le pouvoir des pieds-noirs », *Le Nouvel Observateur*, 19-25 juin 1987.

munauté française d'Algérie, les pieds-noirs, à l'égard de la métropole et des métropolitains. Chacun rendait responsable l'autre de son propre malheur[2]. »

Et celui de Michèle Barbier, toujours pour l'émission *Les Années algériennes* : « Marseille... d'abord, je me souviens qu'il faisait très beau... On avait attendu très longtemps, plus de vingt-quatre heures pour monter sur le bateau, et je suis arrivée... Les gens riaient, et moi je ne leur pardonnais pas de rire. Je me souviens aussi d'un mur où il était écrit : "Pieds-noirs, rentrez chez vous !"... alors... c'était ce qu'on faisait... Mais qu'est-ce que c'était "chez nous" ?... Et je sais que je n'ai pas supporté du tout, c'était vraiment intolérable... J'ai demandé à mon père de rentrer dans un cinéma en attendant l'heure du train. Je ne voulais voir personne. Et puis... après, arrivée à Bordeaux. Je suis restée toute seule, je me suis débrouillée comme tout le monde... j'ai trouvé du travail, une chambre... enfin tout ce qui était classique. Et je me souviens, avec une immense provocation : "Je suis une sale pied-noir !" Ou alors c'était : "Oh ! ma pauvre petite, comme vous avez dû souffrir ! On était tous pour vous !" ; ou bien alors le visage se fermait à quadruple tour. Mais j'étais quand même très violente en disant : "Je suis une sale pied-noir !" C'était quand même une provocation épouvantable. »

Le « peuple pied-noir » est alors perçu sur le mode de l'uniformité, dans certains milieux de la gauche française et dans la mouvance gaulliste. Le basculement de l'été 1962, marqué par le départ massif d'un million de personnes, encourage ce type d'analyse : une communauté entière, sans distinction d'origine sociale, politique, culturelle, s'arrache à sa terre natale. Se renforce l'image de l'homogénéité des « pieds-noirs », constituant un bloc indifférencié (cette image continue d'habiter largement les esprits, de nos jours encore). Et à force de leur être encore appliquée, cette conception a fini par imprégner les « pieds-noirs » eux-mêmes.

Mais la réalité historique est tout autre. L'examen attentif de son déroulement bouscule les schémas, les idées reçues qui s'érigent en stéréotypes. Le « peuple pied-noir » d'Algé-

---

2. Entretien avec Jacques Roseau et Michèle Barbier pour *Les Années algériennes*.

rie était en fait un peuple-mosaïque : par la diversité de ses origines sociales (déclassés en tout genre par la révolution industrielle du XIXe siècle, paysans du sud de la France chassés par le phylloxéra) ; par la variété de ses origines géographiques (Méditerranéens venant de l'Italie, de Malte, de l'Espagne, ayant accédé à la nationalité française à la fin du XIXe siècle) ; par le foisonnement de ses idées politiques (les républicains fortement imprégnés de l'idéologie laïque de la IIIe République s'opposant aux droites conservatrices) ; par l'opposition qui s'instaure entre gens des villes — les plus nombreux — et gens des campagnes ; par l'importante hiérarchisation sociale (en 1954, à peine 3 % des Français d'Algérie disposent d'un niveau de vie supérieur au niveau moyen de la métropole ; 25 % ont un revenu sensiblement égal ; 72 % ont un revenu inférieur de 15 % à 20 % alors même que le coût de la vie en Algérie n'est pas inférieur à celui de la France).

Le mot le plus approprié qui sert donc à caractériser au plan historique les « pieds-noirs » est celui de *contrastes.* Mais les Français d'Algérie, parce qu'ils disposent du droit de vote leur permettant d'être intégrés dans la nation française, se distinguent dans le temps colonial de la masse des Algériens musulmans, privés des droits du citoyen. Cette inégalité fondamentale est la clé qui permet de comprendre comment tous les contrastes ont pu s'effacer brutalement dans le cours de la guerre d'Algérie, situation nouvelle qui favorisa l'émergence d'une forte logique communautaire (de part et d'autre), débouchant sur une dynamique de départ au moment de l'indépendance algérienne.

Il faudra attendre plusieurs années pour que la dimension économique de ce déracinement soit sérieusement prise en compte. Le désarroi psychologique et, surtout, la misère sociale dans l'arrivée de l'été 1962 auraient dû, pourtant, attirer l'attention. Ainsi, dans deux reportages photographiques de *Paris-Match*, aux titres évocateurs. Le 28 juillet 1962 : « Une famille Hernandez réfugiée dans le vieux Marseille : vingt personnes dans deux pièces » ; le 11 août 1962 : « 220 pieds-noirs sans logis ont pris d'assaut le Grand Hôtel des Tamaris à Toulon »... Petites gens installées dans des cités d'urgence, puis dans des HLM construites à la hâte à la périphérie des villes, les pieds-noirs vont apparaître, revendiquer, se construire en groupe cohérent autour d'une question : l'*indemnisation* de leurs biens laissés en Algérie. Dès la fin de l'année 1961, avait été votée une loi destinée à prévoir le retour en masse de ceux qu'on appelait alors les Français d'outre-mer. A leur arrivée, ils recevaient une petite somme d'argent et étaient dirigés vers des lieux d'hébergement. Bref, un secours de première urgence. Nulle indemnisation n'était prévue et il n'en fut pas question pendant les neuf années suivantes. Le 30 juin 1970, après la mort du général de Gaulle, une nouvelle loi est votée : ce premier texte d'indemnisation des biens des rapatriés débloque en leur faveur un budget de 9 milliards de francs. Huit années plus tard, sous la présidence de Valéry Giscard d'Estaing, un autre texte libère un crédit de 19 milliards de francs. En application de trois lois d'indemnisation (1970, 1974, 1978), l'État dépense au total 25 milliards de francs. Les bénéficiaires des décisions gouvernementales obtiennent, en moyenne, 58 000 francs par dossier en application des lois de 1970-1974. Puis 110 742 dossiers, réglés à 237 750 bénéficiaires, donnent lieu, en vertu de la loi de 1978, à l'attribution d'un complément d'indemnisation d'un montant moyen de 130 000 francs[3].

Avec la bataille de l'« indemnisation », le mot « rapatriés » entre dans le vocabulaire politique. La pression — voire le harcèlement — politique, et surtout électorale par la consigne du « vote utile », exercée depuis 1977 par le Recours (Rassemblement et coordination unitaire des rapatriés et spoliés), relayant comme un lobby l'action d'associations plus anciennes, semble obliger l'État à ne plus se comporter comme un monstre froid.

Mais on ne rendra jamais aux 195 000 familles ayant déposé un dossier la qualité de leur vie « là-bas », ni leurs souvenirs. La « nostalgeria » reste présente, ancrée dans les esprits des plus anciens. Arrivés en victimes de l'histoire, en vaincus d'une politique qu'ils avaient combattue, ils ne s'enfermeront pas pourtant, dans leur majorité, dans l'amertume d'un ghetto. Reste que, comme le souligne Louis Gar-

3. Le versement de ces indemnités devait s'étaler jusqu'en 1991 pour les détenteurs de titres distribués. En 1987, une quatrième loi d'indemnisation a prévu une nouvelle enveloppe de 30 milliards sur quinze ans (soit 2 milliards de francs courants par an), à partir de 1989.

del, le romancier de *Fort Saganne*, « leurs convulsions ne témoignent que de leur désespoir de se savoir, au fond d'eux-mêmes, un peuple sans destin[4] ».

Ce sentiment d'être à contre-courant ou d'avoir été placé hors de l'histoire se renforce avec l'évanouissement de tous les espaces de mémoire, en particulier le cimetière des ancêtres. L'absence de lieux qui proposeraient en France des reconstructions imaginaires, historiques, est ressentie douloureusement.

Harkis : le cri des oubliés

Malgré les consignes passées aux officiers de ne rapatrier que le minimum de supplétifs (ceux qui étaient les plus exposés aux représailles de l'ALN, ou de la population algérienne) des dizaines de milliers d'entre eux arrivent en France avec leurs familles (environ 85 000 personnes au total, selon Michel Roux). Dans un état psychologique lamentable, sans formation technique, ne maîtrisant pas la langue française, leur connaissance du monde s'arrêtant aux collines limitant leurs villages.

Kader, fils de harki, raconte : « Comme on venait quand même d'un milieu de campagne, la France était pour nous un pays où il y avait pas de boue, où tout était carrelé. Et puis on arrive en plein Lauragais, à côté de Toulouse, c'était la campagne. La campagne profonde ! Donc avec des chemins boueux... Ça a été une grosse déception. [...] Au début, c'était très dur, parce que arriver comme ça... rentrée, école... sans connaître un seul mot de français, même pas avoir le moindre repère... C'est pratiquement se retrouver dans une situation de handicap. C'est devenir sourd et muet en même temps[5]... »

En 1968, on compte officiellement en France 138 458 « Français musulmans rapatriés ». Cette population est concentrée dans quatre zones : le Nord et Paris, le Nord-Est, l'axe Lyon-Grenoble, et la côte méditerranéenne en dernier

4. Louis Gardel, « Un million de parias avec l'exil en tête », *Libération*, 19 mars 1987.

5. Entretien pour *Les Années algériennes*.

lieu. A la différence des pieds-noirs, les harkis et leurs familles se sont donc fixés dans les régions industrielles. Partout ailleurs, ils constituent des communautés réduites et ponctuelles représentant moins de mille personnes par département[6].

Mais certaines localisations apparaissent pourtant comme aberrantes, telles, par exemple, les concentrations dans le Lot-et-Garonne et dans le Gard. Dans ces deux départements, l'importance des effectifs est due à la présence des « cités d'accueil » de Bias et de Saint-Maurice-l'Ardoise.

Le secteur principal d'emploi proposé est celui du forestage : une part importante de cette « population » se trouve ainsi regroupée dans des camps ou hameaux, loin de la population « autochtone ». A l'exclusion sociale par l'emploi, s'ajoute donc l'exclusion spatiale. Les arguments officiels tiennent dans l'assurance d'une nécessaire « protection » de cette communauté, par le regroupement. Autre argument avancé : épargner un déracinement brutal, ce qui sous-entend qu'il est peut-être plus facile pour eux de « vivre en Algérie » qu'en France, où ils risquent d'être dans une situation de choc. C'est en fin de compte remettre en question leur choix pour la nationalité française.

Car il y eut bien *choix*. Ces « combattants de la France » n'étaient pas considérés automatiquement comme des Français. Le jour de l'indépendance algérienne, la majorité d'entre eux étaient des citoyens de statut civil de droit local. On leur avait donc attribué la citoyenneté algérienne. Ce n'est que dans les camps qu'ils ont la possibilité de reprendre la nationalité française : soit par « déclaration recognitive » enregistrée (60 000 chefs de famille sont dans ce cas), soit par une procédure de réintégration.

Autre effet visant à l'exclusion, la destruction au sein des camps du système social traditionnel. Le camp de Bias, étendu sur dix hectares entourés de barbelés, rassemble sans souci de cohésion des cas sociaux, des isolés contestataires,

---

6. Pierre Baillet, « Les Français musulmans : les oubliés de l'histoire », *in Notes et études documentaires*, 29 mars 1976, n°s 4275-4276. Sur l'accroissement numérique de cette population, l'étude note que « 35 % sont nés en France entre 1962 et 1968, contre 15 % chez les Européens rapatriés. Cet accroissement s'accélère. La population suivie par l'administration dans les hameaux forestiers a vu le nombre moyen d'enfants par famille passer de 3,5 à 5 ».

des familles en difficulté. Une autre forme d'exclusion de type administratif les enferme dans une forme de dépendance, rejetant toute initiative personnelle. Pour entreprendre des démarches, ils doivent se référer à un responsable administratif nommé.

A partir des années 1975-1976, l'assistance est généralisée. La principale mesure est l'application d'un système de dépendance qui ôte toute initiative, et par conséquent instrumentalise et infantilise cette population. Ce type de mesure d'encadrement, qui à l'origine visait l'intégration, n'eut pour effet que de générer l'exclusion. L'intégration passe en effet avant tout par l'école, la formation professionnelle. Or, en 1975, près de 70 % des Français musulmans ont moins de 25 ans et 80 % des jeunes de 16-25 ans sont sans emploi, sans qualification, ni formation.

A partir de 1975 commence le réveil, le sursaut des oubliés. Des grèves de la faim sont entamées par les enfants de harkis à Évreux, Roubaix, Lille, Longwy... Ils veulent montrer qu'ils existent, et demandent d'être traités comme les autres Français, de bénéficier des mêmes droits. Les parents, le plus souvent murés dans le silence par crainte (« Si on se plaint, les gendarmes viendront nous chercher »), par honte (« Nous avons combattu contre nos coreligionnaires »), par ignorance (la plupart sont d'origine paysanne, analphabètes), se sont satisfaits d'une carte d'identité française. Leurs fils réclament les avantages de la citoyenneté. Loin de les blâmer, les vieux harkis se réveillent alors et parlent à qui veut les entendre d'injustice, de corruption de l'administration, des insultes subies.

A Saint-Maurice-l'Ardoise, dans le Gard, quatre revendications émergent dans la révolte : rapatriement des familles restées en Algérie, libre circulation entre la France et l'Algérie, indemnisation, enfin, surtout, dissolution du camp. Une banderole proclame : « Dans ce ghetto, on fabrique des inadaptés[7]... »

Des enfants de harkis disent ce que fut la vie quotidienne dans ces camps : « Tous les matins, c'était o-bli-ga-toi-re, il y avait la levée des couleurs ! Il y avait un système militaire

7. Hervé CHABALLIER, « Le camp de la honte », *Le Nouvel Observateur*, 30 juin 1975 ; Guy SITBON, « La révolte des harkis », 25 août 1975.

qui continuait. Tous les matins, c'était obligatoire, il fallait attendre que le directeur du camp, M. Bouchet, se présente. Il y avait un lever de drapeau, avec tous les harkis derrière, au salut. »

Un autre : « Il y avait une douche gratuite par semaine. Le reste, c'était 50 centimes par douche, et c'était chronométré... Top ! il fallait se savonner... top ! c'est fini[8]... »

L'arrivée en France de cette communauté n'eut pas le même impact que l'installation des travailleurs immigrés. Le seul point commun que l'on puisse leur trouver est la séparation avec le pays d'origine. Mais pour l'immigré, cette séparation est perçue comme momentanée et les liens avec la terre natale demeurent. Le Français musulman, lui, est totalement coupé de l'Algérie : son engagement passé avec l'armée française durant la guerre d'Algérie le condamne au « bannissement », le harki est le « traître historique », le « collaborateur ». Ce non-droit au retour est de surcroît induit par la position officielle du gouvernement algérien : « Tout musulman né en Algérie ou de parents algériens devient obligatoirement algérien. *La nationalité française tombe* si parents ou enfants désirent retourner au pays, même temporairement. »

Dans une étude parue en 1976, Pierre Bouillet note : « Le plus tragique est leur isolement face aux travailleurs algériens en France, dont certains étaient leurs adversaires de maquis. Les deux groupes sont confondus par les Français. Les harkis ne sont donc pas reconnus comme des Français. »

Sous le septennat de Valéry Giscard d'Estaing sont envisagées des « mesures d'intégration » pour cette population évaluée à deux cent quarante mille personnes en 1975. Mais les mesures tardent à être appliquées... Après 1981, le secrétaire d'État aux Rapatriés Raymond Courrière met l'accent sur l'action sociale, avec la multiplication des centres d'éducation, de formation professionnelle, des contrats d'action sociale éducative et culturelle, appliqués dans les différentes municipalités. D'après Raymond Courrière, ces « immigrés de l'intérieur » ne doivent plus être considérés comme des « citoyens de seconde catégorie ». L'une des premières déci-

8. Entretiens réalisés au camp de Bias, en novembre 1990, pour *Les Années algériennes.*

sions est de garantir leur indemnisation au même titre que les autres rapatriés, droit qui leur était refusé d'après le décret du 5 août 1970. Mais le cas des harkis soulève la question : peut-on être français et arabe à part entière ?

Dans la révolte qui embrase en juin 1991 une cité de Narbonne, où vivent de jeunes enfants de harkis, Zaroug, 30 ans, témoigne : « Ici, ce sont 95 % des jeunes Français musulmans qui sont au chômage. Depuis 1979, je passe de stage d'ANPE en stage d'ANPE. Alors, côté gouvernement, on nous dit qu'on est français, mais lorsqu'on se pointe pour un boulot, on vous dit de repasser parce que l'employeur potentiel nous voit avec une tête d'Arabe[9]. »

Soldats : les bouffées de mémoire

Les « anciens d'Algérie » se dispersent dans la société française, et on les verra partout, dans le spectacle ou la politique : Jacques Chirac et Cabu, Jean-Pierre Chevènement et Philippe de Broca, Claude Lelouch et Jean-Jacques Servan-Schreiber... Et il y a surtout les autres, tous les autres, les anonymes. Employés, journalistes ou P-DG, ils parlent de tout, et « oublient » l'essentiel : leur guerre, celle d'Algérie... Pourquoi le silence ?

Aujourd'hui médecin, et membre d'une commission médicale nommée par le ministère des Anciens Combattants pour étudier les traumatismes causés par la guerre, un ancien d'Algérie explique pour *Les Années algériennes* : « Les anciens d'Afrique du Nord, lorsqu'ils ont voulu raconter... certains ont voulu raconter..., eh bien ils se trouvaient plutôt devant un silence gêné, poli. On écoutait... on nous a écoutés, bien sûr, mais je ne crois pas qu'on nous ait posé les bonnes questions et qu'on ait eu une écoute suffisamment attentive. Alors, dans ces conditions, je crois qu'on s'est arrêté de parler. »

Dans ces années soixante/quatre-vingt, ils sont quand même quelques-uns à écrire, publier. Citons certains de ces auteurs qui, à la première personne, au travers de la forme romanesque ou par la photographie, relatent leur expérience

9. *Libération*, 24 juin 1991.

de la guerre d'Algérie : Gérard Perot, *Deuxième Classe en Algérie*, 1962 ; M. Le Cornec et M. Flament, *Appelés en Algérie*, 1964 ; Jacques Gohier, *Instructeur en Algérie*, 1966 ; Philippe Labro, *Les Feux mal éteints*, 1967 ; René Machin, *Djebel 56*, 1978 ; Simon Murray, *Légionnaire 22 février 1960-12 février 1965*, 1980 ; Luc Fredefon, *Le Grand Guignol ou la vie quotidienne d'un appelé en Algérie*, 1981 ; Claude Klotz, *Les Appelés*, 1982 ; Armand Frémont, *Algérie, El Djezaïr. Les carnets de guerre et de terrain d'un géographe*, 1982 ; Marc Garanger, *1960, femmes algériennes*, 1982.

Tous ces anciens soldats, et d'autres, comme Daniel Zimermann *(Nouvelles de la zone interdite)* ou André Still *(Trois pas dans une guerre)*, ont voulu raconter, témoigner, mais ils ont dû affronter la surdité d'un monde pour lequel leur noir récit était inaudible. La prise de parole dépend de la capacité d'écoute... Jean-Pierre Farkas, aujourd'hui journaliste, se pose la question : « Ce qui me frappe beaucoup — et je me pose la question très souvent — c'est que je n'ai pas encore rencontré un homme de mon âge qui m'ait dit : "J'ai fait la guerre d'Algérie." Si, au marché, j'ai un copain qui vend du poisson ; l'autre jour, il m'a dit qu'il avait fait la guerre. Mais ça s'est arrêté là. Alors que nos pères, je dirais pas nous ont barbés, mais enfin nous ont abreuvés de leurs récits sur 1914-1918 et même 1939-1945. Je n'ai pas encore rencontré des anciens combattants d'Algérie qui racontent la guerre. Pourquoi les Français ont-ils digéré ça ? Pourquoi tout ça est-il enfoui quelque part ? Je ne sais pas[10]. »

Il y a, dans cette réflexion, une indication. La France du boom économique ne reconnaît que les deux « grandes » guerres : 1914-1918 et 1939-1945. La troisième génération du feu n'existe pas.

Avec ceux de 1914-1918, c'était tonitruant : les tranchées, les baïonnettes, les obus, le pinard, la boîte de singe, la cote 154, le petit bois derrière lequel il y avait une « mitrailleuse boche »... Moins combattants dans l'ensemble, les anciens de la Seconde Guerre mondiale racontent néanmoins les stukas, les stalags, les chars, et comment on est remonté de Cassino aux Ardennes. Ceux d'Indochine, qui étaient des soldats

10. Jean-Pierre Farkas, entretien pour *Les Années algériennes*.

de métier, en gardent une certaine fierté. Ceux d'Algérie, eux, *ne sont pas écoutés.*

Ils ont eu vingt ans dans les mechtas incendiées du Constantinois, dans les montagnes de Kabylie, dans le massif de l'Ouarsenis... Et pourtant, on le leur répète, la guerre d'Algérie n'existe pas. Ils ont fait leur service, sont rentrés chez eux, repris par une société où régnait le plein emploi. Et puis, le silence. A leur retour à la vie civile, de toute manière, la France ne leur concède même pas le statut de combattant.

« Opérations de maintien de l'ordre » : la formule continue de prévaloir, dix ou vingt ans après. Du coup, des milliers d'hommes, dont certains sont d'anciens combattants au sens strict d'une « fausse » guerre, vont se regrouper pour faire valoir leurs droits et leurs mémoires.

Deux mouvements d'anciens d'Algérie se créent dès 1958 sous couvert d'apolitisme pour défendre les droits matériels et moraux des jeunes démobilisés d'Afrique du Nord. L'UNCAFN (Union nationale des combattants et des anciens d'Afrique du Nord) est favorable à l'Algérie française. Alors que la FNAA, sous la houlette de Jean-Jacques Servan-Schreiber, devenue aujourd'hui la FNACA (Fédération nationale des anciens combattants d'Algérie-Maroc-Tunisie) se prononce pour un règlement pacifique du problème algérien. Un troisième mouvement, les CATM (Combattants d'Algérie-Tunisie-Maroc), naît en 1963 sous l'impulsion de la puissante FNCGP (Fédération nationale des combattants prisonniers de guerre), aux traditions humanistes, dont François Mitterrand fut l'un des fondateurs au lendemain de la Libération. En 1980, ces trois associations ne regroupent pas moins de 600 000 adhérents. La FNACA (250 000 adhérents) lutte pour la paix et le rapprochement entre la France et l'Algérie[11]. L'UNCAFN (230 000 adhérents) défend les valeurs fondamentales de la France : la famille, la patrie... et ignore les adversaires d'hier. Enfin, les CATM (120 000 adhérents), à mi-chemin entre les deux précédentes organisations, considérées trop extrémistes, soutient les institutions en place et milite pour le désarmement universel.

Malgré tout, la contagion du silence interdit que l'immense

---

11. Voir, édité en 1982 par la FNACA, *Témoignages 1952-1962* : une véritable somme, le meilleur travail sur le souvenir des anciens d'Algérie.

masse des acteurs engagés dans cette guerre accepte de s'identifier à quelques leaders. Trente ans plus tard, en 1991, il n'existe toujours pas de candidats pour s'approprier cette mémoire, ni de monopole de la parole dans l'espace commémoral.

N'y a-t-il plus grand-chose à « exorciser », plus rien à affronter ni à vouloir ? Les voix demeurent encore discordantes, à peine audibles, part d'un pittoresque devenu archaïque, au même titre que le timbre nasillard du speaker des « actualités » de l'époque. L'immense masse de « ceux d'Algérie », tout particulièrement les soldats, préfère encore la solitude dans ses bouffées de mémoire. Ce que dit Jean-Marie Linné, pour *Les Années algériennes*, en 1990 : « Il est vrai qu'on n'aime pas parler de la guerre d'Algérie... Pourquoi ? Parce qu'on n'est peut-être pas toujours fier de tout ce qui s'est passé, bien qu'on n'ait pas personnellement pris part à toutes les activités. Mais on sait ce qui s'est passé. Il est vrai que c'était un profond silence pendant les premières années quand on est rentrés. A l'heure actuelle, c'est vrai qu'on essaye de parler de la guerre d'Algérie d'une façon plus constructive. Quand je dis "constructive", je dis que l'histoire de la guerre d'Algérie ne s'écrit pas avec une gomme, cela s'écrit avec une plume. Et je crois que c'est important que l'homme conserve un souvenir. Mais... on reste des oubliés de l'histoire[12]. »

Le témoignage du géographe Armand Frémont[13], qui fit partie de cette « génération des djebels », confirme éloquemment que la plupart de ces jeunes gens, quoique disciplinés, n'approuvaient pas cette guerre dont le sens leur échappait. Loin de se sentir soutenus, compris, ils constituaient, comme l'a écrit Philippe Labro dans son roman *Les Feux mal éteints*, dès 1967, « une multitude de solitudes ».

Pour autant, le silence de cette génération, « au-delà du chagrin et de la pitié, est une réponse qui ne manque pas de dignité face à l'escroquerie de l'histoire[14] », note justement Paul-Jean Franceschini.

---

12. Jean-Marie Linné, appelé, originaire du Nord, entretien pour *Les Années algériennes.*

13. Armand FRÉMONT, « Le contingent : témoignage et réflexion », *in La Guerre d'Algérie et les Français, op. cit.*, p. 79-85.

14. Paul-Jean FRANCESCHINI, « La génération muette », *Le Monde*, 28 octobre 1984.

19

Conflits de mémoire : des archives et des chiffres

Vingt-cinq ans après : l'apparente sérénité des Français

Fin des années soixante-dix... Pieds-noirs et harkis, anciens soldats ou immigrés algériens vivant en France... Ces mémoires éparses, celles de ces minorités que la guerre a touchées profondément, et souvent douloureusement, demeurent vives. Mais elles ne rencontrent pas une mémoire nationale constituée autour de cette guerre. Les Français, dans leur majorité, refusent-ils de se souvenir ? Ou bien, vingt-cinq ans après le 1er novembre 1954, ont-ils réussi à surmonter le traumatisme, à porter sur ces « événements » un regard serein ? La lecture d'un grand sondage *L'Express*-Europe 1-Louis Harris[1], réalisé en octobre 1979, semble accréditer la seconde hypothèse. « Le temps passant, les blessures se cicatrisent », notent les commentateurs du sondage. Ils relèvent cinq signes de « cicatrisation ».

1. Mai 68 est, de loin, l'événement le plus marquant pour

1. Sondage réalisé entre le 1er et le 5 octobre 1979 auprès d'un échantillon de 1 000 personnes représentatif de la population française. Publié dans *L'Express* du 27 octobre-3 novembre 1979.

les moins de 30 ans (42 %) ; la guerre d'Algérie est celui des 35-49 ans. Comme la génération des barricades de la rue Gay-Lussac remplace celle des djebels, alors, la guerre d'Algérie n'est plus que l'affaire d'une génération en train de se faire dépasser.

2. Les Français de 1979 sont sévères pour la France qui a mené la guerre d'Algérie : 58 % jugent qu'elle « a eu tort de faire la guerre d'Algérie », contre 16 % seulement qui la justifient. Les Français expliquent l'attitude des gouvernements successifs de l'époque par des motivations peu glorieuses (pour 35 %, les gouvernements n'ont pas compris que le système colonial était condamné ; pour 23 %, seul l'intérêt, la préservation du pétrole ou des biens des colons, explique cette guerre).

3. La révolte des Algériens est comprise : 54 % pensent que « la volonté des Algériens d'être maîtres chez eux » est la raison principale de la guerre. D'autres raisons « nobles » (volonté d'indépendance, refus de l'injustice, 31 %) dominent nettement les « mauvaises » raisons (pression étrangère, 18 %, fanatisme religieux, 12 %).

4. Le sang-froid et la tolérance sont notables sur les thèmes brûlants de la guerre. 43 % approuvent les « porteurs de valise », 81 % estiment que la torture est inadmissible, 70 % condamnent le terrorisme, quelles que soient les circonstances.

5. L'indépendance était inévitable. A la question : « Pensez-vous que si la France avait su correctement agir dès le début, l'Algérie aurait pu rester française jusqu'à aujourd'hui, ou que, de toute façon, il était inévitable qu'elle devienne indépendante ? », 62 % répondent que l'indépendance était inévitable (contre 23 %) ; et 46 % approuvent l'action du général de Gaulle face au problème algérien (contre 24 %).

Il est clair, à l'examen de ce sondage, que la difficulté viendra de cette coexistence entre la « sérénité » d'un peuple qui pense que la guerre d'Algérie est vraiment finie, et les passions encore chaudes, secrètes, de ceux qui ne veulent pas oublier, ou « poursuivent » la guerre.

Mais si les Français se révèlent si pleins de sang-froid sur « les années algériennes », si majeurs, pourquoi alors ne pas leur permettre de voir, de découvrir mieux cette guerre ? Un fait, qui passe quasiment inaperçu à l'époque, vient troubler cette analyse de la « sérénité » sur la guerre d'Algérie.

Le 3 janvier 1979, une loi prévoit que « les archives des services de la Police nationale mettant en cause la vie privée, ou intéressant la sûreté de l'État, ou la Défense nationale, ne peuvent être consultées qu'après un délai de soixante ans ». Cette loi, très restrictive pour la consultation des archives, sera suivie d'un décret, le 3 décembre 1979[2]. Les historiens, premiers intéressés, font vite leurs « comptes »: impossible de toucher, d'approcher la guerre d'Algérie. Les archives se ferment. Dissimulées aux chercheurs français, elles deviennent l'objet de la première grande polémique entre la France et l'Algérie, organisée autour de l'héritage de cette mémoire de la guerre.

France-Algérie : la bataille des archives

Au début du mois d'octobre 1981, le journal *Le Quotidien de Paris* révèle que le gouvernement se prépare à livrer à l'Algérie les archives françaises rapatriées à Aix-en-Provence[3]. La gauche vient d'arriver au pouvoir, depuis quelques mois à peine. La droite lance sa première grande offensive, et accuse : la France va livrer au FLN les archives de l'Algérie qu'elle détient. Sur cette question, un retour en arrière, sur la fin de la guerre d'Algérie, s'impose.

Algérie, printemps 1961. Le putsch des généraux vient de s'effondrer. Haine, tueries, règlements de comptes se déchaînent ; FLN et OAS, lancés dans les ultimes et décisives batailles, multiplient meurtres et attentats. Avec d'autant plus de rage pour les commandos européens que l'indépendance approche. C'est alors que les Archives nationales transmettent un ordre : rassembler d'urgence les archives, disséminées à travers le pays, les rapatrier vers la métropole. Mémoires d'un long chapitre qui s'accélère vers son dénouement. Durant un an, jusqu'à l'échéance de juillet 1962, qui mar-

2. Loi 79-18 du 3 janvier 1979; décret n° 79-1038 du 3 décembre 1979.
3. Voir l'article de Jean-François Mongibeaux dans *Le Quotidien de Paris*, 19 octobre 1981.

que le désengagement de la France, on va parer au plus pressé.

D'abord, on trie et on emporte les papiers du gouverneur général et de son cabinet. Puis 200 tonnes de cartons de registres et de liasses, qui vont occuper sept kilomètres de rayonnages. Ce sont les archives dites « de souveraineté », à caractère politique, engrangées par la haute administration durant cent trente années de présence française. S'y ajoutent les papiers du consulat de France à Alger, antérieurs à 1830. Des trésors pour l'histoire.

Dans les quelque 217 dossiers et 13 000 pièces qui se rapportent à la période 1830-1848 se trouvent des témoignages inédits sur l'expédition d'Alger et aussi sur Abdelkader (où l'on apprend par exemple que la smala du chef arabe projetait de livrer celui-ci aux Français). Les 2 013 cartons et 343 registres relatifs à l'administration décrivent le travail sur le terrain : éradication de maladies endémiques, irrigation de terres incultes, ouverture de voies de communication... Quantité de liasses évoquent la « surveillance des indigènes » — synthèses quotidiennes de renseignements sur la vie religieuse ou l'activité politique des musulmans. D'autres pages révèlent les conditions financières du ministère de la Production industrielle concernant les mines et les recherches d'hydrocarbures à partir de 1886. Ou mettent à jour la correspondance des cabinets des gouverneurs, complétée par les fonds Bugeaud et Gueydon. Les documents relatifs aux déportés du second Empire, aux troubles antisémites (1898-1901), aux rapports sur les partis politiques « européens » éclairent un siècle de peines et de joies de la minorité pied-noir[4].

En 1962, dans la précipitation de l'exode, plusieurs centaines de tonnes d'archives sont laissées sur place. En particulier, tout ce qui traite de la gestion courante : les dossiers techniques, affaires de santé, de travaux publics, de voirie, qui transitaient par le cabinet du gouverneur. L'historien Jean-Louis Planche signale que d'autres types d'archives n'ont pas été rapatriées, et sont en voie de classement en Algérie même : « Il y a là des merveilles, au sens où l'historien l'entend : les doubles des rapports de préfets d'Alger et

4. Sur le contenu de ces archives, voir Guy Porte, « Un indispensable inventaire », *Le Monde*, 13 novembre 1981.

d'Oran, les dossiers des Renseignements généraux et autres officines sœurs très remarquablement informées, et un monceau de papiers estampillés "confidentiel", "secret", "très secret"[5]. »

D'autres sources importantes manquent aussi cruellement dans ces tonnes d'écritures rapportées en France. Une partie des archives d'Oran a été détruite dans l'incendie d'un bâtiment de la préfecture, comme le fut la bibliothèque d'Alger. Les archives hypothécaires et territoriales n'ont pas pu, non plus, franchir la Méditerranée.

Si l'état civil a été replié sur Nantes, si la « mémoire » de l'armée est réunie au fort de Vincennes, tout le reste des « archives algériennes » a été regroupé à Aix-en-Provence. Inauguré en octobre 1966, le dépôt d'Aix rassemble la plus grande partie des archives des anciennes colonies françaises, de l'île Bourbon à Djibouti, des Indes à l'AEF et à l'Indochine, sauf celles des anciens protectorats, conservées par le Quai d'Orsay. Le fonds de l'Algérie représente, à lui seul, plus de la moitié des documents regroupés.

En août 1981, Claude Cheysson, alors au Quai d'Orsay, évoque avec le président Chadli la possibilité d'une restitution à l'Algérie des archives concernant la présence française de 1830 à 1962. Très vite, en octobre, « l'affaire » éclate. Les réactions d'hostilité se multiplient.

Pour l'Académie des sciences d'outre-mer, « les archives, propriété de la nation française, sont des archives de souveraineté, prolongement des archives métropolitaines. Elles ne peuvent être remises à un gouvernement étranger[6] ». Jacques Roseau, porte-parole de l'organisation de rapatriés le Recours, considère que la cession de cet héritage pourrait « avoir un caractère de délation très grave, mettant en jeu la sécurité d'Algériens vivant toujours dans leur pays et qui furent des amis de la France, et celle de nombreux Français musulmans qui pourraient se rendre en Algérie ».

Pierre Laffont, ancien directeur de *L'Écho d'Oran*, proteste : « On nous a privés de notre pays, de notre passé, de nos souvenirs, de nos amitiés. Nous ne saurions accepter

5. Jean-Louis PLANCHE, « L'incroyable affaire des archives d'Algérie », *Les Nouvelles littéraires*, novembre 1981.

6. *Le Quotidien de Paris*, 30 octobre 1981.

qu'aujourd'hui on nous prive de notre histoire. » A quoi Jules Roy, écrivain, auteur des *Chevaux du soleil*, répond : « Mes archives, ce sont les cimetières. Alors, la question de la restitution des archives d'Aix, je m'en fous éperdument ! L'histoire est écrite dans le sang des hommes et dans les astres. Moi, je ne raisonne pas avec des fiches d'ordinateurs, je ressens[7] ! »

Bruno Delmas, professeur d'archivistique contemporaine à l'École nationale des chartes, établit le principe suivant : « Pour fonder leur revendication des archives de souveraineté française, les Algériens invoquent le principe de succession d'État. Mais, pour qu'il y ait succession, il faut qu'il y ait décès. Or l'État français n'est pas mort en 1962[8]. » A quoi les Algériens répliquent que les archives qui leur ont été laissées sont comme des épaves isolées, sans cohérence entre elles. Ils s'insurgent contre les « formes déguisées du néo-impérialisme culturel » et proposent une conception renouvelée de la coopération : « Pourquoi partir du principe que les originaux doivent appartenir à l'ancien colonisateur ? Pourquoi l'ex-puissance coloniale n'aiderait-elle pas un jeune État à conserver et à restaurer son patrimoine[9] ? »

On devine bien, derrière cette question des archives, que l'enjeu majeur n'est pas l'élaboration d'une règle commune répondant aux vœux des deux parties (qui consisterait à accumuler, classer, microfilmer cette masse de documents pour qu'elle puisse être accessible aux chercheurs des deux côtés de la Méditerranée). En fait, personne n'ose dire clairement que révéler le contenu de ces archives pourrait être embarrassant, mais qu'il est indispensable d'y faire face. Les tenir secrètes ne protège pas les « innocents », mais les « coupables ». La « bataille des archives » annonce, de toute façon, la fin de la déploration stérile de la guerre d'Algérie ; et ouvre sur un autre conflit de mémoire, les chiffres de la guerre.

7. Jacques Roseau, Pierre Laffont et Jules Roy, entretiens au *Quotidien de Paris*, 19 octobre 1981.

8. Bruno Delmas, « Les exigences de la recherche historique », *Le Monde*, 13 novembre 1981.

9. Paul Balta, « Les arguments d'Alger », *Le Monde*, 13 novembre 1981.

L'inflation des chiffres

En 1962, le congrès de Tripoli du FLN annonce qu'« un million d'Algériens ont été tués dans la guerre d'indépendance ».

En 1963, la Constitution algérienne parle de « plus d'un million et demi de martyrs ».

En 1968, ce chiffre est repris par le Conseil supérieur islamique d'Alger.

En 1970, le président Houari Boumediene l'officialise : « L'Algérie est le pays d'un million et demi de martyrs. » L'expression « pays d'un million et demi de martyrs » sera même utilisée dans les autres pays arabes pour désigner, couramment, l'Algérie. En face, dans certains milieux en France, on veut contrer ces chiffres-propagande, par une autre propagande des chiffres. Aux « un million et demi de martyrs algériens » répondent les « 150 000 harkis assassinés ». Vingt ans après l'indépendance, le nombre des victimes augmente donc de façon spectaculaire...

Autre accroissement, celui du nombre de combattants, tant du côté français que du côté algérien. En 1967, d'après les statistiques du ministère de la Défense, un peu plus de deux millions de soldats français ont été engagés dans la guerre d'Algérie. Ces chiffres sont communiqués le 19 novembre 1968 à la FNACA (Fédération nationale des anciens combattants d'Afrique du Nord) qui estime « ces chiffres inférieurs aux statistiques déjà connues et contestées ». La FNACA propose donc de rajouter « un million », au chiffre proposé. Désormais, on parlera de trois millions de soldats, anciens d'Algérie.

Du côté algérien, on parle d'un « peuple en armes ». Difficile, dans ces conditions, d'établir exactement le nombre de combattants. Mais on évoque souvent, dans de multiples déclarations, un chiffre de l'ordre de 350 000. La liste établie en 1974 par le ministère des Anciens Moudjahidin mélange combattants civils du FLN et combattants militaires de l'ALN. Elle comporte 336 000 noms. En 1990, l'historien algérien Abdelkader Djeghloul propose, lui, 120 000 hommes en armes pour l'armée des frontières. Entre les deux chiffres, un écart de plus de 200 000...

On pourrait multiplier les exemples de chiffres qui ont

connu une grande inflation : les Européens enlevés après l'indépendance (le chiffre varie de 1 500 à 6 000 selon les associations) ; le nombre de soldats blessés (de 15 000 selon les chiffres du ministère de la Défense à... 450 000 selon la FNACA) ; les ruraux algériens déplacés par l'armée française (un million officiellement, deux millions selon le rapport de Michel Rocard en 1959, et trois millions selon la Charte d'Alger du FLN en 1964)...

Bref, la guerre a fait plus de « victimes » dans les vingt années qui ont suivi 1962 que pendant sa durée réelle, entre 1954 et 1962. Différents historiens se sont mis au travail, depuis plusieurs années, pour tenter d'établir une vérité scientifique[10]. Mais ce moment de la démesure est significatif. Il est celui des *mythes* qui reconstruisent, dans les imaginaires, la guerre d'Algérie : mythe de la victoire algérienne par les armes ; ou mythe de l'Algérie française, heureuse, brisée par le fanatisme...

10. En particulier, André Prenant, Charles-Robert Ageron, Guy Pervillé.

IV

1982-1991
Les revanches imaginaires

La guerre d'Algérie ? Une mauvaise cicatrice qu'on ignore parce qu'elle ne fait plus souffrir. A la fin des années soixante-dix, elle semble ne plus exister sous forme de traces repérables. Cette séquence s'est enfouie dans les esprits sous l'effet du développement, de l'organisation des sociétés, française et algérienne.

Dans la décennie quatre-vingt, il va en être tout autrement. La guerre d'Algérie construit alors une « banque » de représentations fonctionnant comme une incitation à agir dans le présent. Le moment n'est plus à la simple conservation du passé, de l'émotion, de l'évocation. Les résistances mémorielles, qui affleurent, réactivent des questions déjà entendues au temps colonial.

En France, le « problème de l'immigration » occupe une place centrale dans les débats politiques, idéologiques. Derrière les mots « intégration », « assimilation », se dessine la grande question des Arabes en France, leur place, leur rôle comme nouveaux citoyens. Nombre de souvenirs qui paraissaient perdus se réveillent, se manifestent : peut-on être musulman et français à part entière ? A nouveau se lève le défi, non réglé, qui a conduit à la guerre d'Algérie.

En Algérie, le « problème de l'islamisme » envahit tout le champ social et politique. Derrière les discussions identitaires, se cache le grand problème de la sortie du parti unique forgé dans la guerre d'indépendance.

Avec la définition de l'Autre, de l'étranger en France ; et le questionnement sur l'origine de la nation, du parti-État en Algérie, d'un côté comme de l'autre de la Méditerranée les effets (différés) de la guerre s'exercent puissamment. Et le rapport franco-algérien, déjà douloureux, difficile, se sature davantage encore de significations contradictoires, de références souterraines où se répercute sans fin l'écho de batailles livrées trente ans plus tôt.

Entre 1982, date de l'amnistie complète des généraux putschistes en France, et 1991, moment de la guerre du Golfe, des discussions, des mobilisations s'opèrent autour du racisme, du Code de la nationalité ou de la place de l'islam en France ; et, en Algérie, les débats autour du nationalisme, du populisme et de la démocratie, ravivent la mémoire des années de guerre. Le temps du silence est fini[1].

1. Sur le détail des faits évoqués dans cette partie, se reporter à la chronologie en fin de volume.

20

France : derrière l'immigration, la guerre d'Algérie

L'amnistie, l'oubli ?

Dès l'indépendance de l'Algérie, une chaîne d'amnisties impose, construit l'oubli de la guerre. Dès le 22 mars 1962, deux décrets sont pris pour réaliser une amnistie que l'on inclut dans les accords d'Évian : « En vue de permettre la mise en œuvre de l'autodétermination des populations algériennes (...) sont amnistiées toutes infractions commises avant le 20 mars 1962 en vue de participer ou d'apporter une aide directe ou indirecte à l'insurrection algérienne. Sont amnistiées les infractions commises dans le cadre des opérations de maintien de l'ordre dirigées contre l'insurrection algérienne avant le 20 mars 1962. »

La loi du 17 juin 1966 amnistie « les infractions contre la sûreté de l'État ou commises en relation avec les événements d'Algérie ». Elle concernait l'insurrection contre le gouvernement légal, amnistiait les membres de l'OAS, ainsi que ceux qui luttaient contre cette organisation. La loi du 31 juillet 1968, on l'a vu, a amnistié de plein droit toutes les infractions commises en relation avec les événements d'Algérie, y compris celles « commises par des militaires servant en Algérie pendant la période ». La loi du 16 juillet 1974 efface, encore, toutes les condamnations prononcées pendant ou après la guerre d'Algérie.

Avec l'arrivée au pouvoir de la gauche en mai 1981, les Français vont-ils, enfin, regarder cette histoire en face ? Le 29 septembre 1982, Pierre Mauroy, chef du gouvernement, présente un projet de loi « relatif au règlement de certaines conséquences des événements d'Afrique du Nord ». Le président de la République, François Mitterrand, avait déclaré quelques jours plus tôt : « Il appartient à la nation de pardonner[2]. »

Pardonner... C'est ce que refuse Pierre Joxe, et une partie importante du groupe socialiste à l'Assemblée. Le projet présenté va, en effet, beaucoup plus loin que les précédentes lois d'amnistie. Il permet la « révision de carrière » pour tous les policiers ou administrateurs civils renvoyés de la fonction publique entre 1961 et 1963. Et surtout, « la réintégration dans le cadre de réserve » de huit généraux putschistes d'avril 1961.

Le Premier ministre engage la responsabilité du gouvernement. Le 23 octobre, Pierre Mauroy déclare à la tribune de l'Assemblée nationale : « Vingt ans se sont écoulés, et au fil des années bien des pas ont été effectués dans la voie du pardon. (...) La société française doit aider à l'apaisement des esprits. Elle doit aider à refermer les plaies. C'est le rôle du gouvernement. C'est l'engagement qu'il avait pris devant le pays lors du dernier scrutin présidentiel. Cet engagement doit donc être tenu. Il le sera. »

Pierre Mauroy devra finalement faire appel, pour la première fois du septennat, à l'article 49-3 pour faire passer le texte de loi dans son intégralité. Le gouvernement socialiste ne se contente pas d'amnistier : il réhabilite les cadres, offi-

2. Cité par Jean GUISNEL, *Les Généraux, enquête sur le pouvoir militaire en France*, La Découverte, Paris, 1990, p. 68. Dans ce livre, Jean Guisnel révèle pour la première fois que cette amnistie avait été préparée par de longues tractations entre des proches de François Mitterrand (parmi lesquels l'avocat Jacques Ribs et Georges Dayan, natif d'Oran) et des responsables d'organisations de rapatriés, en particulier Jacques Roseau et Guy Forzy, président du Recours. En mars 1981, ces deux derniers obtiennent l'accord de... Raoul Salan pour qu'il appelle à voter Mitterrand ! En échange de l'engagement public du candidat PS à la présidence de la République de réaliser une « amnistie totale », le Recours appellera entre les deux tours à « sanctionner » Valéry Giscard d'Estaing.

ciers et généraux condamnés ou sanctionnés pour avoir participé à la subversion contre la République. Les putschistes redeviennent membres de l'armée française en novembre 1982.

Il faut bien s'arrêter un jour, tenter de congédier les fautes et les ombres douloureuses qui hantent les mémoires, disent certains. A quoi d'autres répondent : en acceptant la réintégration dans l'armée, n'y a-t-il pas risque d'approbation des visées des activistes de l'OAS ? N'y a-t-il pas encouragement à leurs menées politiques, alors qu'ils sont pour la plupart réduits au silence depuis 1962 ?

Ce « compromis » permet en tout cas de refouler encore, de rendre inconscients les conflits antérieurs : il constitue la clef de voûte du sarcophage destiné à étouffer définitivement la mémoire de la guerre d'Algérie. Mais, on le verra par la suite, au prix de la répétition, de la multiplication des symptômes ; car ce qui est refoulé n'est pas éliminé, et trouve toujours à s'exprimer par des voies détournées. L'amnistie qui veut masquer, évacuer, prépare d'autres conflits, d'autres régressions.

La levée des sanctions à l'égard de responsables d'atrocités commises pendant la guerre d'Algérie interdit de vider l'abcès, puisqu'il y a effacement des repères qui distinguent entre ce qui est crime et ce qui ne l'est pas. Les simples exécutants ne seront jamais déchargés d'une partie de leur culpabilité, ou de leur honte[3]. Les responsables, jamais identifiés. Les Français ne feront donc jamais ce que les Américains ont fait pour le Vietnam : juger leurs criminels de guerre. Et, bien vite, cette loi de 1982 qui avait pour justification le pardon commencera, d'abord, par réveiller l'ardeur des nostalgiques de l'OAS. Les leaders d'une extrême droite à 0,8 % des voix, au moment de l'élection présidentielle de 1981, « réintègrent » la vie politique. Tortures, crimes et discriminations raciales du temps de la guerre d'Algérie, tout est pardonné. Le couvercle ne se referme pas vraiment sur le sarcophage... et une certaine mémoire de la guerre s'échappera, envahira de larges espaces publics.

3. Voir, sur cet aspect, Bernard W. SIGG, *Le Silence et la Honte, névroses de la guerre d'Algérie*, Messidor, Paris, 1989, 150 p.

Le « problème de l'immigration »

En septembre 1990, un sondage *Paris-Match*/FR3/BVA établit que les Français placent la guerre d'Algérie en tête de tous les événements nationaux depuis 1945. Ils pensent également que la guerre d'Algérie n'a pas été seulement « une guerre de libération nationale » (37 %), mais aussi « une guerre civile » (35 %).

1990 : SONDAGE SUR LA GUERRE D'ALGÉRIE[4]

1. Parmi les événements suivants ayant eu lieu depuis la Seconde Guerre mondiale en France, quels sont les deux qui vous paraissent les plus importants ?*

La guerre d'Algérie	*52 %*
Mai 1968	*49 %*
L'arrivée de la gauche au pouvoir	*25 %*
L'avènement de la Ve République	*25 %*
La guerre d'Indochine	*20 %*
Ne sait pas	*10 %*

* Total supérieur à 100 car deux réponses possibles.

2. Que représente, pour vous aujourd'hui, la guerre d'Algérie ?

(en %)	*Ensemble*	*Électeurs de gauche*	*Électeurs de droite*	*Ni gauche ni droite*
Une guerre de libération nationale	37	49	34	28
Un conflit international	11	11	11	11
Une guerre civile	35	32	33	42
Ne sait pas	17	8	22	19

4. *Paris-Match*, 13 septembre 1990. Enquête réalisée auprès d'un échantillon représentatif de la population française âgée de 18 ans et plus. Les questions ont été posées par téléphone les 31 août et 1er septembre 1990 à 930 personnes. Échantillonnage par la méthode des quotas : sexe, âge, profession du chef de famille, acti-

Au même moment, une grande enquête de la SOFRES sur l'état de l'opinion en France est effectuée. Dans la catégorie « affaires intérieures », le thème de l'immigration arrive en seconde position dans les sujets de préoccupation des sondés, derrière les inégalités[5] ; ce thème passe devant « renforcer l'économie française », qui occupait la deuxième position entre 1986 et 1989. Olivier Duhamel et Jérôme Jaffré n'hésitent pas à parler, à propos du thème de l'immigration, d'*obsession*, et relèvent les signes de dégradation de la situation, à travers l'accroissement du pourcentage de personnes estimant qu'il y a trop d'immigrés en France, que l'intégration est impossible, ou que le racisme est en forte augmentation.

Un an plus tard, un nouveau sondage de la SOFRES sur les « priorités du gouvernement en matière sociale » montre que la lutte contre « l'immigration clandestine » arrive cette fois en tête (avant la formation, le pouvoir d'achat ou les dépenses de santé)[6].

Quelles devraient être, selon vous, les priorités du gouvernement en matière sociale ?*

- *Lutter contre l'immigration clandestine* .... *65 %*
- *Améliorer la formation des jeunes* .... *61 %*
- *Prendre des mesures pour assurer l'avenir des retraites* *45 %*
- *Améliorer le pouvoir d'achat des Français* .... *41 %*
- *Améliorer les conditions de vie dans les banlieues défavorisées* .... *38 %*
- *Maîtriser les dépenses de santé*..................... *35 %*
- *Améliorer les conditions de travail* .... *24 %*
- *Maintenir le système d'indemnisation des chômeurs* .. *23 %*
- *Favoriser l'intégration des immigrés en situation régulière* .... *21 %*
- *Développer l'aide au logement*.................... *17 %*

* Réponses à l'aide d'une liste. Le total des pourcentages est supérieur à 100, les personnes interrogées ayant pu donner plusieurs réponses.

vité de la personne interrogée, région et catégorie de commune. Les résultats doivent être lus en tenant compte des marges d'erreur propres à tout sondage et liées à la taille de l'échantillon. Ces marges d'erreur sont : de plus ou moins 2 à 3 points pour les résultats d'ensemble ; de plus ou moins 4 à 5 points pour les résultats par grandes familles politiques.

5. SOFRES, *L'État de l'opinion 1991*, présenté par Olivier DUHAMEL et Jérôme JAFFRÉ, Seuil, Paris, 1991, 296 p. Enquête effectuée entre juin et octobre 1990.

6. Publié dans *Espace social européen*, 13 septembre 1991.

On pourrait penser qu'il ne s'agit là que du rejet d'une immigration « clandestine », et de la protection de son emploi. L'ambiguïté est levée lorsque 21 % seulement des personnes interrogées se prononcent pour « l'intégration des immigrés en situation régulière ». Massivement, c'est le sentiment d'exclusion à l'égard des immigrés (clandestins ou réguliers) qui domine.

Peut-on établir un lien entre ces trois sondages (guerre d'Algérie, immigration, exclusion) ? Oui, parce que derrière le thème, classique, de l'invasion étrangère qui émerge à chaque crise économique (c'était le cas dans l'entre-deux-guerres), se dissimule la figure de « l'Arabe ». L'étranger qui vampirise et gangrène la France éternelle n'a plus pour seul visage celui du « juif, adorateur du veau d'or ». Le sémite, démoniaque, c'est aussi le « musulman fanatique ». Depuis quelques années, cet autre, l'intrus aux attributs inquiétants qui surgit, c'est essentiellement lui.

En introduction d'un dossier sur l'immigration du *Nouvel Observateur*, en novembre 1984, Jacques Julliard et Anne Fohr écrivent : « Avouons-le : nous avons lancé, il y a deux mois, un questionnaire sur les immigrés en France, et nous voilà aujourd'hui avec un énorme dossier sur les Arabes. *Voilà le fait majeur qui domine notre enquête tout entière.* Marx disait du prolétaire du XIXe siècle qu'il avait toujours dans son entourage plus prolétaire que lui : sa femme. L'étranger qui vit en France aujourd'hui a toujours plus étranger que lui : l'Arabe[7]. »

Le problème de l'immigration découvre un conflit obsessionnel, jamais disparu. Derrière « l'Arabe », le « Maghrébin » et, derrière le « Maghrébin », « l'Algérien »... Les immigrants maghrébins seraient inassimilables à la société française parce que profondément différents des autres immigrés, ceux de l'entre-deux-guerres par exemple. Cette différence s'expliquerait par la religion musulmane. Une population, par ses croyances, se serait exclue d'elle-même, volontairement, des valeurs établies par la société.

Cette hypothèse, qui invoque le principe de l'incompatibilité entre deux univers, s'appuie sur le cours de l'histoire

7. Jacques JULLIARD, Anne FOHR, « Immigrés ? Vous voulez dire Arabes ! », *Le Nouvel Observateur*, 30 novembre 1984.

coloniale, particulièrement algérienne. Ainsi, tirant un douteux profit de son « expérience » (il fut gouverneur de l'Algérie treize mois), Jacques Soustelle n'hésitait pas à écrire, dans le *Figaro-Magazine* du 14 mars 1990 : « Sans doute il n'est nullement impossible que l'assimilation soit réalisable dans des cas individuels, mais précisément pas dans des groupes massifs soumis à l'influence de leaders politico-religieux. L'islam, en effet, n'est pas seulement une religion, une métaphysique et une morale, mais un cadre déterminant et contraignant de tous les aspects de la vie, un phénomène totalitaire (...). Dès lors, parler d'intégration, c'est-à-dire d'assimilation, est une dangereuse utopie. On ne peut assimiler que ce qui est assimilable. »

Rappelons que la situation imposée aux Algériens au temps de la colonisation française était la suivante : devenir citoyen français, c'était renier son appartenance religieuse. Ce refus de citoyenneté (qui considère pourtant la religion comme une affaire privée), cette application d'un faux modèle de la République, provoqua l'essor d'un mouvement indépendantiste, à base religieuse et ethnique, et la guerre avec le dénouement que l'on connaît.

Derrière ce que l'on appelle le « problème de l'immigration », les questions soulevées dans la période coloniale resurgissent : la religion musulmane est-elle compatible avec les principes de la République française ? Doit-on accorder le droit de vote aux immigrés, les confiner dans un « deuxième collège » à part, comme ce fut le cas en Algérie en 1947 ? Faut-il mettre en œuvre un processus d'assimilation par abandon d'un « statut personnel », ou admettre la citoyenneté en reconnaissant un particularisme communautaire ?

Par emprunt au vocabulaire colonial, la France a progressivement glissé, entre 1982 et 1991, de « l'immigré » au « musulman ». Comme jadis, où il était question des Algériens musulmans et de la France. Décidément, les populations originaires du Maghreb (surtout de l'Algérie) et les jeunes issus de cette immigration ne peuvent être vus comme les autres migrants, Italiens ou Polonais par exemple. Originaire de l'autre côté de la Méditerranée, par sa naissance ou ses parents, celui qui vit ou travaille en France depuis de nombreuses années ne peut être qu'« immigré », et maintenant « musulman ». Deviendra-t-il un jour Français à part entière? L'exemple des harkis, citoyens à part dans un monde à part, permet d'en douter. Ou, pour le moins, de mesurer les obstacles au processus d'intégration.

Le traumatisme d'une guerre d'Algérie gagnée militairement mais perdue politiquement pèse toujours dans la société française. Un discours de la revanche, qui n'admet pas l'histoire accomplie de la décolonisation, remet en circulation un vieux racisme de type colonial. Avec ses stratégies classiques : le « bon Arabe », pacifique lorsqu'il se contente de travailler ; l'Arabe « fanatique », lorsqu'il entend jouer un rôle politique ou culturel dans la société où il évolue.

Le philosophe Cornélius Castoriadis explique pour *Les Années algériennes* : « Entre les Algériens et les Français, il y a un couteau. Et ce couteau, c'est tout l'imaginaire français sur les Maghrébins, les Algériens en particulier, à la fois sur le plan du meurtre, et sur le plan sexuel[8]... »

Cette mémoire coloniale, qui fonctionne de manière souterraine, induit le repli identitaire des populations maghrébines. Le refus de l'égalité des droits profite aux partisans du tout religieux. Ces derniers peuvent présenter l'islam comme la seule forme authentique d'existence, et de résistance.

Le Pen, ou le retour du racisme colonial

Ces dernières années, on a beaucoup parlé du racisme, et de l'antiracisme. Pierre-André Taguieff, notamment dans *La Force du préjugé*[9], a fort bien exploré les origines et les évolutions du racisme. Il ne s'agira donc ici que d'établir ce lien entre racisme et guerre d'Algérie, en insistant sur le racisme de type colonial.

Ce racisme-là se nourrit essentiellement de la défaite d'un peuple, d'une nation. Les envahisseurs trouvent alors dans leur victoire les preuves évidentes de leur supériorité. Il devient même rationnel d'occuper un territoire, de soumettre ses habitants, puisqu'il s'agira de les transformer en

8. Cornélius Castoriadis, entretien pour *Les Années algériennes*.
9. Pierre-André TAGUIEFF, *La Force du préjugé. Essai sur le racisme et ses doubles*, La Découverte, Paris, 1988.

« civilisés ». Demeurant sur son territoire envahi par le conquérant, « l'Autre » se doit d'acquérir les qualités du « civilisé », d'être semblable à lui. Cet apport de civilisation est une faveur accordée à l'indigène (puisqu'il n'est pas détruit physiquement, et peut accéder à une forme de savoir supérieur).

Dans le cas de l'immigration algérienne, le « comble » est atteint : l'ancien colonisé, par son intrusion dans la métropole, est perçu comme colonisant le territoire des « civilisés ». Celui qui avait dû s'exiler pour des raisons économiques et politiques, celui que l'on croyait être un « dominé tranquille » au moment du système colonial, se transforme dans l'imaginaire en nouveau triomphateur, en « colonisateur ». Les Maghrébins, en fait principalement les Algériens, peuvent d'autant plus être objets de répulsion qu'ils rappellent par leur présence la dernière guerre que la France a livrée (et perdue), cause d'une blessure profonde nationale jamais refermée.

Le Front national de Jean-Marie Le Pen, qui, entre deux élections présidentielles, 1981 et 1988, passe de 0,8 % à 14,5 % des voix, réactive ce racisme de type colonial. Armés de la rhétorique de la « civilisation », les théoriciens de la Nouvelle droite ralliés — explicitement ou pas — à Le Pen peuvent adresser à l'étranger la terrible sommation : l'assimilation radicale (dans la limite des places disponibles), ou le départ rapide.

Le président du Front national s'adresse ainsi « aux jeunes beurs », dans un meeting tenu au Zénith, le jeudi 2 avril 1987 : « Si vous êtes fidèles à la France, si vous l'aimez, si vous adoptez ses lois, ses mœurs, sa langue, *sa façon de penser* [souligné par nous], en un mot si vous vous intégrez complètement à elle, nous ne vous refuserons pas d'être des nôtres, pour peu qu'il y ait une étincelle d'amour et non pas seulement un intérêt matériel dans votre démarche. Mais, si vous restez fidèles à vos racines — ce qui est en soi respectable et que je respecte —, si vous prétendez vivre dans vos lois, vos mœurs à vous, avec votre culture, alors il vaut mieux que vous rentriez chez vous, sans cela tout se terminera très mal[10]. »

10. « Discours aux jeunes beurs arrogants », *Le Monde*, 4 avril 1987.

Évoquant directement la guerre d'Algérie (pendant qu'une partie de la salle scande « Algérie française » et « FLN terroriste »...), Jean-Marie Le Pen ajoute dans ce meeting : « Je voudrais dire à un certain nombre de beurs arrogants que certains des leurs sont morts pour leur donner une patrie, et non pas pour qu'ils viennent dans la nôtre. » Puis, à propos de la double nationalité dont peuvent bénéficier certains jeunes d'origine algérienne nés en France, le chef de file de l'extrême droite met en doute « le loyalisme de ces nouveaux citoyens à l'égard de leur nouvelle nation (...). Sur qui tireront ces soldats... ? »

Cette logique implacable considère comme « envahisseurs » ceux qui, nés sur le sol français, possèdent la nationalité française, et revendiquent une filiation avec l'islam, ou l'histoire algérienne. Jean-Marie Le Pen poursuit la guerre d'Algérie, continue de faire subir impunément à une mémoire déchirée, douloureuse, des électrochocs répétés.

Cette guerre, jamais finie, toujours « rejouée », on la retrouve au moment des procès intentés par Jean-Marie Le Pen à des journalistes qui l'avaient accusé d'avoir torturé au cours de la guerre d'Algérie.

Le 4 avril 1984, *Le Canard enchaîné* commence la publication d'une série d'articles (elle se poursuivra les 11 et 18 juillet 1984) présentant le chef du Front national comme un officier qui pratiqua la torture pendant la guerre d'Algérie. Le 20 mars 1985, *Libération* ouvre une seconde enquête sur « la période algérienne du lieutenant Le Pen », en publiant le témoignage d'un légionnaire se souvenant « avoir vu Jean-Marie Le Pen à l'œuvre dans la villa des Roses ». Le 21 mars, à l'audience du procès intenté contre *Le Canard enchaîné*, cinq témoins algériens viennent confirmer qu'ils avaient bien été torturés par le lieutenant Le Pen, en 1956-1957. Le 18 avril, le responsable du Front national est débouté de son procès en diffamation contre *Le Canard enchaîné*. La 17e chambre correctionnelle estime « que le lieutenant Le Pen ne peut se prévaloir d'une atteinte à son honneur, car il ne saurait à la fois approuver la conduite de ceux qui ont commis les actes qui lui sont imputés et affirmer que cette imputation le déshonore ».

Au cours d'une de ces audiences, Jean-Marie Le Pen était venu protester, « défendre son honneur ». Dans cette discussion sur la torture, violence d'homme à homme qui fait disparaître l'État comme instance du droit, le lieutenant Le Pen, sans qu'il s'en doute, « rejoue » les scènes des années 1956-1957. Alors que le procureur commence à parler, Jean-Marie Le Pen l'interrompt : il s'étonne de l'entendre s'exprimer ainsi, il le connaît personnellement, connaît son argumentation...

Miguel Benasayag, qui a relevé cet incident dans *Utopie et Liberté*, explique : « Celui qui a ainsi la folle idée de s'adresser au procureur dans l'exercice de ses fonctions en lui disant : "De vous à moi..." s'engage dans la voie du despotisme (...). Pour lui, l'État n'est pas une place vide, et il considère possible qu'un individu l'occupe pour soumettre tous les autres[11]. »

Ce procès perdu (en première instance), en révélant la nature profonde des inclinaisons idéologiques du responsable du Front national, ne calme pas les esprits. (Notons que le jugement de la 17e chambre sera infirmé par la cour d'appel de Paris : celle-ci jugera, conformément à la conception « objective » de la diffamation, que les faits allégués étaient bien diffamatoires, et que *Le Canard* n'avait pas de surcroît le droit d'en apporter la preuve, car ils remontaient à plus de dix ans ; l'hebdomadaire satirique, comme *Libération*, sera donc condamné.) Tout se passe comme si, désormais, les réactivations de la mémoire proche de la guerre d'Algérie paraissaient plus fortes que les réactivations de la mémoire plus lointaine de Vichy. « Le ressentiment anti-arabo-islamique semble plus puissant que la culpabilité et les craintes de "résurgences" entretenues par le discours fasciste », dit, justement, Pierre-André Taguieff[12].

La guerre d'Algérie continue à travers la lutte contre l'islam (qui prend aujourd'hui le masque d'une lutte contre l'intégrisme islamique). La liturgie d'une France enracinée dans la pureté d'une identité mythique, sans cesse menacée, voilà ce qui légitime d'avance toutes les mesures de possibles violences, de « guerre » pour se défendre des « envahisseurs ».

---

11. Miguel BENASAYAG, *Utopie et Liberté. Les droits de l'homme : une idéologie ?, op. cit.*, p. 79-80.
12. Pierre-André TAGUIEFF, « Mobilisation nationale-populiste en France », *Lignes*, n° 9, mars 1990, p. 101.

En mai 1991, une liste, non exhaustive, communiquée par le MRAP, recense deux cent cinquante étrangers ou jeunes d'origine étrangère assassinés en *dix ans*. Presque tous sont maghrébins. Invité à un colloque international à Créteil, le 6 juin 1991, le ministre de l'Intérieur Philippe Marchand précise que les violences à caractère raciste, entre 1987 et 1990, « visent d'abord les personnes d'origine maghrébine, 70 % en 1990[13] ». Mais parler de « racisme » pour tenter d'expliquer les motivations des responsables de ces crimes est pour le moins insuffisant. Une enquête menée par le journaliste Fausto Giudice[14] montre en effet que dans l'esprit des assassins, le terme « Maghrébin » désigne en fait le plus souvent l'Algérien. Et quand on sait que la grande majorité de ceux d'entre eux qui sont jugés par des jurys populaires ne se voient infliger que des peines symboliques, voire sont acquittés, on ne peut que rejoindre les conclusions de cette enquête : la quasi-impunité dont bénéficient les meurtres d'Arabes montre que les « habitudes » prises au cours de la guerre d'Algérie, consistant à considérer la vie d'un Algérien comme négligeable, sont toujours bien présentes au cœur de la société française.

Algérie = Vietnam ?

« La guerre du Vietnam (...), une noble cause. » Cette déclaration du candidat Ronald Reagan, pendant la campagne présidentielle de 1980, avait choqué les Américains, cinq ans seulement après l'épilogue de cette guerre. Mais elle les avait, aussi, séduits. Le futur président, incarnation d'un conservatisme et d'un traditionalisme sans complexe, voulait débarrasser son pays du « syndrome vietnamien ». Le phénomène des « boat people » aidant, les Américains vont, dans leur majorité, en finir avec le Vietnam qui pèse de toute sa masse de regrets, de remords.

On peut se demander aujourd'hui si la société française, touchée par le « syndrome algérien », n'a pas été fascinée par la façon dont les Américains ont « exorcisé » le Vietnam, se sont débarrassés de ce problème obsessionnel. Dans ces

13. « L'état du racisme », *Libération* 7 juin 1991.
14. Fausto GIUDICE, *Arabicides*, La Découverte, Paris, à paraître.

années quatre-vingt, la lancinante comparaison (guerre d'Algérie menée par les Français, guerre du Vietnam livrée par les Américains...) revient sans cesse.

« Aux États-Unis, où le souci de la vérité se confond souvent avec la vertu de la commotion collective, on n'en finit pas d'exorciser la guerre du Vietnam avec des livres-bazookas et des films-mortiers : le nationalisme en prend plein la gueule, mais les cerveaux se libèrent. On chercherait en vain, à propos du conflit algérien, l'équivalent cinématographique d'*Apocalypse Now*, de *Voyage au bout de l'enfer*, de *Platoon*[15]... »

Bruit des hélicos et groupes de soldats lancés au sommet de pitons ; combats contre un ennemi invisible, mais toujours présent ; « populations indigènes » que l'on cherche à « pacifier » ; peur et ennui transpirant dans les lettres de soldats de vingt ans. Oui, c'était il y a trente ans en Algérie. Effectivement, cela ressemble fort au Vietnam des années soixante-dix. Dans les deux cas, deux à trois millions de jeunes gens sont engagés dans le conflit. Mais il est toujours délicat de mener une comparaison historique.

Trois millions d'Américains... sur 250 millions sont partis combattre au Vietnam. La récente affaire Dan Quayle (le vice-président des États-Unis accusé par la presse d'avoir été un « planqué ») a révélé au grand public que les jeunes gens de cette époque n'étaient pas tous allés se battre. En fait, l'armée américaine était, pour l'essentiel, composée de Blancs en position de déclassement social et d'un grand nombre de Noirs. Autant de catégories qui ne disposaient d'aucun point d'ancrage dans la société américaine, et se sont retrouvées encore plus marginalisés au retour de cette guerre.

La situation était très différente en France. Les jeunes appelés nés entre 1932 et 1943 ont tous été embarqués dans l'aventure algérienne — sauf sursis d'incorporation. Entre 1955 et 1962, près de 2,3 millions de soldats ont traversé la Méditerranée. Mais l'Hexagone comptait alors moins de cinquante millions d'habitants. Ces seuls chiffres mesurent l'énorme disproportion entre le poids du corps expéditionnaire américain et celui du contingent français (respectivement 1,2 % et 4,6 % environ de la population totale de l'époque). Les jeunes soldats français venaient de tous les

15. Jérôme GARCIN, *L'Événement du jeudi*, 9 mars 1989.

départements et de toutes les classes sociales : *la guerre d'Algérie a touché ainsi la société en profondeur, toute une génération a été atteinte par l'onde de choc.*

Aux États-Unis et en France, l'échelle du traumatisme n'est donc pas identique. Là-bas, il aura suffi d'identifier un groupe social particulier et de « soigner » les mémoires blessées pour exorciser l'événement. Ici, tout un peuple est concerné. Voilà pourquoi les Français, à la différence des Américains, ne peuvent se débarrasser si facilement de la guerre d'Algérie. Comment peuvent-ils, alors, « sortir » de cette guerre, la regarder en face ? Une réponse viendra : par la valorisation de l'action entreprise au temps colonial. La guerre, dans ces conditions, n'était pas si injuste qu'on l'a dit...

La revanche de l'homme blanc

Un argumentaire se met en effet en place au cours des années quatre-vingt, se réduisant à trois grands thèmes. Le premier, qui traite de la victoire libérale de la démocratie, renvoie les « totalitarismes » dos à dos (système colonial, et guerres anticoloniales) : mêmes horreurs, mêmes victimes. Les excès disparaissent dans l'abîme de l'équivalence.

Le deuxième montre les expéditions coloniales comme une suite ininterrompue de fausses conquêtes (il y a eu apport de civilisation), et de vrais défaites. La colonisation aurait été une « chance » gâchée par les colonisés eux-mêmes. Ainsi, faisant l'éloge de « la plus grande France », et de sa « mission colonisatrice », Jean-Marie Le Pen dans un meeting à Montpellier en mars 1988 veut « purger un certain nombre de mensonges ». Devant un auditoire ravi, il s'exclame : « L'action de notre pays dans le monde n'a pas été esclavagiste ou réductrice des libertés de l'homme. Nous ne croyons pas que l'homme blanc puisse complètement abandonner son fardeau (...). Il faut réhabiliter tous ceux qui menèrent le combat de l'homme et de la patrie[16]. »

Le dernier thème est classique. Il consiste à montrer que l'indépendance algérienne a abouti à des résultats à l'opposé de ses intentions premières, par un retournement inéluctable-

16. *Le Monde*, 6-7 mars 1988.

ble. A quoi bon faire œuvre de libération nationale si elle ne fait que pérenniser un ordre autoritaire pour la société algérienne ? Conclusion : l'indépendance qui ambitionnait de fonder la liberté des individus a abouti à la servitude et à la tyrannie (c'est une vieille critique que l'on retrouve, par exemple, reprise par les tenants de la contre-révolution à l'encontre de la Révolution française)[17]. A travers cette discussion, c'est la possibilité de changer l'ordre colonial qui est mise en cause : le projet d'instaurer un ordre conforme à la raison n'est-il pas une chimère ? Peut-on accepter la régression qui accompagnerait nécessairement toute tentative d'amélioration de l'ordre existant ? Il faudrait donc en finir avec les formes extrêmes de cette auto-accusation permanente, qui, à propos de la guerre d'Algérie, nourrit sans cesse les affres de la mauvaise conscience.

Ce sentiment n'est pas seulement exprimé par la droite conservatrice française. On le retrouve, aussi, dans une certaine gauche. Dans l'après-guerre du Golfe, en mars 1991, Jean Poperen explique ainsi dans son bulletin *Synthèse-Flash* : « Nous savons bien quelle est notre "faute", et nous savons jusqu'où remonte notre "culpabilisation" : *le "péché originel", c'est la guerre d'Algérie*, acte originel, lui, acte créateur de l'indépendance de ce pays. Toute une partie de la gauche n'en finit pas de se racheter de ce dont elle vit le souvenir comme une faute (...). Nous sommes un certain nombre à gauche a en "avoir marre" de cette pérennisation de culpabilisation, de l'interminable rachat, qui n'est qu'une forme de démagogie à l'égard de nos interlocuteurs et amis du monde arabe[18]. »

Mais toutes ces frénétiques protestations d'innocence (à droite), ces refus d'assumer les choix du passé (à gauche), ne sont-ils pas, surtout, l'expression de résistances à un aveu, le camouflage d'une culpabilisation dissimulée dans les replis de l'inconscient collectif ? Le besoin de se libérer du sentiment profond de culpabilité né de la guerre d'Algérie, par des protestations d'innocence, des autojustifications ou des aveux, reste hautement symptomatique du trouble.

---

17. Sur cette argumentation, classique, voir Albert O. HIRSCHMAN, *Deux siècles de rhétoriques réactionnaires*, Fayard, Paris, 1991, 394 p.

18. Repris dans *Libération*, 22 mars 1991.

Avec le retour du « joli temps des colonies[19] », les « porteurs de valises », membres de réseaux de soutien aux Algériens indépendantistes, se retrouvent placés (par retournement de l'histoire) au banc des accusés. Il faut, maintenant, qu'ils fassent leur « autocritique », qu'ils avouent leurs erreurs, et pleurent sur le « Sud » qui n'a pas tenu ses promesses. Dès 1979, André Mandouze se voyait contraint de répondre à l'argumentation d'« inefficacité » des partisans de l'indépendance algérienne. L'action de cette époque, pour lui, était d'abord témoignage d'humanité, en affirmant le prix inestimable de certaines valeurs, liberté et solidarité. Et il ajoutait : « Ce témoignage est à l'honneur de tous les "porteurs de valises", lesquels, à la différence de tant d'autres anciens résistants, n'ont pas fait carrière, ni en Algérie, ni en France[20]. »

En 1990, au moment où les sommations de réexamen se font plus insistantes, Robert Bonnaud explique : « Réclamer l'indépendance pour les colonies, cela voulait dire qu'elle était un préalable, cela ne voulait pas dire qu'elle était la solution à tous les problèmes, ni que l'indépendance, en soi, à travers les âges et les continents, était forcément meilleure que l'intégration, que la nation valait forcément mieux que l'empire (...). Approuver l'idée d'une république algérienne, d'une décolonisation politique, ne voulait pas dire que la décolonisation politique se suffisait à elle-même, ni qu'elle serait rapidement dépassée, que des républiques idéales allaient fleurir sous les tropiques. » Et Robert Bonnaud ajoutait : « On peut regarder en face le tiers monde actuel, juger sévèrement sa situation, les responsabilités propres de ses élites, de ses peuples, de ses cultures, et ne pas mettre en accusation l'anticolonialisme des guerres de libération. Il n'a pas tout prévu. Il a réalisé quelque chose. Ce quelque chose était grand. Les valises n'étaient pas vides[21]. »

---

19. Voir, par exemple, la lettre de Jean CHESNEAU, « La colonisation : une chance pour l'Afrique », *Le Monde T.V.*, 27 novembre 1989.
20. André MANDOUZE, « Porteurs d'avenir », *Le Nouvel Observateur*, 8 octobre 1979.
21. Robert BONNAUD, « Algérie et tiers monde. Trente ans après », *La Quinzaine littéraire*, n° 560, août 1990.

Enfants d'immigrés, ou la crise du couple nationalité-citoyenneté

Le 3 décembre 1983, 60 000 personnes défilent à Paris au terme d'une « Marche pour l'égalité, contre le racisme », commencée le 15 octobre à Lyon et Marseille. Le nouveau mouvement antiraciste est né (SOS-Racisme verra officiellement le jour, deux ans plus tard, dans le prolongement de cette « marche »). A la tête du cortège, des fils d'immigrés algériens. Ils sont français par une manière de *jus sanguinis* colonial : eux-mêmes, ou leurs parents, sont nés dans des départements français (en France ou dans l'Algérie coloniale). L'article du Code de la nationalité française dit : « Est français tout enfant né en France dont *l'un des parents est lui-même né en France.* » Ils ne sont pas Français, à proprement parler, par le *jus soli* (droit du sol), comme les autres enfants de familles étrangères (le système du protectorat, par exemple au Maroc et en Tunisie, n'accordant pas ce droit de nationalité française).

La colonisation française en Algérie se survit donc à travers ses propres effets, exprimés par les enfants de l'immigration algérienne en France. Cette naturalisation *imposée* par les antécédents coloniaux provoque une double revendication : exigence du maintien de l'« universalité » (égalité des droits, principes du respect de la dignité humaine, élaborés par les lois de la République), et de la « spécificité » (refus du principe de l'assimilation, perçu comme un héritage forcé...). La survivance coloniale accélère ainsi la crise du « modèle français » (liaison complète entre nationalité et citoyenneté), pris progressivement en étau entre l'universel et le singulier, entre droits de l'individu et autorité-cohésion de la nation.

Depuis les années quatre-vingt, la machine à intégrer, fondée sur l'ambition d'un esprit national de coïncider avec des valeurs universelles, se bloque. Dans le passé, les nouveaux arrivants (demandeurs d'emploi ou réfugiés politiques) étaient prêts à payer au prix fort leur entrée dans la cité française conçue comme refuge et promotion. Aujourd'hui, les enfants d'immigrés d'origine maghrébine entreprennent difficilement ce parcours conflictuel de l'intégration.

L'attitude que le jeune « Beur » adopte à l'égard de la nationalité française, nationalité « officielle » attribuée unilatéralement, porte la trace de tout ce passé colonial. Il a vu ses parents toujours revendiquer une nationalité niée, non reconnue, clandestine. Et longtemps, il a opposé cette nationalité intime, logée au fond de lui-même, à la nationalité française. Si les choses changent aujourd'hui, il ne peut se résoudre à traiter la naturalisation, c'est-à-dire le changement de nationalité, comme une simple opération administrative. Même naturalisé français, il est, malgré lui, sans cesse renvoyé à cette histoire.

Face aux sommations d'usage des idéologues de la « francitude », le jeune d'origine algérienne refuse, le plus souvent, l'alternative qui lui intimerait de choisir sans nuances entre l'assimilation et le « retour » à la culture de ses parents. Il lui faut tenir — tâche ardue s'il en est — les bouts de *deux histoires* : vivre son désir d'appartenance à la société française, et ne pas renier la figure des parents.

La bataille pour la récupération d'une mémoire se situe au croisement de ces deux histoires : refus du statut qu'on veut leur assigner dans la société française (recommencer le même travail que les pères), demande de diversité dans les rôles sociaux et culturels à assumer, stratégies quotidiennes diversifiées... et, en même temps, attente de la reconnaissance de la figure du père. Or, dans toute la dynamique sociale et politique française, les figures de l'ancienne génération algérienne (arrivée pourtant dans l'entre-deux-guerres en France) ne sont jamais évoquées dans l'espace public.

Où donc se trouve la mémoire de la génération précédente ? Où peut-elle s'exprimer, dans quels lieux ? Et pourtant, l'actualité aidant, l'immigration algérienne apparaît au premier plan dans les débats politiques contemporains en France. Toutefois, par un paradoxe étonnant, cette immigration n'est jamais comprise dans la profondeur du champ historique. De plus en plus nombreux, les jeunes de l'immigration se fixent donc l'objectif de réactiver les héritages de mémoire de leurs pères, de leurs grands-pères.

Ainsi, dans une « tribune » du journal *Le Monde*, à propos de « l'affaire des foulards » de Creil en octobre 1989, Sultana Chorfa s'élève contre toute opposition entre parents et enfants issus de l'immigration : « On a assisté à un déballage d'arguments dont certains sont révélateurs et inquiétants. Ainsi a-t-on entendu mettre en cause le droit des parents musulmans à éduquer leurs enfants dans le respect de leurs propres principes (...). Faudrait-il changer les règles de Jules Ferry pour les parents musulmans[22] ? »

On retrouvera cette même préoccupation dans la révolte des enfants de harkis de l'été 1991[23], et exprimée de la sorte dans un entretien pour *Les Années algériennes* : « J'ai énormément de respect pour toute cette génération, cette première génération, qu'ils soient immigrés ou rapatriés. C'était des ruraux, qui n'avaient pas d'éducation, qui ne savaient pas parler, et qui arrivaient dans un pays étranger, qui faisaient la démarche... Quand on voit la difficulté, même pour des jeunes d'aujourd'hui, de partir d'une ville à une autre... Ces gens-là laissaient quand même toute une culture derrière eux, tout ce qui les avait formés, tout ce qui les avait structurés. Ils quittaient leur pays, arrivaient dans un pays étranger et, en plus avec beaucoup d'enfants, sept, huit enfants (chez nous on était neuf enfants). Ils devaient installer ces enfants, subvenir à leur éducation, à leurs besoins... Moi, je trouve que ces gens ont énormément de mérite, et c'est pour ça qu'il n'est pas question de leur jeter la pierre, du tout[24]... »

Les jeunes issus de l'immigration (ou les enfants de harkis, avec une autre démarche dans une même histoire) partent à la recherche de leur mémoire, celle de la guerre d'Algérie, qui continue à exister, à circuler dans les familles, mais n'est pas reconnue, ni connue publiquement. Dépositaire des expériences passées, la mémoire des pères, des mères, est garante de leur propre survie au sein d'une société qui masque ces continuités.

Ceux qu'on appelle les « Beurs » révèlent cette crise identitaire de la société française, parce qu'ils se veulent hommes de plusieurs appartenances, de fidélités choisies. La France n'est plus la référence unique. Ce refus de l'exclusive provoque la remise en cause de l'État-nation comme référence et espace d'appartenance central de l'individu-citoyen. Cette démarche tend à miner la vision traditionnelle de la

---

22. *Le Monde*, 24 novembre 1989.
23. Philippe Bernard, « Harkis : au nom des pères », *Le Monde*, 9 juillet 1991.
24. Kader Kettou, entretien pour *Les Années algériennes*.

nation française (le bloc nation-citoyen). Pour une grande partie du mouvement associatif « beur », ce n'est pas la nationalité qui procure les droits du citoyen, mais l'exercice sans cesse plus étendu de la citoyenneté qui donne tout son sens à la nationalité française. Cette conception gagnera des secteurs importants de la gauche française.

La politique algérienne de la gauche

La gauche, communistes inclus, en dépit de ses efforts pour réécrire l'histoire en supprimant des passages gênants, tel le vote des « pouvoirs spéciaux » en 1956, a vécu l'Algérie et sa guerre sur le mode de la culpabilisation.

Le parti socialiste d'aujourd'hui, qui compte dans ses rangs des militants de la lutte anticoloniale, en particulier anciens du PSU, de l'UNEF, des trotskistes, veut ignorer l'héritage de la SFIO (envoi du contingent, expédition de Suez). Il veut l'ignorer, mais ne le peut pas, d'autant que François Mitterrand, artisan de la renaissance de la gauche socialiste, et président de la République ensuite, a été ministre de l'Intérieur en 1954.

La sortie de ce dilemme s'effectue par un traitement particulier réservé à l'Algérie. Ce pays est présenté comme un bloc indifférencié, peuple et gouvernement mêlés, presque situé hors du temps. Décolonisée, l'Algérie n'a plus d'histoire antérieure. Pays de l'Est sous le soleil, on perçoit en quelque sorte une société « froide », répétitive, statique, ce qui permet une mise en musée. Cette attitude entrave toute approche critique de l'histoire algérienne, passée ou présente.

A son arrivée au pouvoir en 1981, la gauche française ne modifie pas sa perception de l'Algérie, pays où ne sauraient exister distinctement État et société civile. Cette homogénéité postulée de l'Algérie explique les relations d'État à État et le refus d'examen d'autres forces, d'autres mouvements sociaux ou politiques. La droite française, notamment gaulliste, avait déjà largement contribué à établir cette conception : un soutien sans faille à l'État algérien, et l'ignorance d'une société réelle, différenciée socialement et culturellement. Ce rapport particulier à l'Algérie fonctionne à la fois comme conséquence d'une culpabilité d'un passé colonial honteux, et comme poursuite du temps colonial.

L'héritage des « Lumières » continue donc de ne pas s'exporter. Jamais n'est envisagée la possibilité pour les anciens colonisés d'accéder au rang de citoyens, capables d'exister face à la toute-puissance de l'État d'un pays, désormais indépendant. La démocratie, toujours prématurée, n'est que leurre dans un pays encore bien jeune. Alors que, précisément, le couple France-Algérie a engendré, durant la longue phase coloniale, un apprentissage démocratique (retourné contre le colonisateur).

L'Algérie, comprise au sens large du terme, c'est surtout son État. Ce pays reste une grande « réserve », un partenaire économique, avec le gaz et le pétrole. Cette dimension, et l'identification de l'interlocuteur privilégié (l'État), guide les démarches, les comportements. Nous voilà loin de l'image de responsables de la gauche, « compagnons de route » hier romantiques et aujourd'hui « honteux » d'avoir contribué au développement d'une révolution mythique, débouchant sur un « enfer ». Ou qui tentent d'expier leurs fautes (le « péché originel colonial ») en fermant les yeux sur ce qui se passe réellement...

Pierre Vidal-Naquet, dans sa bataille pour que justice soit rendue à Ali Mécili, assassiné le 7 avril 1987 à Paris, a bien mis en lumière le type de relations qui peuvent s'instaurer : « Ouvrir à nouveau le dossier de l'affaire Mécili, réclamer fermement l'extradition du tueur Amellou[25] et la condamnation de ses commanditaires de la Sécurité militaire est l'une des clés qui marqueraient la volonté de la France d'encourager en Algérie une ouverture démocratique dont les prodromes existent[26]... »

Refuser la pénombre antidémocratique, des deux côtés de la Méditerranée, reste bien le seul moyen pour rompre le silence qui entoure la guerre d'Algérie ; et pour établir enfin des relations « normales » entre les deux pays.

25. L'assassinat d'Ali Mécili, l'un des fondateurs du Front des forces socialistes avec Hocine Aït Ahmed, fut le résultat d'un « contrat » passé entre la Sécurité militaire d'Alger et deux truands, Amellou et « Sami ». Amellou, auteur présumé du meurtre, fut arrêté par la police française et... expulsé en direction d'Alger le 14 juin 1987. Pour le détail de cette histoire, voir Hocine AÏT AHMED, *L'Affaire Mécili*, La Découverte, Paris, 1989.

26. Pierre VIDAL-NAQUET, « L'Honneur et l'intérêt de la France », *Le Monde*, 5 mai 1990.

21

Algérie : comment sortir de la guerre ?

Par l'histoire officielle, l'oubli

Au temps de l'occultation complète sous la présidence de Houari Boumediene, succède dans les années quatre-vingt celui de « l'écriture de l'histoire » de la guerre d'indépendance, avec le président Chadli Bendjedid. La mémoire vécue, préservée et formulée deviendra un signe de ralliement pour toute la génération de la tourmente, celle de la victoire par l'indépendance. Telle est du moins l'intention de divers « séminaires d'écriture de l'histoire » organisés par le FLN à partir de 1982-1984. Il faut faire parler les hommes de la révolution : « L'action de recueil, en particulier de témoignages, a, à l'heure actuelle, un caractère d'urgence. La génération de novembre, quand bien même elle est éternelle dans le cœur des Algériens, n'en est pas moins appelée à disparaître. Chaque année qui passe nous en enlève plusieurs dizaines, si ce n'est pas plusieurs centaines, et chaque moudjahid qui disparaît emporte avec lui une partie de la mémoire de notre révolution[1]. »

1. Entretien avec Djelloul BAKHTI NEMICHE, *El Moudjahid*, 20 août 1983.

La vaste opération de collecte et d'enregistrement de témoignages verbaux sur les différentes étapes de la révolution algérienne, décidée par les autorités algériennes, se situe dans une perspective clairement définie : « Rien ne peut nous permettre de demeurer spectateurs d'une histoire que d'autres peuvent écrire, que certains ont tenté de falsifier selon leur bord politique ou leurs intérêts immédiats[2]. »

La présentation sur le mode héroïque des faits d'armes (où la geste militaire sert à justifier la place de l'armée dans l'État depuis l'indépendance) s'exerce tout particulièrement dans le genre biographique. La société coloniale, société inégalitaire, ne concevait naturellement pas de biographies pour les humbles et les obscurs. Alors ces mêmes exclus doivent se retrouver projetés sur le devant de la scène. Ainsi, à titre d'exemple, à l'approche du 1er novembre 1984, trentième anniversaire de l'insurrection, les notices nécrologiques se multiplient dans la presse algérienne[3].

Toutes ces biographies portent sur des hommes morts au combat, les armes à la main. Ce discours cérémonial, où l'éloge domine, a pour fonction de célébrer la construction de l'État algérien par l'intermédiaire de ses membres donnés comme exemple. Dans la mise en place de la mémoire collective, le répertoire des figures héroïques tient ainsi une place centrale pour cultiver l'intensité du souvenir, lutter contre l'oubli dans un pays qui sort d'une « longue période d'occupation coloniale ». « Par l'histoire, armer notre jeunesse du patriotisme des aînés » ; « La force du passé[4] » ; « Restituer les hauts faits dans leur vérité[5] » ; « Dans les mémoires vivantes de ceux qui ont fait la révolution[6] » : tels sont quelques-uns des titres trouvés dans la presse algérienne à l'occasion des travaux du deuxième Séminaire sur l'écriture d'histoire de la révolution[7].

Dans ce cadre, l'histoire peut devenir instrument d'infor-

2. « Écriture de l'histoire, une exigence primordiale », *Algérie-Actualité*, n° 889, 28 octobre 1982.

3. Dans *El Moudjahid*, mars-avril 1984, en particulier les biographies de Si Haouès, Amirouche, Souidani Boudiemaa.

4. *El Moudjahid*, 9 mai 1984.

5. *El Moudjahid*, 10 mai 1984.

6. *El Moudjahid*, 12 mai 1984.

7. « Écrire la révolution », *Algérie-Actualité*, n° 970, p. 31, dresse un bilan du séminaire.

mation, mais aussi moyen de refaçonner le passé, projection des rapports de forces du présent. Dans la cérémonie-commémoration, des figures apparaissent, d'autres disparaissent.

Le 24 octobre 1984, a lieu la réinhumation solennelle à Alger de Krim Belkacem et de huit anciens dirigeants du FLN. Le 1er novembre, à l'occasion du trentième anniversaire de la « Toussaint rouge », un décret présidentiel amnistie et réhabilite, à titre posthume, vingt et une personnalités. Va-t-on, enfin, évoquer clairement le rôle des divers acteurs de la guerre ? Mais le 8 juillet 1985, un numéro spécial d'*Algérie-Actualité* consacré à l'Organisation spéciale (OS) est saisi dans les kiosques. Plusieurs milliers d'exemplaires sont détruits. Le fait de citer Hocine Aït Ahmed, Ahmed Ben Bella, Mohammed Boudiaf (responsables de l'OS) dans les articles explique l'interdiction. Cet exemple spectaculaire de censure illustre les limites de la « Commission nationale d'écriture de l'histoire » mise sur pied sur décision du parti unique, le FLN. L'histoire ne vise pas à rechercher, comprendre un passé complexe, mais obéit aux demandes du pouvoir, aux sollicitations du présent. Elle est, ainsi, utilisée dans les débats politiques intérieurs du FLN.

En 1987, le pouvoir décerne des « prix » en publiant dans *El Moudjahid* une « liste des hommes de culture honorés ». L'historien Mohammed Harbi, qui figure dans cette liste, publie une déclaration le 9 décembre 1987 : « Je fais savoir aux généreux attributaires de grades que je récuse leur titre, le "gibet orné de fleurs" et je ne demande pour mon pays que la levée de censure préalable en matière d'édition, la liberté d'expression, la liberté d'organisation, le droit à la libre circulation. »

L'histoire officielle a institué des repères, construit sa propre légitimité, effacé toute démarche pluraliste. Elle a, en fait, fabriqué de l'oubli.

En juillet 1987, l'hebdomadaire *Algérie-Actualité* publie un grand sondage sur la jeunesse, l'histoire de l'Algérie, sa mémoire. Les noms de Krim Belkacem (un des principaux responsables du GPRA), d'Abbane Ramdane (organisateur du congrès de la Soummam), ou de Didouche Mourad (responsable du Constantinois en 1954) sont à peine cités. Et le commentateur du sondage de noter : « S'ils sont incapables de citer quelques-uns, c'est probablement parce qu'ils cherchent parmi ceux que les médias ont coutume de présenter en tant que tels, et non plus dans leur environnement immédiat (...). Les héros sont ceux que les "unes" de journaux et de télévision montrent le plus souvent : Amirouche, Ben M'Hidi, Si Haouès, Zighout Youcef... Il n'y a de vrai héros que mort[8]. » Effectivement, les hommes les plus connus sont ceux qui sont morts au combat, avant l'indépendance.

L'écrivain algérien Rachid Mimouni observe : « En Algérie, 60 % de la population a moins de vingt ans. Ils savent que la guerre a existé, bien sûr, mais c'est pour eux une vieille histoire aux aspects mythiques. Dès qu'un film de guerre quelconque passe à la télévision, ma petite fille croit qu'il s'agit de Français et d'Algériens... L'évocation de la guerre de libération a fini par rebuter les gens, à travers les discours grandiloquents et patriotiques. On dit : "Ils exagèrent..." Aujourd'hui, les livres ou les films évoquant ces hauts faits sont dès le départ rejetés par le public. Ils ne veulent plus de ça. Ce sont les problèmes de l'Algérie d'aujourd'hui qui les intéressent, et non ceux d'il y a un quart de siècle. »

C'est cette jeunesse que l'on retrouvera dans la rue, en octobre 1988.

Octobre, la fin d'une époque

Octobre 1988 : la jeunesse algérienne se soulève, le régime vacille. Il y a des dizaines de morts, des arrestations, la torture... Mais plus rien ne peut plus être comme avant.

« Quand j'ai appris qu'il y avait eu des morts parmi les jeunes, parmi les enfants, et que certains avaient été torturés, j'ai pensé immédiatement aux manifestations du 8 mai 1945 à Sétif, quand j'ai été arrêté à l'âge de seize ans. Et je me suis souvenu du *Cadavre encerclé*, au moment où Lakhdar, mortellement blessé, dit à Hassan et Mustapha : "Adieu camarades, quelle horrible jeunesse nous avons eue"[9]. »

L'écrivain Kateb Yacine dresse ces parallèles, mais la situation historique n'est plus la même. Les Français sont partis depuis 1962, et ceux qui tirent aujourd'hui sur des enfants

8. « Les années de la liberté », *Algérie-Actualité*, n° 1133, 2-8 juillet 1987.
9. Kateb Yacine, interview à *Algérie-Actualité*, 30 novembre 1988.

lanceurs de pierres sont algériens. Pourtant, Kateb Yacine n'a pas tort. Parce qu'il cherche, et avec lui des milliers d'Algériens, des points possibles de comparaison dans sa mémoire. Depuis le sanglant choc d'octobre 1988, l'Algérie tout entière tente de soulever le couvercle de sa mémoire historique. De se débarrasser des versions idylliques, officielles, unanimistes. De retrouver la richesse d'une histoire complexe, vivante, fertile en événements, pluraliste.

Cette histoire officielle, coupable d'occultation plus encore que de déformation, la voilà aujourd'hui remise en question dans la presse algérienne. Pour le journaliste Mustapha Chelfi, « une question en amenant une autre, celle du multipartisme est à l'ordre du jour. La simple curiosité veut qu'on s'y intéresse et les suppositions vont bon train. Le système politique restera-t-il unitaire avec autant de tribunes internes que de sensibilités différentes ? Évoluera-t-il carrément vers le multipartisme avec ses diverses familles de pensée ? Ces citoyens pourront-ils choisir entre différents programmes politiques[10] ? ». Après le référendum du 3 novembre 1988, on pouvait lire dans *Révolution africaine*, organe central du parti du FLN, l'opinion suivante : « Sommes-nous disposés ou prêts à assumer un multipartisme selon le modèle européen ? La question mérite d'être posée. Certains diront que le citoyen algérien n'est pas un "handicapé" et qu'il peut s'adapter à la situation nouvelle, d'autant plus qu'il aura l'avantage d'adhérer librement à la formation politique de son choix. »

Mais son auteur s'empresse d'ajouter aussitôt : « Cependant, cette perception se singularise par un raccourci dangereux. Car cela signifie que la ou les réalités sont délibérément occultées, que toute une étape de l'histoire de l'Algérie est volontairement effacée. » L'histoire encore, toujours, avec la guerre d'Algérie comme point de départ réel du nationalisme algérien. Cette conception est combattue par le militant du FLN Ali Hattabi, dans *Algérie-Actualité* du 24 novembre 1988 : « La réalité permet de faire justice d'une autre mystification : les "luttes stériles" et les "affrontements partisans", qui seraient la marque distinctive des vingt années ayant précédé le déclenchement de la Révolution, n'ont pas

10. *Algérie-Actualité*, 20 octobre 1988.

été aussi stériles qu'on a voulu le faire croire : ils ont produit (quand même !) le Front de libération nationale. »

Avec l'« octobre noir » que l'Algérie vient de vivre, voici venu le temps des explorations méthodiques et des inventaires historiques. « Les enfants d'octobre 1988 ressemblent étrangement à ceux du 8 mai 1945, à ceux de novembre 1954, à ceux de décembre 1960. (...) Entre tous ces enfants, il n'y a pas qu'une ressemblance, il y a identité de revendication, sauf à renier l'histoire du mouvement national algérien contemporain. L'examen lucide de notre histoire, l'humble étude des faits, de tous les faits, hors de tout exercice d'exorcisme, nous permettront certainement de régler nos problèmes. Encore faudrait-il recouvrer notre mémoire, toute notre mémoire, sans "sélection de couleurs"[11]. »

Avec les événements d'octobre 1988, l'Algérie tente de retrouver les points de repère de sa mémoire politique. Elle cherche à comprendre comment les traditions militantes issues de la période de l'entre-deux-guerres, puis au moment de la guerre d'Algérie, se sont transmises jusqu'à l'époque actuelle ; et elle veut découvrir comment se comprennent les ruptures ou s'établissent les correspondances entre ces différentes séquences historiques.

Pour la plupart des jeunes Algériens aujourd'hui, l'essai de repossession de soi appelle la reconnaissance des héritages qui les définissent. Reconnaissance non seulement sentimentale, mais réaliste, soucieuse de réactivation d'une mémoire historique. Avec cette volonté de situer tous les courants politiques algériens ; de repérer les antériorités d'existence de chacun d'entre eux pour saisir la constitution du « Front » pendant la guerre ; de suivre les figures particulières de tel ou tel leader, occulté ou commémoré.

Cette façon de procéder s'inscrit en rupture avec l'historiographie antérieure, la conception selon laquelle seul le peuple anonyme agit et parle. La « Révolution algérienne », comme l'indiquait la Charte nationale de 1976, se comprenait par « l'initiative créatrice des masses populaires ». Cette référence idéologique officielle ne permettait pas de répondre aux questions essentielles : comment avait pu s'établir, puis se briser, la continuité du processus à travers toutes les

11. *Algérie-Actualité*, 24 novembre 1988.

organisations algériennes, en particulier le PPA-MTLD ? D'où venaient les équipes de direction qui se sont succédé entre les années vingt et 1962 ? Comment se trouvaient-elles porteuses de telle ou telle idéologie ? Sur quel processus de légitimation allait s'appuyer le personnel politique algérien après l'indépendance, dans la construction de l'État algérien ? Autant de questions permettant la redéfinition des valeurs qui fondent un développement à long terme du nationalisme algérien, à partir de son expérience historique.

La Charte nationale algérienne, adoptée en janvier 1986, tentait une reconstitution d'une matrice historique continue. L'éditorialiste d'*Actualité de l'émigration* (organe officiel de l'Amicale des Algériens en France) n'hésitait pas à écrire : « Repenser d'une manière claire le rapport à notre histoire dans sa continuité, ses ruptures, sa complexité qui fondent l'unité de notre nation, tel est le premier acquis de taille de la Charte. (...) Ce qui vaut pour l'histoire ancienne vaut aussi pour l'histoire récente. Si la Charte montre bien la rupture initiée par le 1er novembre 1954, elle affirme dans la clarté, *pour la première fois* [souligné par nous], que cette révolution est la fille des traditions de lutte du mouvement nationaliste et en particulier de sa composante radicale symbolisée par les sigles ENA, PPA, MTLD[12]. »

Et il est vrai que le regard porté sur l'histoire ouvre sur une compréhension de l'Algérie actuelle, sur l'origine et les valeurs véhiculées par ses élites politiques. Apparaissent, alors, les éléments marquant la spécificité des dirigeants nationalistes qui se sont succédé dans l'Algérie indépendante. Ils ne comprennent pas la longue histoire (occultée) du nationalisme algérien, avant et pendant la guerre d'indépendance : l'idéologie populiste qui sacralise le peuple en une exaltation globale ; la passion intransigeante de l'indépendance et la volonté de cassure avec le système français, le mode d'organisation acquis au contact du PCF, avec son centralisme démocratique...

Image dépassée aujourd'hui que ce type de militant nationaliste, prêchant avec force arguments populistes le refus des inégalités sociales, prédisant un monde meilleur par l'élimination de la présence étrangère, promettant la pureté d'une

12. *Actualité de l'émigration*, n° 26, 15 janvier 1986.

action à entreprendre par un retour aux sources ? Non, c'est elle que l'on retrouvera dans le mouvement islamiste qui monte en puissance en Algérie, dès le début de l'année 1989.

La montée du FIS

Diverses interprétations ont été formulées pour comprendre le raz de marée islamiste aux élections municipales algériennes de juin 1990. Le triomphe du Front islamique du salut (FIS), qui s'empare des principales villes d'Algérie, était compris de la sorte : vote sanction, vote par défaut, vote refuge.

Vote qui sanctionnait un parti unique, le FLN, détenant sans partage les rênes du pouvoir depuis l'indépendance de 1962 ; vote par défaut, puisque des partis se réclamant de la démocratie en Algérie, le MDA d'Ahmed Ben Bella, et surtout le Front des forces socialistes (FFS) animé par Hocine Aït Ahmed, ne se présentaient pas sur la scène électorale ; vote refuge pour un parti — mouvance religieuse ayant su capter (pour ne pas dire capturer) le courant d'expression provoqué par les sanglants massacres d'octobre 1988.

Toutes ces explications, au demeurant fort pertinentes, souffraient d'un défaut. Elles présentaient le FIS comme un parti nouveau, presque surgi comme par hasard dans la construction spécifique de la nation algérienne.

Le FIS se trouvait d'ailleurs accusé de mettre en cause la cohérence de la « nation une » portée par le nationalisme algérien depuis ses origines. On avançait pour preuve un fait sans précédent : le FIS avait refusé, en 1989, de participer aux traditionnelles cérémonies du 1er novembre. En se situant hors du temps fondateur qui sacralise le consensus autour des origines (le 1er novembre 1954, moment clé de la rupture avec la colonisation), en plaçant résolument sa vision de l'espace national au-delà des frontières héritées de la guerre d'indépendance, par sa référence constante à une « Ouma islamique », les islamistes se plaçaient hors de la trajectoire classique du nationalisme algérien. Et certains dirigeants du FLN avançaient le clivage principal : « Nous sommes nationalistes, pas le FIS. » Dans ces conditions, l'influence des islamistes, dirigés par Abassi Madani et Ali Benhadj, ne pouvait être que momentanée, éphémère. Une année après, il fallut se rendre à l'évidence : ce mouvement était appelé à durer, son installation dans le paysage politique algérien ne faisant plus aucun doute. Il rencontrait une audience croissante en Algérie, surtout parmi les jeunes générations.

Une autre analyse fait alors référence à l'inexorable montée, mondiale, du religieux dans l'espace public. Pourquoi l'Algérie d'aujourd'hui échapperait-elle à ce mouvement de balancier ? Sortant d'un système à parti unique, ce pays se dirigeait (comme à l'est de l'Europe) vers des situations chaotiques où la dimension religieuse agit comme compensation dans le vide politique. Il est vrai que la religion se trouve être le vecteur idéal de la revendication dans des pays arabes déjà fortement islamisés, où les populations entendent tout langage qui utilise le vocabulaire traditionnel de l'islam, et où la mosquée, partout présente, est moins vulnérable que les partis ou syndicats face aux coups des pouvoirs. L'islam y est le seul lieu possible de la contestation. Et le mouvement islamiste est souvent le seul à permettre l'expression de l'opposition aux États, quand l'échec des autres structures d'opposition (quelquefois en exil, et toujours réprimées) paraît généralement consommé. Il est seul à être animé en profondeur d'une véritable quête identitaire qui permet à la jeunesse de reprendre conscience de sa culture en lui procurant des repères qui facilitent son réenracinement.

Cette démonstration, elle aussi très intéressante, peut ainsi placer le « phénomène FIS » dans un cadre international (surgissement de l'intégrisme catholique, du fondamentalisme juif, ou de l'hindouisme...). Mais elle reste insuffisante, puisqu'elle le situe encore en position d'extériorité par rapport aux « racines » intérieures algériennes. Dans ce sens, les adversaires résolus du FIS le présentent comme un simple relais de la principale puissance arabe voulant cette victoire absolue d'une société religieuse : l'Arabie saoudite.

Une autre explication est également avancée, de type économique. Depuis 1988, l'Algérie sort d'une économie étroitement centralisée, bureaucratisée, et se dirige, à marche forcée, vers l'économie de marché ; il s'agit de permettre aux acteurs économiques de s'émanciper du pouvoir politique, et de l'ordre social existant. Les islamistes veulent « aider » à ce passage, faire en sorte que les acteurs économiques nouveaux échappent à toute possibilité de contrôle par en haut, et soustraire ainsi l'économie au pouvoir politique. Dans cet esprit, au moment du ramadan de 1991, le FIS a inauguré ses premiers « souks islamiques ». Mais, dans le même temps, le marché représente une sphère dans laquelle chacun est, comme vendeur ou acheteur, patron ou ouvrier, en concurrence permanente avec tous les autres, contraint de fournir l'effort maximal, de rechercher le rendement maximal, et le maximum de gain et de profit. Le marché fonctionne comme une sorte de « non-société », de « guerre de chacun contre tous », qui se veut libre de toute entrave sociale, politique, éthique. Déjà violentée par une « modernisation » impitoyable décidée par le haut (les fameuses « industries industrialisantes » des années soixante-dix), la société algérienne a du mal à s'adapter à ce nouveau choc. Choc qui exige la suppression des liens de solidarité, l'interdiction des coalitions syndicales, l'abolition de toute restriction à la poursuite de la maximisation du gain. En même temps qu'ils favorisent activement le passage à cette économie de marché, les islamistes proposent des remèdes à ses conséquences : éthique religieuse de la solidarité, entraide chaleureuse, contrepoids d'une fraternité sécurisante...

Tous ces éléments (désarrois idéologiques, fonctions nouvelles du spirituel dans le politique, rôle de l'Arabie saoudite, faillite du parti unique, faiblesse d'enracinement des partis démocratiques, passage à l'économie de marché) se combinent pour faire la force, l'originalité du mouvement islamiste. Mais il faut y ajouter un autre élément, à notre avis décisif, pour rendre compte du processus en cours. Le FIS ne tombe pas du ciel, de manière étrangère au circonstanciel. Il est, au contraire, l'aboutissement d'une longue histoire engagée depuis fort longtemps par le nationalisme algérien.

Les islamistes, nouveaux héritiers du nationalisme

L'histoire de l'Algérie moderne ne commence pas en 1962. Le FIS ne sort pas du néant, mais trouve les sources de son dynamisme dans un passé complexe, qui fonctionne toujours dans le présent. Saisir cette histoire permet de se débarrasser d'images simplifiées.

Le mouvement islamiste fonde son action politique sur la religion musulmane, comprise d'abord comme le retour aux traditions d'une nation mythique détruite par l'arrivée française. Ce postulat de départ est décisif. Il s'agira d'expliquer que, pendant cent trente-deux ans de colonisation, deux sociétés, deux « nations » ont coexisté, sans jamais véritablement se rencontrer. L'une, la française, a voulu briser, casser l'autre qui n'a eu de cesse, pendant ce siècle et demi, de résister en instrumentalisant l'islam. Cette vision manichéenne présente deux avantages. Elle permet la diabolisation de toute idée « exportée » par la France (laïcité, république, marxisme ou autonomisation de l'individu), en niant qu'il ait pu y avoir « deux France » (l'une d'oppression violente, celle de la colonisation, l'autre républicaine ou du mouvement ouvrier...). Autre avantage : tous ceux qui ont désiré s'approprier ou simplement comprendre cette « autre France » sont rangés de façon commode dans la catégorie des « traîtres » et des « harkis ». Est ainsi niée la dimension d'« insurrection française » de la Révolution algérienne, c'est-à-dire le retournement des principes universels de 1789 contre la France coloniale. La démarche des islamistes d'aujourd'hui ne reconnaît qu'un aspect de la guerre d'indépendance : l'affirmation d'une personnalité algérienne forgée par l'islam. Elle procède par dénégation de tout apport ou emprunt externe dans la société de l'Algérie indépendante. Le souvenir français ne doit pas être assumé, mais combattu farouchement, en permanence. Ce passé-repoussoir fonctionne comme champ de valorisation collective.

La lutte nationaliste se poursuit donc par retrouvailles avec les accents du populisme, propre au nationalisme algérien de départ. Les militants islamistes retrouvent ainsi les intonations de l'arabo-islamisme introduites par les premières organisations algériennes dans l'entre-deux-guerres : les oulemas d'Abdelhamid Ben Badis, pour qui, dès 1930, « l'islam est ma religion, l'Algérie est ma patrie et l'arabe est ma langue » ; et le Parti du peuple algérien, surtout, grande association indépendantiste de masse. Ce dernier s'appuyait sur les déshérités des bidonvilles, les paysans déclassés, les petits commerçants ou artisans menacés, à l'époque, par la concurrence européenne. L'idéologie du PPA, c'était le refus de la déstructuration engendrée par le recul de la ville musulmane, et les valeurs islamiques. Reposant sur la masse croissante des vrais exclus sociaux, des marginaux clochardisés, les cadres plébéiens du PPA entendaient ne pas jouer la stratégie de l'élite française, réunissaient les petites élites intellectuelles musulmanes.

Aujourd'hui encore, et en continuité, l'anti-intellectualisme s'exerce puissamment dans l'organisation islamiste, pour qui les intellectuels (francisés) sont par excellence des « bourgeois ». Désignation méprisante visant ceux qui tentent de découvrir des substituts à la marche en avant du « peuple », qui ignorent les réalités populaires, parce qu'ils ne sont pas en contact avec elles au quotidien.

La force de l'islamisme consiste à proposer une nouvelle rupture avec l'État actuel, en retrouvant les mots, le vocabulaire de l'ancienne fracture avec l'État colonial. Ils réactivent une mémoire politique selon un processus déjà mis en œuvre dans ce temps colonial : rupture avec un État considéré comme impie ou antireligieux ; rupture avec un islam officiel, institutionnel (qui à l'époque s'accommodait de la présence française). En quelque sorte, un autre « 1er novembre » est nécessaire, d'autres « fils » du nationalisme se lèveront. Ce triptyque nation-identité religieuse-peuple apparaît comme expression, ferment et conséquence de ce néonationalisme naissant. Il sert à expliquer pourquoi les structures actuelles doivent disparaître au nom de réalités plus profondes, plus anciennes, donc plus légitimes.

Mais dans la guerre de libération, cette conception s'exprimait déjà à travers le Front de libération nationale (FLN), pour qui la notion de « peuple un », constitué sur une base religieuse, allait être un pilier essentiel de son idéologie. Ce thème du « peuple un », seul héros anonyme, était censé réduire les menaces d'agression externe (francisation, assimilation) et de désintégration interne (régionalisme, particularismes linguistiques). Ce dernier aspect concernait essentiellement la question berbère, porteuse de danger dans une vision exclusivement arabo-islamique de la nation.

Le FIS reprend aujourd'hui à son compte ce thème de « l'unité de la nation », bloc indécomposable, perçue comme une figure indissociable, unie et unanime. Ce populisme, déjà porté par le FLN[13], contribue à simplifier le politique, à radi-

13. Lahouari ADDI, *L'Impasse du populisme. L'Algérie : collectivité politique et État en construction*, ENAL, Alger, 1990, 242 p.

caliser les couples amis-ennemis, de telle sorte que les conflits ordinaires se trouvent disqualifiés. Toute opposition est perçue comme une menace de guerre civile, ou comme l'indice de complots destructeurs. Tant est forte la pensée de son unité, la nation finit par prendre une figure si abstraite qu'elle devient imprésentable.

Le FIS pousse donc la logique populiste véhiculée par le FLN depuis sa fondation, en la colorant de religiosité. Il entend dénouer la contradiction : si le FLN n'a pas été en mesure d'appliquer son programme (un peuple uni sans différenciation sociale ou culturelle, appliquant la *charia*, la loi islamique), c'est qu'il en a été empêché par des forces agissant en son sein (les socialistes arabes, nassériens ou baasistes, les « démocrates » sous influence française). Les militants du FIS se posent ainsi en véritables héritiers d'un FLN débarrassé de toute idéologie externe.

Le mouvement islamo-populiste constitue désormais, qu'on le veuille ou non, une composante importante de la vie politique intérieure algérienne. Les crises qui l'agitent périodiquement (l'affrontement au sommet Madani-Benhadj), l'existence concurrente du parti Hamas et de son leader M. Nahnah démontrent que le cadre politico-religieux à base populiste existe comme une référence centrale dans la vie associative. Faut-il s'en effrayer, considérer qu'il y a « péril vert » en la demeure algérienne ? Oui, si l'on considère que ce mouvement fait appel aux forces de la xénophobie, de l'obscurantisme ; qu'il définit une identité en diabolisant toutes les valeurs venues de l'Occident : le procès du mauvais usage de la démocratie se transforme alors en une condamnation de la démocratie elle-même. Non, si l'on considère que la société algérienne, comme dans tout le Maghreb, entend se débarrasser du système du parti unique, qui s'autodéfinit comme « parti du peuple entier ». Le parti islamiste, une fois légalisé, n'est qu'un grand parti parmi d'autres, en compétition avec d'autres forces. Il ne peut plus prétendre à la représentation exclusive d'une « communauté » sans différenciation. Son existence, contrairement aux apparences, est le signe du difficile apprentissage démocratique.

Ainsi, il n'est pas certain que les tentatives de certains « frères » pour s'opposer aux soirées récréatives, interdire toute mixité dans les écoles, limiter le rôle des femmes dans l'espace public, empêcher les installations de nouvelles antennes paraboliques (qui servent à capter les chaînes françaises de télévision), soient de nature à leur valoir les faveurs d'un large électorat. D'autre part, la dénonciation des monarchies pétrolières, violemment brocardées par les populations algériennes pendant la guerre du Golfe, ne manquera pas de laisser des traces. Le pouvoir de fascination de la société saoudienne, qui influence (voire finance) les mouvements islamistes en se présentant comme synthèse novatrice de la modernité technologique et des traditions religieuses, faiblit considérablement. La société saoudienne de la *charia* est décidément très perméable à la pénétration occidentale...

Quoi qu'il en soit, l'éventuelle « décrue » électorale du FIS ne signifiera pas sa disparition ou son effondrement, tant qu'il pourra continuer à se nourrir de la crise du FLN. Car il exprime à sa manière les convulsions d'un pays travaillé entre archaïsme et modernité.

Fin de la culture de guerre

Depuis l'indépendance de 1962, le FLN disposait d'un capital de légitimité acquis dans la guerre livrée contre la France. Même si c'était l'armée qui détenait, *de facto*, les rênes du pouvoir politique et économique — surtout à partir du coup d'État fomenté par Houari Boumediene en 1965 —, le FLN « garantissait », sur un plan symbolique, l'existence d'une nation une, forgée par la « Révolution ». L'évolution démocratique en Algérie provoque un réexamen critique de cette lecture des événements. A travers la crise du FLN, le peuple algérien redécouvre, en tâtonnant, qu'il n'est pas « venu au monde » par la seule grâce du Front ou de la rupture initiée par l'insurrection de novembre 1954. Le parti unique ne peut plus se confondre avec la nation plurielle. Ce mouvement de lente récupération du sens de l'Histoire est crucial. Dès lors, deux approches de la mémoire collective algérienne investissent aujourd'hui en force le discours idéologique et politique.

Un « pôle démocratique » s'efforce de faire la lumière sur les circonstances de l'accession à l'indépendance (avec, en particulier, la nécessité de surmonter le traumatisme du « divorce » d'avec la France coloniale) ; commence à remettre en question le passage obligé par un parti unique durant la guerre elle-même et l'effacement du pluralisme actif contemporain de la présence française ; s'interroge, enfin, sur la vision de l'État et de la nation développée au nom d'un « droit du peuple » qui, sous le règne du parti unique, n'a pas toujours fait bon ménage avec les droits du citoyen. Un autre pôle veut, au contraire, faire croire que l'histoire est simple et limpide, puisque la religion (l'islam) constituerait depuis des siècles une donnée immédiate de l'appartenance nationale. Les islamistes proposent de poursuivre le récit d'une insurrection permanente, qui vise à rétablir une société utopique, non pervertie par des éléments allogènes.

Le FLN ne peut plus s'approprier la « vérité », dissoute dans le pluralisme des croyances qui s'affrontent aujourd'hui. Entre un travail de la conscience et de l'éthique et l'affirmation religieuse, élevée au rang d'un mythe, deux conceptions de la nation future se dessinent désormais. Ce combat — dont l'issue est décisive pour l'avenir de l'Algérie — se mène dans des conditions difficiles : le populisme a, en effet, envahi tout le champ culturel et politique, dès les origines du nationalisme algérien. Une certaine méfiance pour la division sociale (enracinée dans le besoin communautaire religieux), confortée par l'attirance pour les images unifiantes du « peuple » (contre les particularismes linguistiques et régionaux), entrave les efforts d'élargissement des libertés publiques. D'autre part, la société civile algérienne éprouve une défiance généralisée à l'égard de l'État, disqualifié comme propriété du FLN.

22

France/Algérie : assumer l'Histoire

La mémoire jamais abolie

Les rapports franco-algériens se sont noués dans la violence, par l'imposition du système colonial, et par une guerre de sept ans qui a permis l'accession de l'Algérie à l'indépendance. Voilà pourquoi, trente ans après, le temps n'a pas pu apaiser les passions. Cette guerre, en France, a entraîné la chute de six présidents du Conseil et provoqué l'effondrement de la IVe République ; elle a porté le général de Gaulle au pouvoir et manqué causer sa chute ; elle a failli déclencher une guerre civile généralisée. Cette guerre, en Algérie, a causé la mort de centaines de milliers d'Algériens, le déplacement de millions de paysans, déstructuré l'économie ; et elle a façonné le régime politique qui allait gouverner le pays pendant trente ans.

Dès 1962, la Méditerranée, dont le nom arabe, *El pahr al moutawassat*, signifie « la mer blanche du milieu », est devenue ligne de fracture, « mur » bleu imaginaire. Le divorce, violent, n'a cessé de nourrir tensions, obsessions, fantasmes d'une rive à l'autre. D'un côté, ici, en France, la peur des « invasions », le refus de toute représentation de l'islam, apparenté aux ténèbres de l'intégrisme. De l'autre côté, la croyance que l'Europe, forte de sa suprématie technologique, allait prendre sa revanche sur une guerre d'Algérie perdue, en « pulvérisant » le Maghreb et l'islam. Cette obsession mutuelle s'est amplifiée par la méconnaissance, l'oubli.

On a beaucoup parlé, en France, à propos de la guerre d'Algérie, d'amnésie, de silence. Des hommes-mémoire de cette époque qui se taisent, poursuivant un travail de deuil solitaire ; des lieux de mémoire qui n'existent pas ; des temps-mémoire, jours décisifs de cette guerre (1er novembre 1954, 20 août 1955, 19 mai 1958, 19 mars 1962...) ne figurant pas dans les calendriers de la commémoration. Cette faculté d'oubli serait assez saine, finalement, si les « secrets » de cette guerre avaient été avoués, assumés, en particulier la pratique de la torture. Cela n'a jamais été le cas en France. Et l'« oubli » obsède, le feu couve toujours sous les vieilles cendres.

La droite n'a pas vraiment accepté ce qui lui apparaissait, déjà à l'époque, comme un renoncement, une « amputation » d'un territoire français. Ce refus d'admettre une mutilation imposée par l'histoire a provoqué la « gangrène » qui s'exprime à travers la crise du nationalisme français : à l'heure de l'extrême droite, la droite classique oriente l'idée de nation vers une idéologie de la revanche dirigée contre les « ennemis de l'intérieur », les immigrés ; et l'on parlera d'« overdose » à propos de ces derniers, avec les accents du racisme. Symétriquement, l'affaiblissement idéologique de la gauche commence véritablement dans le temps-guerre d'Algérie : le modèle républicain perd son universalisme, puisque exporté, il a été retourné contre la France.

Les « années algériennes », des millions de Français les ont vécues dans l'intensité du malaise, et dans l'indifférence. La France était en guerre depuis 1939, sans interruption, mais cette guerre-là (comme celle d'Indochine) semblait lointaine. Ce qui change, fondamentalement, c'est l'attitude française en face de la mort. Après la découverte d'Auschwitz, le choc d'Hiroshima, la défaite d'Indochine, l'« héroïsme » national disparaît peu à peu. Dans une société qui bascule dans la consommation et le désir individuel (voir les slogans de 1968), il n'y a plus guère besoin de « héros positifs » pour défendre une patrie que l'on ne croit plus en danger. Dans le silence, les corps des soldats morts en Algérie ont été rapatriés en métropole, enterrés dans le cercle restreint des intimes.

Longtemps, les passions liées à cette guerre se sont d'abord rétractées dans le privé, pour réinvestir ensuite massivement, mais comme clandestinement, l'espace public. Sans que cela soit dit, ni reconnu, cette époque algérienne submerge aujourd'hui, sans cesse, le quotidien français : revendications d'égalité des enfants d'immigrés algériens vivant dans les banlieues, et révoltes dans les derniers camps de harkis ; rapports conflictuels avec le Maghreb pendant la guerre du Golfe ; problèmes de l'immigration et définition de l'« identité française », discussions autour de la refonte éventuelle du Code de la nationalité... Si les rapatriés sont intégrés, économiquement et socialement, il n'en est pas de même des harkis, ces « coupables » d'avoir choisi la France, moisissant aux marches de la société française ; ni des fils d'immigrés algériens, victimes du racisme, ballottés entre deux histoires et mal vus des deux côtés de la Méditerranée.

En Algérie, la fièvre commémorative s'est construite autour d'une histoire héroïque, soulevant un peuple unanime derrière le FLN ; forgeant une armée, victorieuse militairement sur le terrain. On a inventé une extase résistancialiste, dont les emblèmes devaient éblouir la nation éternelle, enfin renaissante. En effaçant les terribles affrontements algéro-algériens, ces guerres dans la guerre qui firent des milliers de morts, en gommant les particularismes régionaux ou linguistiques à l'œuvre dans la longue marche du nationalisme algérien (avec la question berbère en particulier) ; en ne disant pas que cette guerre n'a pas été gagnée militairement, mais politiquement.

Mais la mémoire réelle de cette guerre n'en subsistait pas moins, elle n'a jamais cessé de fonctionner, de revenir publiquement. Aucun peuple, aucune société, aucun individu ne saurait exister et définir son identité en état d'amnésie ; une mémoire parallèle, individuelle, trouve toujours des refuges lorsque les pouvoirs veulent la rendre captive, ou l'abolir.

Les leçons de la guerre reviennent sous une double forme : retrouver les traditions du pluralisme politique et culturel, de la démocratie, sortir du parti unique ; mais également, et de façon contradictoire, maintenir sous la forme de l'islamisme la tradition d'un nationalisme populiste. Les militants islamistes tentent en permanence la réactivation du temps de la guerre. Ils renouent avec un vocabulaire où l'État-FLN a remplacé l'État colonial. Cette bataille des mémoires autour des leçons d'une guerre est loin d'être achevée aujourd'hui en Algérie.

La répétition du refoulé

Tout peuple, de même que tout individu, procède, en son être mental, à des dénégations, à des dénis, plus ou moins conscients, plus ou moins volontaires, des pensées, d'images, de souvenirs ressentis comme douloureux. Un mot de psychanalyse, passé dans l'usage, désigne cet état par « refoulement ». Ce qui est vrai pour tout individu et ses « pulsions » (Freud) l'est également pour tout peuple et ses « archétypes » qui gardent « l'inconscient collectif » (Jung). On peut même affirmer que toute civilisation se bâtit sur un « refoulement originaire » : généralement, celui du meurtre sacrificiel, imputé à un autre peuple (voir, par exemple, les États-Unis d'Amérique fondant leur existence sur l'éradication collective des premiers occupants indiens).

Y a-t-il aujourd'hui, en France, « retour du refoulé » à propos de cette guerre, existe-t-il cet obscur sentiment de culpabilité ? On pourrait plutôt parler d'une « répétition du refoulé ». La perte de l'Algérie, loin de porter un sentiment d'échec, développe au contraire l'estime de soi, la certitude d'avoir toujours eu raison dans le temps colonial. Cette cicatrice narcissique se voit dans la volonté de rejouer, répéter, faire revivre les années de guerre, en entretenant la déception de la guerre perdue. Cette attitude favorise, en Algérie, l'amertume, l'affirmation du sentiment de soi, le rejet du savoir colonial en bloc. Là-bas, aussi, on répète la guerre.

Cette « répétition » entrave la connaissance réelle des fragments de ce passé commun. Vivre dans l'illusion de la répétition des mêmes expériences empêche de tirer les leçons pour le vécu présent. Français et Algériens doivent regarder en face leur propre histoire intérieure, balayer mythes et chimères, démêler droits et souvenirs. On ne peut partager l'avenir en niant le passé commun, conflictuel.

Pour la France, il s'agit d'« entrer » dans cette guerre, d'assumer franchement cette page peu glorieuse, de regarder sans complaisance le passé colonial en face. Pour les Algériens, qui ont gagné cette guerre, il faudra au contraire « en sortir », appréhender l'avenir en ne se réfugiant pas, sans cesse, dans un passé héroïque.

La guerre d'Algérie... Moment des fantasmes enfouis, mélange infernal de souvenirs cruels, de regrets, de remords, et surtout de revanches. Époque des illusions et de la guerre sale, peut-être inutile... Comment une telle période surchauffée par la passion pourrait-elle être approchée froidement par les historiens ?

D'autant que, à la différence de la Seconde Guerre mondiale, la guerre d'Algérie (comme les autres guerres coloniales) ne dispose pas encore de territoire propre, d'autonomie universitaire. Pour que puisse s'autonomiser une recherche spécifique, il faut du temps, des historiens en particulier déplaçant leur récit « du roman des souvenirs » à l'histoire des Français et des Algériens. En relativisant l'histoire épopée et les mémoires des « grands », en scrutant les modifications qui influent sur les conditions des hommes dans toutes ses manifestations, en cessant de tendre aux lecteurs un miroir où ils revivent leurs espoirs et leurs désirs...

Il est temps de mettre en chantier une « nouvelle histoire », de nouveaux livres sur la guerre d'Algérie : de ses commencements coloniaux à ses survivances dans les mémoires du présent.

Chronologie de l'après-guerre d'Algérie (1962-1990)*

I. 1962-1968 : la gestion du temps de la guerre

1962

FRANCE	ALGÉRIE
3 juillet : reconnaissance officielle de l'indépendance de l'Algérie. Jean-Marcel Jeanneney est le premier ambassadeur dans le nouvel État algérien. Le GPRA arrive à Alger. *5 juillet :* pour 241 voix contre 72, l'Assemblée nationale lève l'immunité parlementaire de Georges Bidault, ancien responsable de l'OAS. *21 juillet :* vote d'une loi maintenant la nationalité française aux Français de statut civil de droit civil, domiciliés en Algérie, sans condition.	*1er juillet :* référendum en Algérie : les accords consacrant l'accession de l'Algérie à l'indépendance sont adoptés à la quasi-unanimité des votants (5 994 000 sur 6 034 000). Il y a 530 000 abstentions. *4 juillet :* début d'exécutions et d'enlèvements de « pieds-noirs » et de harkis à Oran. Les chiffres de ces exactions varient de 80 à 2 000. *22 juillet :* luttes intestines dans l'Algérie indépendante. Ahmed Ben Bella et ses amis annoncent à Tlemcen la formation d'un « Bureau politique », « chargé de prendre en main les destinées de l'Algérie ».

* Établie par l'auteur.

FRANCE	ALGÉRIE
9 août: mandat d'arrêt contre Georges Bidault, président du « Conseil national de la Résistance ».	*29 août:* incidents sanglants entre wilayas rivales.
15 août: Jacques Soustelle est arrêté à Milan et reconduit le 18 à la frontière autrichienne.	
22 août: le général de Gaulle échappe à un attentat minutieusement préparé au Petit-Clamart, sur la route de Villacoublay, par un commando de l'OAS.	
14 septembre: plusieurs membres de l'OAS sont arrêtés en Belgique. Henri Niaux, soupçonné d'avoir organisé l'attentat du Petit-Clamart, se suicide. Bastien-Thiry est arrêté. *22 septembre:* une information est ouverte contre Jacques Soustelle pour complot contre l'autorité de l'État.	*9 septembre:* l'Armée nationale populaire (ANP) commandée par le colonel Houari Boumediene fait son entrée à Alger. *15 septembre:* l'Assemblée constituante proclame la République algérienne, démocratique, populaire. *27 septembre:* Mohamed Boudiaf, « chef historique du FLN », crée le Parti de la révolution socialiste (PRS) qui conteste la légitimité du Bureau politique formé par A. Ben Bella.
Octobre: sortie du film d'Agnès Varda *Cléo de 5 à 7*; dans son errance le personnage principal rencontre et partage son angoisse avec un jeune appelé, qui doit repartir pour l'Algérie le soir même.	
28 novembre: le président de la République prononce la grâce d'Edmond Jouhaud et André Canal, condamnés à mort pour leurs activités au sein de l'OAS.	*29 novembre:* le gouvernement algérien crée l'Office national de la main-d'œuvre (ONAMO) dans le but de contrôler et sélectionner les candidats à l'émigration. Le Parti communiste algérien est interdit.
Décembre: des officiers français signalent que des massacres de harkis ont lieu dans l'Algérie indépendante.	

1963

FRANCE	ALGÉRIE
4 janvier: l'Assemblée nationale adopte les deux projets créant la Cour de sûreté de l'État. *26 janvier:* l'ex-colonel Argoud est enlevé à Munich et emmené à Paris. *14 février:* arrestation de plusieurs officiers qui préparaient un attentat contre le général de Gaulle à l'occasion de la visite qu'il devait accomplir le lendemain à l'École militaire. *23 février:* une opération de police permet d'appréhender un commando OAS, dirigé par Georges Buscia, qui voulait assassiner Georges Pompidou, et enlever Bastien-Thiry, chef du commando du Petit-Clamart.	*26 janvier:* Jean de Broglie, secrétaire d'État chargé des Affaires algériennes, obtient à Alger un accord sur la recherche des personnes disparues et la situation des biens vacants.
4 mars: la Cour militaire de justice condamne à mort six des conjurés du Petit-Clamart : Bastien-Thiry, Bougrenet de la Tocnaye, Prévost, et, par défaut, Watin, Marton et Bernier. *11 mars:* Bastien-Thiry est fusillé au fort d'Ivry. *30 mars:* la Fédération nationale des anciens combattants d'Algérie (FNACA), lors de son congrès de Noisy, choisit de commémorer la date du cessez-le-feu en Algérie, le 19 mars.	*10 mars:* l'expérience nucléaire française réalisée au Sahara provoque une vive protestation d'Alger. *20 mars:* A. Ben Bella demande la révision des accords d'Évian.
9 avril: Georges Bidault passe du Portugal au Brésil, après avoir accepté de renoncer à ses activités politiques. *13 avril:* le démantèlement d'un réseau OAS à Paris est rendu public. L'ex-capitaine de corvette Roy et une dizaine d'activistes sont arrêtés. *29 avril:* le gouvernement français décide l'organisation d'un contrôle médical pour les émigrés algériens à l'arrivée à Marseille.	*16 avril:* Mohammed Khider démissionne de son poste de secrétaire général du FLN. A. Ben Bella lui succède.

FRANCE	ALGÉRIE
31 mai: fin de l'état d'urgence en France, en vigueur depuis le putsch d'Alger du 22 avril 1961.	*29 mai:* le gouvernement algérien promulgue des décrets relatifs au contrôle de la sortie des travailleurs et de leur famille. L'émigration familiale est subordonnée à l'obtention d'un logement et la présentation d'une attestation d'emploi.
	25 juin: A. Ben Bella annonce officiellement que M. Boudiaf et trois autres personnes ont été arrêtées pour « complot contre l'État ».
18 juillet: la Cour de sûreté de l'État condamne les anciens subordonnés du général Jouhaud, l'ex-commandant Gamelin et l'ex-lieutenant de vaisseau Guillaume, respectivement à dix-huit et huit ans de détention.	
26 septembre: Jean-Claude Dumont, membre de l'OAS, assassin en 1961 du général Ginestet et du colonel Mabille hostiles à l'OAS, est condamné à mort par la Cour de sûreté de l'État.	*29 septembre:* mouvement rebelle kabyle d'Hocine Aït Ahmed et de Mohand Ou El Hadj contre Ben Bella. H. Aït Ahmed crée le Front des forces socialistes (FFS).
	1er octobre: nationalisation en Algérie des dernières terres appartenant à des colons français.
Novembre: trois films sur les écrans parisiens, à propos de la guerre d'Algérie. *La Belle Vie*, de R. Enrico (la difficile adaptation à la vie civile d'un appelé de retour d'Algérie après vingt-sept mois passés sous les drapeaux); *Muriel*, d'Alain Resnais (le beau-fils de l'héroïne hanté par le visage d'une jeune Algérienne qu'il a torturée s'engage dans des actions de nature cathartique); et *Le Petit Soldat*, de J.-L. Godard, film interdit en 1961 (en Suisse, un déserteur engagé comme tueur par un groupe activiste de l'OAS tombe amoureux d'une cover-girl qui a aidé le FLN).	
30 décembre: l'ex-colonel Argoud est condamné à la détention criminelle à perpétuité.	

1964

FRANCE	ALGÉRIE
29 février: Jacques Soustelle est expulsé de Suisse.	
13 mars: entrevue du général de Gaulle et d'Ahmed Ben Bella au château de Champs.	
10 avril: les gouvernements français et algérien introduisent la notion de contingentement pour l'immigration. Le volume des départs vers la France est fixé en fonction des disponibilités de main-d'œuvre en Algérie, et des possibilités du marché de l'emploi français. La moyenne annuelle des départs est fixée à 12 000.	*16 avril:* la réunion du premier congrès du FLN adopte la « Charte d'Alger ». *25 avril:* le gouvernement algérien décide que les « touristes algériens en France doivent se munir d'un billet de transport-retour, et d'un pécule de 200 francs ».
26 avril: Jean-Louis Tixier-Vignancourt, ancien avocat des généraux Salan et Jouhaud, annonce sa candidature à l'élection présidentielle contre le général de Gaulle.	
Mai: le film de Jacques Demy *Les Parapluies de Cherbourg*, le drame de deux jeunes gens amoureux l'un de l'autre et que l'Algérie a séparés, obtient la Palme d'or au festival de Cannes.	
	15 juin: retrait des troupes françaises d'Algérie : il n'en reste qu'à Mers el-Kebir et au Sahara.
15 août: le général de Gaulle préside sur les plages de Provence les cérémonies anniversaires du débarquement de 1944. Une charge de plastic sera découverte plus tard près du monument du Mont-Faron qu'il a inauguré.	*Août:* Mohammed Khider annonce officiellement son opposition à Ben Bella, et garde « les fonds secrets du FLN ».
Octobre: sortie à Paris du film d'Alain Cavalier *L'Insoumis*, avec Alain Delon, histoire d'un lieutenant qui passe à l'OAS pendant la guerre d'Algérie.	*17 octobre:* Hocine Aït Ahmed, leader du FFS, est arrêté en Kabylie.
17 décembre: vote de la première loi d'amnistie sur les affaires liées aux événements d'Algérie.	
21 décembre: 173 anciens membres de l'OAS bénéficient de la grâce présidentielle à l'occasion de Noël.	

1965

FRANCE	ALGÉRIE
	8 mars: lancement de la fusée française Émeraude à Hammaguir, au Sahara.
	7 avril: ouverture à Alger du procès de H. Aït Ahmed. Condamné à mort, il sera gracié.
21 mai: les services de la Sûreté révèlent qu'ils ont identifié et arrêté le 15 mai huit des conjurés qui avaient organisé la tentative d'attentat du 15 août 1964 contre le général de Gaulle au Mont-Faron.	
	19 juin: un conseil de la Révolution, dirigé par Houari Boumediene, démet Ahmed Ben Bella et déclare assumer tous les pouvoirs.
	10 juillet: constitution d'un nouveau gouvernement présidé par H. Boumediene.
13 juillet: accords franco-algériens sur les hydrocarbures qui seront paraphés à Paris le 23, signés à Alger le 29.	
	28 juillet: création de l'Organisation de la résistance populaire par d'anciens amis de Ben Bella pour s'opposer au nouveau régime. Son réseau clandestin sera démantelé un mois après.
22 octobre: condamnation d'André Figueras à trois mois de prison avec sursis et 5 000 F d'amende pour son livre, *Le Général mourra.*	
21 décembre: commentaire du gaulliste Louis Vallon après le second tour de l'élection présidentielle (qui voit la victoire du général de Gaulle): « Le bon sens du peuple a fait échouer le Petit-Clamart électoral mis en place au second tour. »	
22 décembre: mesures de clémence en faveur de 203 condamnés politiques. Le gouvernement prépare une loi d'amnistie liée aux événements de la guerre d'Algérie.	

1966

FRANCE	ALGÉRIE
23 janvier: J.-L. Tixier-Vignancourt lance un nouveau parti, l'Alliance républicaine pour le progrès et les libertés.	
	1er mai: évasion de H. Aït Ahmed de la prison d'El-Harrach.
	Juin: le film *La Bataille d'Alger*, de G. Pontecorvo, obtient le Lion d'or à la Mostra de Venise. Le film est interdit en France.
13 juillet: à l'occasion du 14 juillet, douze condamnés politiques, dont l'ex-général Zeller, bénéficient de la grâce présidentielle.	
1er octobre: la création au théâtre de l'Odéon de la pièce de J. Genet *Les Paravents* provoque des incidents avec d'anciens parachutistes. Roger Blin en assure la mise en scène. Sortie à Paris du film *Les Centurions* de l'Américain Mark Robson, d'après le roman de Jean Lartéguy.	*Octobre:* sur les écrans à Alger, *Le Vent des Aurès*, de Mohammed Lakhdar-Hamina, histoire d'une mère à la recherche de son fils déporté pendant la guerre d'Algérie.
20 décembre: vote d'une loi qui règle le cas des Juifs d'Algérie qui, de par leur origine géographique (Mzab, Béchar), n'avaient pas été compris dans le décret Crémieux de naturalisation française de 1870.	
23 décembre: à l'occasion de Noël, l'ancien général Challe et seize condamnés pour faits de subversion sont graciés et libérés.	

1967

FRANCE	ALGÉRIE
	4 janvier: assassinat à Madrid de Mohammed Khider.
	15 février: dernière grande expérience française sur la base d'Hammaguir; lancement du satellite Diadème II.

FRANCE	ALGÉRIE
	21 mai: fermeture des bases françaises d'engins spéciaux au Sahara. Colomb-Béchar et Hammaguir sont évacués.
Juin: le Parlement clôt sa session en repoussant un projet d'amnistie présenté par le gouvernement à propos des activistes liés aux événements d'Algérie. Il y a encore 53 prisonniers à ce titre dans les prisons françaises.	
22 décembre: libération du général Jouhaud et de cinq autres condamnés activistes.	*15 décembre:* le président Boumediene destitue le colonel Tahar Zbiri, chef d'état-major, et assure désormais le commandement de l'Armée nationale populaire.

1968

FRANCE	ALGÉRIE
	Janvier: la base de Mers el-Kébir, dont l'armée française avait obtenu l'usage jusqu'en 1977, est évacuée pour des raisons financières.
Avril: parution du premier tome de *La Guerre d'Algérie*, d'Yves Courrières. Les quatre ouvrages, *Les Fils de la Toussaint* (1968), *Le Temps des léopards* (1969), *L'Heure des colonels* (1970), *Les Feux du désespoir* (1971), se vendront à plusieurs centaines de milliers d'exemplaires.	
13 mai: grève générale, et manifestation d'un million de personnes à Paris contre la politique du général de Gaulle.	*14 mai:* nationalisation des sociétés de distribution des produits pétroliers et du gaz.
30 mai: des centaines de milliers de Parisiens apportent leur soutien au chef de l'État, au cours d'une manifestation de la Concorde à l'Étoile.	*20 mai:* nationalisation des secteurs de construction mécanique.
7 juin: tous les membres de l'OAS sont graciés. Dans les jours suivants, ils rentrent d'exil (G. Bidault), ou sortent de prison (R. Salan).	*12 juin:* nationalisation des secteurs de la chimie, mécanique, ciment et alimentation.

FRANCE	ALGÉRIE
24 juillet: l'Assemblée nationale vote un texte de loi qui efface la peine pénale liée aux événements d'Algérie. Mais ce texte ne prévoit pas la réintégration dans les fonctions publiques (civiles ou militaires), et les droits aux décorations.	
	30 septembre: le gouvernement algérien dispense des épreuves en arabe aux examens pendant quatre ans les enfants d'émigrés qui regagnent l'Algérie.
24 octobre: Jacques Soustelle rentre en France après un exil de six ans dû à ses activités en faveur de l'Algérie française.	
	27 décembre: les gouvernements français et algérien signent un accord portant le contingent annuel des travailleurs algériens candidats à un emploi en France à 35 000 pour une période de trois ans.

II. 1969-1981 : la mise entre parenthèses, recherches du compromis, bouffées de mémoires

1969

FRANCE	ALGÉRIE
28 avril: à la suite d'un référendum, le général de Gaulle cesse d'exercer ses fonctions de président de la République.	*Avril:* sortie du film *Les Hors-la-loi*, de Tewfik Farès, histoire de bandits d'honneur qui refusent l'ordre colonial.
15 juin: Georges Pompidou est élu président de la République.	
	9 juillet: procès des auteurs de la tentative de putsch de décembre 1967.
Octobre: sortie à Paris du film *Le Pistonné*, de Claude Berri, qui traite sur un mode humoristique de l'engagement français au Maroc, et en Algérie.	

1970

FRANCE	ALGÉRIE
1er juin : mort de l'écrivain François Mauriac, qui s'était engagé pour l'indépendance de l'Algérie.	*Juin :* sur les écrans en Algérie, un film d'Ahmed Rachedi, *L'Opium et le Bâton*, chronique d'un village kabyle meurtri par l'armée française.
30 juin : un projet de loi d'indemnisation des rapatriés fixe l'indemnité à cinq milliards. Cette somme représente, selon les estimations du gouvernement français, le dixième de la valeur des biens spoliés.	*13 juin :* l'Algérie suspend les négociations sur les pétroles avec la France.
15 juillet : vote d'une loi dite de « contribution nationale » à propos des rapatriés d'Algérie.	*21 juillet :* l'Algérie augmente de près de 50 % le prix du pétrole, servant de base de calcul des impôts des compagnies françaises.
Septembre : sur les écrans à Paris, *Élise ou la vraie vie*, de Michel Drach, histoire d'une jeune Bordelaise à Paris qui a, en 1961, une aventure amoureuse avec un Algérien ouvrier chez Renault.	
	20 octobre : Krim Belkacem, un des « chefs historiques » du FLN, est découvert étranglé dans un hôtel de Francfort.
9 novembre : mort du général de Gaulle.	

1971

FRANCE	ALGÉRIE
25 janvier : deux parlementaires, A. Griotteray et Ch. Pasqua interviennent auprès du ministre des Anciens Combattants pour s'opposer aux commémorations du 19 mars organisées par la FNACA.	
	24 février : en Algérie, nationalisations des pipe-lines, du gaz naturel et de 51 % des avoirs des sociétés pétrolières françaises.
Avril : sortie d'un film sur la guerre d'Algérie : *Avoir 20 ans dans les Aurès*, de René Vautier, l'odyssée de jeunes appelés, membres d'un commando de chasse.	

FRANCE	ALGÉRIE
Dans le même temps, sortie du film *Le Chagrin et la Pitié*, de Marcel Ophuls. *15 avril:* le gouvernement français met fin au système de relations privilégiées avec l'Algérie. Les négociations entre les gouvernements sont rompues.	*23 décembre :* les gouvernements français et algérien réduisent le contingent annuel de nouveaux émigrés de 35 000 à 25 000.

1972

FRANCE	ALGÉRIE
20 septembre : mort de l'écrivain Pierre-Henri Simon, qui avait publié en 1957 un ouvrage contre la torture pendant la guerre d'Algérie. *Octobre :* parution du deuxième volume des mémoires du général Massu, consacré à la guerre d'Algérie. *17 octobre :* le Premier ministre annonce des mesures pour les pieds-noirs.	*2 juillet :* incident à l'occasion du dixième anniversaire de l'indépendance algérienne. M. Galley, ministre des PTT, accompagné d'une délégation de militaires, quitte l'Algérie avant de représenter la France aux cérémonies, en raison de la diffusion à la radio d'un discours de H. Boumediene jugé inacceptable. *Septembre :* sortie du film *Zone interdite*, d'Ahmed Lallem, constat de la société algérienne en 1954 ; et *Patrouille à l'est*, d'Amar Laskri, « histoire héroïque » de maquisards algériens.

1973

FRANCE	ALGÉRIE
21 février: meeting organisé par l'extrême droite à Paris sur le thème « Halte à l'immigration sauvage ». Violents affrontements entre l'extrême gauche, qui mène campagne à cette occasion contre « les anciens de l'OAS », et la police.	
	Mai: sortie du film *Décembre*, de Mohamed Lakhdar-Hamina, qui aborde le problème de la torture dans les années soixante.
	5 juillet: une ordonnance abroge la loi du 31 décembre 1962, qui reconduisait la législation française en vigueur dans le pays indépendant.
25 août: meurtre à Marseille d'un conducteur d'autobus par un Algérien. Il provoque une vague d'agitation raciste qui amènera Alger à suspendre l'émigration vers la France.	
	4 septembre: annonce de l'assassinat du poète pied-noir Jean Senac, qui vivait à Alger depuis l'indépendance.
	9 septembre: le quatrième sommet des pays non alignés se réunit à Alger. L'Algérie établit un « Cahier de doléances » du tiers monde contre l'attitude des pays du Nord.
	19 septembre: le gouvernement algérien décide la suspension unilatérale de l'émigration vers la France.
14 décembre: attentat au consulat d'Algérie à Marseille: 4 morts et 22 blessés.	
Avril: sortie du film *RAS* d'Yves Boisset, l'itinéraire géographique et moral de soldats du contingent dans les djebels.	

1974

FRANCE	ALGÉRIE
2 avril : mort de Georges Pompidou. *19 mai :* élection de Valéry Giscard d'Estaing à la présidence de la République. Faisant un portrait du nouveau président, *Le Monde* écrit : « Nul doute qu'il a été favorable, très favorable aux thèses de l'Algérie française. »	
8 juin : le général Bigeard fait partie des vingt et un secrétaires d'État qui complètent le gouvernement de J. Chirac.	*3 juin :* mort du leader algérien Messali Hadj. Le 7 juin, plus de 20 000 personnes participent à son enterrement à Tlemcen, malgré le silence de la presse officielle algérienne.
20 septembre : de retour d'un voyage en Algérie, G. Marchais déclare dans *L'Humanité* : « Nous voyons l'Algérie indépendante s'engager résolument dans la construction d'une société socialiste. »	
	1er novembre : Alger invite Paris pour la vingtième célébration du 1er novembre 1954. Elle n'a pas de suite, mais le président de la République envoie un message à son homologue algérien.
9 décembre : une loi est votée (article L 253 *bis* du Code) qui précise qu'« ont vocation à la qualité de combattant et à l'attribution de la carte de combattant ceux qui ont pris part aux opérations effectuées en Afrique du Nord entre le 1er janvier 1952 et le 2 juillet 1962 ».	*2 décembre :* visite du ministre d'État Michel Poniatowski à Alger, qui déclare : « Il n'y a plus de contentieux entre la France et l'Algérie. »

1975

FRANCE	ALGÉRIE
3 février : découverte d'une bombe au siège d'Air-Algérie à Lyon. *Mars :* parution du roman de Jules Roy *Le Tonnerre et les Anges* (éd. Grasset), « Massu, Bigeard, Challe et surtout de Gaulle sont les principaux personnages de cette tragédie algérienne ».	

FRANCE	ALGÉRIE
	10 avril: pour la première fois, un chef d'État français, V. Giscard d'Estaing, se rend en visite dans l'Algérie indépendante. Paris et Alger sont parvenus à une attitude commune sur les conférences de Paris (énergie) et Genève (Proche-Orient). Dans les toasts du Palais du Peuple, le président français déclare : « Le passé peut être une coupure, ou une charnière. Le sens de ma visite, c'est évidemment la charnière. » H. Boumediene lui répond que « le peuple français doit comprendre, le passé est définitivement révolu ».
	Mai: le film de M. Lakhdar-Hamina, *Chronique des années de braise*, où l'on voit les moments qui conduisent à l'insurrection de novembre 1954, obtient la Palme d'or au festival de Cannes.
Juin: première grande révolte dans les camps de harkis du sud de la France.	
21 août: occupation près d'Aléria d'un domaine agricole appartenant à un rapatrié d'Algérie par un commando nationaliste corse.	
Septembre: Kateb Yacine présente à Paris, au théâtre des Bouffes-du-Nord, une pièce en 21 tableaux sur l'immigration algérienne en France, *Mohammed prends ta valise.*	
	Octobre: parution en France du premier ouvrage de critique démystificatrice du FLN, *Aux origines du FLN*, par l'historien algérien Mohammed Harbi.
10 novembre: Le Nouvel Observateur publie un article : « Rien ne va plus entre Paris et Alger. Le chaleureux sommet Giscard-Boumediene n'est plus qu'un lointain souvenir [...]. Le différend qui oppose les deux pays est essentiellement économique et financier. »	

1976

FRANCE	ALGÉRIE
	8 janvier : les services de sécurité algériens appréhendent à Alger des membres « d'un commando de saboteurs », et mettent en cause directement les services de renseignements français.
2 février : interview de V. Giscard d'Estaing : « Nous respectons totalement l'option socialiste des Algériens. »	
	9 mars : quatre anciens dirigeants du FLN pendant la guerre, F. Abbas, Y. Benkhedda, Cheikh Kheirredine et H. Lahouel lancent un appel public en Algérie. Ils réclament « un débat à l'échelle nationale pour l'élection au suffrage universel direct et sincère d'une Assemblée nationale constituante souveraine ».
16 avril : un texte de l'agence officielle algérienne APS est publié dans la presse française. Il y est dénoncé la politique de la France à propos des accords sur le gaz. *Mai :* parution aux éditions Maspero du premier ouvrage scientifique sur les *Travailleurs algériens en France*, par Ahsène Zehraoui.	
	27 juin : référendum sur la Charte nationale. Le premier article précise que « l'islam est religion d'État ». Le chapitre 2 souligne que « le socialisme est une option irréversible ».
Juillet : parution de l'ouvrage d'Ania Francos et J.-P. Sereni, *Un Algérien nommé Boumediene*, où on peut lire les lignes suivantes : « Boumediene fait une croix sur la France officielle et va désormais jouer sur l'opposition de gauche. » *4 août :* le général Bigeard, secrétaire d'État à la Défense, estimant sa mission terminée, se retire du gouvernement.	
Décembre : création de l'émission de télévision « Mosaïques », destinée aux travailleurs immigrés en France.	*10 décembre :* élections présidentielles. Houari Boumediene est élu président de la République.

1977

FRANCE	ALGÉRIE
	25 février: élection de l'Assemblée populaire nationale. Elle choisit comme président Rabah Bitat, un des derniers « chefs historiques » de la révolution algérienne encore au pouvoir.
Mars: parution du livre de J.-P. Vittori, *Nous les appelés d'Algérie*, qui, à partir de 300 témoignages, décrit la guerre du contingent.	*5 mars:* première réunion de l'Assemblée populaire nationale.
30 avril: dans l'émission de télévision *Questions sans visages*, P. Dumayet reçoit M. Bigeard et l'interroge sur son action pendant la guerre d'Algérie.	*21 avril:* constitution d'un nouveau gouvernement.
Mai: sortie du film *La Question*, de Laurent Heynemann, adaptation du livre de Henri Alleg paru en janvier 1958.	
	27 août: décès de Mufdi Zakaria, créateur de l'hymne national algérien.
27 septembre: suspension de l'entrée des familles de travailleurs étrangers installés en France. Extension du bénéfice de l'aide au retour: 10 000 F à tout travailleur justifiant d'une activité salariale en France depuis cinq ans (à l'exception des ressortissants de la CEE) et manifestant la volonté de quitter la France.	
Octobre: parution aux éditions du Seuil de *La plus haute des solitudes*, étude de Tahar Ben Jelloun sur la condition des immigrés maghrébins en France.	*9 octobre:* décès de Tedjini Sekkal, un des fondateurs de l'Étoile nord-africaine dans l'immigration en France.
16 octobre: Valéry Giscard d'Estaing préside la cérémonie d'inhumation des cendres d'un soldat inconnu de la guerre d'Algérie, dans le Pas-de-Calais (nécropole Notre-Dame-de-Lorette).	

1978

FRANCE	ALGÉRIE
Juin: une liste « Algérie française » bat les socialistes aux élections municipales d'Aix-en-Provence.	
Juillet: début de « l'affaire Maschino ». L'enlèvement sur un territoire étranger, par un richissime ressortissant algérien, de sa sœur mariée à un Français, pour la remettre entre les mains du clan familial en Algérie, provoque en France un émoi considérable. Plusieurs intellectuels s'interrogent sur le sort de la femme en Algérie après l'indépendance.	
21 juillet: dans l'émission de télévision *Apostrophes*, le colonel Trinquier, adjoint de Massu, et l'historien M. Winock évoquent la guerre d'Algérie.	
	27 décembre: décès de H. Boumediene, après six semaines de coma. Rabah Bitat assume l'intérim à la tête de l'État.

1979

FRANCE	ALGÉRIE
18 janvier: le gouvernement français décide que les travailleurs étrangers peuvent participer à l'élection des salariés aux prud'hommes.	*27 janvier:* réunion du IVe congrès du FLN.
	7 février: le colonel Chadli Bendjedid est élu président de la République algérienne.
Avril: sortie à Paris du film *Coup de sirocco*, d'Alexandre Arcady avec Roger Hanin, qui évoque le départ des pieds-noirs d'Algérie et leur difficile insertion en France.	
Septembre: parution de l'ouvrage *Les Porteurs de valises*, de H. Hamon et P. Rotman, qui met en lumière une « résistance française à la guerre d'Algérie ».	

FRANCE	ALGÉRIE
27 octobre: publication d'un sondage dans *L'Express*. La guerre d'Algérie arrive en tête (31 %) devant Mai 68 (30 %) et la démission du général de Gaulle (12 %) pour les événements qui ont le plus marqué l'histoire de la France au cours des trente dernières années.	*30 octobre:* célébration du 25e anniversaire du « déclenchement de la Révolution algérienne ». Discours du président Chadli sur « l'état de la nation ».
	1er novembre: lors du 25e anniversaire de l'insurrection algérienne, V. Giscard d'Estaing dépêche à Alger Bruno de Leusse, secrétaire général du ministère des Affaires étrangères, et Georges Gorse, ancien ministre du général de Gaulle.
3 décembre: un décret n° 79-1038, pris pour l'application de la loi 79-18 du 3 janvier 1979, prévoit que les archives des services de la police nationale mettant en cause la vie privée ou intéressant la sûreté de l'État, ou la défense nationale, ne peuvent être consultées qu'après un délai de soixante ans. Les historiens français protestent contre cette mesure qui touche, principalement, la séquence guerre d'Algérie.	*26 décembre:* réunion du Comité central du FLN. A l'ordre du jour, les orientations du développement économique et social à long terme.

1980

FRANCE	ALGÉRIE
10 janvier: adoption de la loi Bonnet relative à la prévention de l'immigration clandestine, permettant l'expulsion pour des motifs administratifs.	*2 janvier:* le Comité central du FLN encourage l'accession des familles à la propriété privée.
19 mars: déclaration de Valéry Giscard d'Estaing, président de la République : « L'anniversaire des accords du 19 mars 1962 mettant fin à la guerre d'Algérie n'a pas à faire l'objet d'une célébration. »	*Mars:* parution à Alger de *Histoire du nationalisme algérien* (éditions SNED) de Mahfoud Kaddache.
	20 avril: à Tizi-Ouzou, trois jours d'émeute suivent l'expulsion

FRANCE	ALGÉRIE
	des enseignants et étudiants de l'université, occupée le 7 avril (à la suite de l'interdiction d'une conférence de l'écrivain Mouloud Mammeri). Les insurgés réclament la reconnaissance de la culture berbère en Algérie. *Mai:* parution en France de l'ouvrage de Mohammed Harbi *Le FLN, mirage et réalité* (éd. Jeune Afrique). Le livre est interdit en Algérie.
14 juin: Jacques Dominati, secrétaire d'État chargé des Rapatriés, participe à Toulon à une cérémonie dédiée « à la mémoire des martyrs de l'Algérie française ». Pour protester contre cette présence, les députés RPR déclenchent une « grève des débats » à l'Assemblée nationale.	*15 juin:* congrès extraordinaire du FLN: 3 998 délégués (dont 3 339 élus et 659 désignés). *28 juin:* à l'issue du congrès, Chadli Bendjedid réduit le bureau politique à 7 membres.
	17 septembre: les ministres des Affaires étrangères français et algérien signent à Alger plusieurs accords, dont le plus important concerne les travailleurs immigrés (aides au retour volontaire).
22 octobre: dans l'émission de télévision *La rage de lire*, animée par G. Suffert, et consacrée à la guerre d'Algérie, P. Laffont, ancien directeur de *L'Écho d'Oran*, polémique avec l'historien Charles-Robert Ageron.	*30 octobre:* levée des « mesures particulières » prises à l'encontre de l'ex-président A. Ben Bella, et du colonel Tahar Zbiri. Libre après quinze ans d'emprisonnement, A. Ben Bella va se recueillir sur la tombe de Messali Hadj, le 10 novembre.

1981

FRANCE	ALGÉRIE
19 mars: affrontements sous l'arc de Triomphe, à l'occasion des cérémonies organisées par la FNACA (souvenir du 19 mars 1962). Jean-Marie Le Pen et J.-L. Tixier-Vignancourt comptent parmi les manifestants qui s'opposent à cette commémoration.	*5 mars:* décès d'Amar Ouzegane, un des fondateurs du Parti communiste algérien. *17 mars:* instruction présidentielle relative à la restructuration des domaines autogérés.

FRANCE	ALGÉRIE
4 avril: le candidat à l'élection présidentielle François Mitterrand présente en Avignon un plan en 11 points pour les rapatriés d'Algérie. Il souhaite qu'un « moratoire total » soit « institué jusqu'au règlement définitif du complément d'indemnisation ».	*28 avril:* installation du Comité national de restructuration des domaines agricoles autogérés.
10 mai: élection de F. Mitterrand à la présidence de la République.	*27 mai:* installation d'une commission *ad hoc* du FLN chargée de la préparation du dossier du secteur privé national.
19 mai: l'émission de télévision *Les Dossiers de l'écran* diffuse *Les Avocats du diable*, un film d'A. Cayatte composé d'images d'archives filmées à Paris en avril 1958.	
5 août: annulation de la loi Barre-Stoleru et de la circulaire Stoleru à propos de l'immigration.	
10 août: Claude Cheysson, ministre des Affaires étrangères, évoque la possibilité d'une restitution à l'Algérie des archives concernant la présence française en Algérie à partir de 1830. Pour l'Académie des sciences d'outre-mer, « les archives, propriété de la nation française, sont des archives de souveraineté, prolongement des archives métropolitaines. Elles ne peuvent être remises à un gouvernement étranger ».	
11 septembre: Apostrophes fête sa 300ᵉ émission de télévision, en la consacrant à l'Algérie.	
9 octobre: loi élargissant la liberté d'association, en particulier pour les étrangers en France.	
17 octobre: publication dans le journal *Libération* d'une longue enquête de J.-L. Peninou sur les massacres d'Algériens à Paris le 17 octobre 1961.	
19 octobre: dans *Le Quotidien de Paris*, Jacques Roseau, porte-parole du Regroupement et coordination unitaire des rapatriés et spoliés d'Afrique du Nord	

FRANCE	ALGÉRIE
(Recours) considère que les transferts d'archives en Algérie « pourraient avoir un caractère délatoire très grave contre la sécurité d'Algériens vivant toujours dans leur pays et qui furent des amis de la France ».	
29 octobre: la loi rétablit les regroupements familiaux pour l'immigration.	
13 novembre: la bataille des archives continue. Dans *Le Monde*, Pierre Boyer, conservateur en chef des Archives nationales, explique que, « une fois cédées, les archives le seront pour toujours, alors que personne ne peut se porter garant de l'état des relations franco-algériennes dans les dix années à venir ».	*2 novembre:* « Séminaire d'écriture de l'histoire » à Alger. L'historien Mahfoud Kaddache demande, à cette occasion, la levée de l'interdiction qui pèse sur les ouvrages consacrés à la guerre d'Algérie.
	30 novembre: F. Mitterrand, en visite à Alger, propose que les rapports franco-algériens soient « un symbole des relations nouvelles entre le Nord et le Sud ». Un accord politique est conclu sur le gaz.
8 décembre: pour la première fois, des ex-responsables de l'OAS sont invités à la télévision française dans l'émission *Les Dossiers de l'écran*.	

III. 1982-1990: le retour des conflits de mémoire. L'impossible consensus

1982

FRANCE	ALGÉRIE
Janvier: fin de la régularisation exceptionnelle des « sans-papiers » (cent trente mille étrangers en France ont été bénéficiaires de cette procédure).	
	3 février: la signature de l'accord franco-algérien sur le gaz inaugure un « nouveau type de coopération » entre les deux pays.

FRANCE	ALGÉRIE
Mars : parution de l'ouvrage de Henri Martinez *Et qu'ils m'accueillent avec des cris de haine* (éd. Robert Laffont). L'auteur traite « des derniers mois de la résistance des Français d'Oran face à l'abandon, au déshonneur et à l'exil ».	*5 mars :* élections législatives à l'APN. Rabah Bitat est réélu président de l'Assemblée.
19 mars : Edmond Jouhaud, à l'occasion du vingtième anniversaire des accords d'Évian, publie dans *Le Monde* un article qui porte pour titre : « Un deuil profond ».	
26 mars : Le Monde consacre un article à la fusillade de la rue d'Issy du 26 mars 1962 ; *Le Figaro* y fait brièvement allusion.	
27 mars : l'Amicale des Algériens en France perturbe, à Belfort, une réunion à laquelle participe Ahmed Ben Bella.	
Avril : sortie sur les écrans parisiens du film du cinéaste Okacha Touita, *Les Sacrifiés* (dans le bidonville de Nanterre, en 1955, un jeune Algérien, témoin et acteur de luttes fratricides FLN-MNA, victime de la répression policière, voit sa raison basculer).	*19 avril :* une information est diffusée par l'AFP : la presse algérienne fait état de la découverte d'un charnier à Khenchela, sur l'emplacement d'un ancien centre de regroupement de la Légion étrangère.
Mai : décret instituant dans les trois pays du Maghreb une carte de débarquement (diptyque) pour un séjour inférieur à trois mois.	*3 mai :* décès dans un accident d'avion, en Iran, de Mohammed Ben Yahia, négociateur du FLN à Melun, puis à Évian.
4 mai : Les Dossiers de l'écran consacrent une émission à l'arraisonnement, par les militaires français le 22 octobre 1956, de l'avion qui transportait des leaders de l'insurrection algérienne. Montage d'archives de Paul Lefranc et J.-C. Delassus.	
3 juin : le journal *Libération* confirme l'existence d'un charnier de 984 squelettes à Khenchela. Le journal affirme : « C'est dans la base militaire de Khenchela chargée de contrôler l'est des Aurès et la frontière tunisienne que le	

FRANCE	ALGÉRIE
deuxième bureau et la Légion étrangère ont torturé et liquidé, de fin 1955 à 1962, près d'un millier d'Algériens, civils, combattants, femmes et enfants. »	
5 juin: le général Massu et le colonel Argoud nient toute responsabilité de l'armée française dans l'affaire du charnier de Khenchela, et évoquent la possibilité d'un massacre de harkis par le FLN.	
30 juin: la suppression des tribunaux permanents des forces armées est votée.	
	3 juillet: 600 Algériens participent à un meeting à Paris, pour la défense des libertés démocratiques en Algérie.
29 septembre: le Conseil des ministres adopte un projet de loi « portant réparation de préjudices subis par les agents publics et les personnes privées en raison des événements d'Afrique du Nord ».	*Septembre:* parution à Paris de l'ouvrage *Le Fleuve détourné* (éd. R. Laffont) de Rachid Mimouni, qui dénonce « le détournement du cours de la révolution algérienne ». Le livre n'est pas en vente en Algérie.
Octobre: polémiques à la sortie du film *L'Honneur d'un capitaine* de Pierre Schoendoerffer (histoire d'un officier qualifié publiquement de tortionnaire vingt ans après sa mort sur la ligne Morice, à la frontière algéro-tunisienne, et dont la veuve veut laver la mémoire).	
7 novembre: Antenne 2 commence la diffusion d'une série de trois heures, *Guerre d'Algérie, mémoire enfouie d'une génération*, de Denis Chegaray et Olivier Doat.	*1er novembre:* Ahmed Ben Bella crée, en France, le Mouvement pour la démocratie en Algérie (MDA).
24 novembre: la loi visant à effacer les dernières séquelles de la guerre d'Algérie est considérée comme définitivement adoptée. Après que les députés socialistes eurent exclu, le 22 octobre, les officiers généraux du bénéfice de la loi, le Sénat, socialistes compris, a rétabli le 17 novembre l'article litigieux. P. Mauroy avait engagé,	

FRANCE	ALGÉRIE
le 23, la responsabilité de son gouvernement (sur cette question de l'amnistie relative à la guerre d'Algérie) devant l'Assemblée nationale.	
	Décembre : le cinéaste Mahmoud Zemmouri achève le tournage des *Folles Années du twist*, parcours de deux « teenagers » algériens à la fin de la guerre d'Algérie. Le film ne sera pas distribué en Algérie pendant de nombreuses années.

1983

FRANCE	ALGÉRIE
28 janvier : alors que plusieurs conflits sociaux ont lieu dans l'automobile, P. Mauroy, Premier ministre, constate que « des travailleurs immigrés sont agités par des groupes religieux et politiques ».	
Avril : sortie du film de Philippe Garrel, *Liberté la nuit* (la crise d'un couple de quinquagénaires dont chacun des membres est, sans que l'autre le sache, engagé dans un mouvement d'aide au FLN).	*21 avril : El Moudjahid* annonce qu'une centaine de magistrats seront déférés devant des commissions de discipline pour corruption et abus de pouvoir.
	30 juin : interview d'Okacha Touita dans l'hebdomadaire algérien *Algérie-Actualité*, à propos de son film *Les Sacrifiés*, sur les luttes fratricides entre Algériens pendant la guerre d'indépendance.
11 septembre. à Dreux, l'opposition, alliée au Front national, remporte l'élection municipale. Le thème principal de la campagne porte sur l'immigration maghrébine en France.	*Septembre :* parution à Paris des *Mémoires d'un combattant*, autobiographie de Hocine Aït Ahmed.
	12 octobre : les deux gouvernements, français et algérien, signent un accord à Alger sur le service militaire pour les enfants d'immigrés. Ce service, effectué dans l'un des deux pays, sera désormais reconnu par l'autre.

FRANCE	ALGÉRIE
7 novembre : le président Chadli Bendjedid effectue à Paris le premier voyage officiel d'un chef d'État algérien depuis l'indépendance de 1962. L'hebdomadaire des jeunes issus de l'immigration, *Sans Frontière*, titre en couverture : « La guerre d'Algérie est finie ». *3 décembre :* 60 000 personnes défilent à Paris au terme de la « marche pour l'égalité, contre le racisme », commencée le 15 octobre à Lyon et Marseille par des fils d'immigrés algériens et de harkis.	

1984

FRANCE	ALGÉRIE
Janvier : exposition au Centre Beaubourg, « Les enfants de l'immigration ». On y voit des œuvres de jeunes d'origine algérienne (un film de Farida Belghoul, des sculptures de Rachid Kimoun). *Mars :* parution du roman policier *Meurtres pour mémoire*, de Didier Daeninckx (éd. Gallimard), qui prend pour cadre les événements du 17 octobre 1961 à Paris. *4 avril : Le Canard enchaîné* commence la publication d'une série d'articles (qui paraîtront ensuite les 11 et 18 juillet 1984) présentant Jean-Marie Le Pen comme un officier qui pratiqua la torture pendant la guerre d'Algérie. *5 avril :* sortie à Paris du film, *Vent de sable*, sur la condition de la femme algérienne, de Mohammed Lakhdar-Hamina.	*14 janvier :* à Alger, une pétition signée par 2 700 personnes est remise au ministère de la Justice, demandant la libération de maître Ali Yahia Abdenour, prisonnier d'opinion.
Mai : le gouvernement français rétablit l'aide au retour pour certains travailleurs de l'industrie automobile.	*29 mai :* en Algérie, un « code de la famille » est adopté par l'Assemblée nationale populaire, qui restreint les droits de la femme. Manifestations et protestations des anciennes combattantes de l'ALN pendant la guerre d'indépendance.

FRANCE	ALGÉRIE
17 juin : succès électoral du Front national, qui mène campagne contre l'immigration, aux élections européennes (10,95 % des voix). *30 juin :* adoption par l'Assemblée nationale de la loi instaurant un titre unique de séjour, valable dix ans, et renouvelable de plein droit pour les étrangers résidant en France depuis quinze ans.	
3 juillet : mort du général Salan. Ancien commandant en chef en Indochine et en Algérie, il avait pris la tête de l'OAS qui s'opposa par la force à la politique du général de Gaulle en Algérie. Il était âgé de 85 ans.	*5 juillet :* sous le titre « Quand revient la lumière », le journal *El Moudjahid* évoque ainsi l'indépendance algérienne de juillet 1962 : « Nous avons écrasé les enfants de Charlemagne [...]. C'est la fuite, la débandade. Ils ont tous un crime à se reprocher. C'est fini. Ce fut un holocauste. »
20 octobre : l'annonce de la visite de Claude Cheysson à Alger, à l'occasion du soulèvement du 1er novembre 1954, déchaîne la colère des partis d'opposition, des associations de rapatriés, celle de plusieurs députés socialistes, et d'un ministre, Charles Hernu. Pour F. Léotard, secrétaire général du Parti républicain, il s'agit d'une « forfaiture ».	*19 octobre :* le chef de l'État français, F. Mitterrand, s'entretient avec le président algérien Chadli Bendjedid, à Alger. *24 octobre :* réinhumation solennelle à Alger de Krim Belkacem et huit anciens dirigeants du FLN, réhabilités par le pouvoir.
1er novembre : à Paris, des manifestants occupent le journal *Le Monde*. Ils protestent contre la publication par le quotidien « de quatre pages à la gloire des assassins du FLN et de leurs complices marxistes ». La ville de Montpellier, dont le maire G. Freche est socialiste, met son drapeau en berne pour protester contre la visite de Cl. Cheysson à Alger.	*1er novembre :* célébration du 30e anniversaire du 1er novembre 1954. Décret portant grâce amnistiante et réhabilitante à titre posthume de 21 personnalités ayant participé à la révolution algérienne.
1er décembre : un commissaire de police à Annonay (Ardèche) fait subir des sévices (dans l'exercice de ses fonctions), avec « une matraque électrique », pour tenter d'obtenir des aveux d'un jeune Algérien âgé de 23 ans. Il sera inculpé et écroué le 18 avril 1985. *2 décembre :* arrivée d'une « marche des Beurs », à Paris, pour l'égalité des droits (30 000 manifestants).	

1985

FRANCE	ALGÉRIE
4 février: réponse du ministre de la Défense, à l'Assemblée nationale, à une question sur les droits des anciens soldats d'Algérie : « Si la loi du 9 décembre 1974 a donné vocation à la qualité de combattant aux personnes ayant participé aux opérations effectuées en Afrique du Nord entre le 1er juillet 1952 et le 2 juillet 1962, *celles-ci n'ont pas reçu pour autant la qualification d'opérations de guerre* ». *12 février:* sous le titre « Le Pen-La Question », le journal *Libération* publie les témoignages de 5 Algériens. Ils accusent J.-M. Le Pen d'avoir participé à des tortures, en 1956 et 1957, à Alger, où il était officier parachutiste. *1er mars:* Jo Ortiz, ancien leader des « barricades d'Alger », et président de la FURR (Fédération pour l'unité des réfugiés et rapatriés) qui regroupe 25 associations du sud de la France, appelle à voter pour les listes du Front national aux élections cantonales. *2 mars: Libération* ouvre une seconde enquête sur « la période algérienne du lieutenant Le Pen », en publiant le témoignage d'un légionnaire se souvenant « avoir vu J.-M. Le Pen à l'œuvre, à la villa des Roses ». *21 mars:* à l'audience du procès intenté contre le *Canard enchaîné* par le leader du Front national, cinq témoins algériens viennent confirmer qu'ils avaient bien été torturés par le lieutenant Le Pen, en 1956-1957.	*Février:* discours du président Chadli devant les responsables du FLN, qui annonce une révision de la Charte nationale adoptée en 1976.
Avril: parution de l'ouvrage *Le Sourire de Brahim* (éd. Denoël) de Nacer Kettane qui raconte l'histoire d'un enfant algérien de 8 ans pris dans la manifestation du 17 octobre 1961 à Paris. *18 avril:* le leader du Front national est débouté de son procès	*Avril:* procès de 135 fondamentalistes musulmans accusés d'appartenir à une organisation clandestine, le Mouvement islamique en Algérie. Violentes manifestations dans la Casbah d'Alger pour réclamer l'amélioration des conditions de logement.

FRANCE	ALGÉRIE
en diffamation contre le *Canard enchaîné*. La 17e chambre correctionnelle estime que « le lieutenant Le Pen ne peut se prévaloir d'une atteinte à son honneur, car il ne saurait à la fois approuver la conduite de ceux qui ont commis les actes qui lui sont imputés et affirmer que cette imputation le déshonore ».	
10 mai: vives protestations en France, après la diffusion d'un documentaire à la télévision algérienne. M. Debré affirme qu'il est « en mesure de démentir absolument », le général Bigeard qualifie le film de « montage », le général Buis juge l'accusation « monstrueuse, ne correspondant à aucune réalité », l'intendant général Coulé, qui était chargé en 1960 à Reggane de l'expérimentation des radiations sur l'habillement explique « qu'une centaine de mannequins avaient été utilisés pour juger des effets de la bombe ».	*8 mai:* à l'occasion du « 40e anniversaire des massacres de Sétif de mai 1945 », la télévision algérienne diffuse un documentaire d'une rare violence contre la France. Il s'agit d'images tournées en 1961 par un réalisateur est-allemand affirmant — sur la foi d'un témoignage allemand — que 150 prisonniers algériens avaient été ligotés à des poteaux à 2 kilomètres du site de la première explosion nucléaire française dans le Sahara, à Reggane, en avril 1960.
	9 mai: un colloque se tient à Sétif, autour de l'anniversaire du 8 mai 1945, sur le mouvement national algérien. Le quotidien *El Moudjahid* publie quatre pages sur « ce massacre au cours duquel les victimes du nazisme deviennent tortionnaires ».
	12 mai: l'hebdomadaire du FLN, *Révolution africaine*, publie un dossier de quinze pages sur la torture où les généraux Massu et Bigeard sont rangés dans le camp des nazis pendant la Seconde Guerre mondiale.
	17 juin: cinq mères françaises décident d'occuper l'ambassade de France à Alger, pour obtenir le droit de garde de leurs enfants retenus par des pères algériens.
	25 juin: voyage de Laurent Fabius, Premier ministre, à Alger. Il est abordé la situation de quelques dizaines de pieds-noirs restés

FRANCE	ALGÉRIE
	en Algérie (dont la moyenne d'âge est de 72 ans) qui veulent pouvoir vendre leur bien et transférer leurs fonds en France.
7 juillet : le Recours, organisation de rapatriés, se déclare prêt à « publier un livre blanc sur les milliers d'atrocités dont ont été victimes les Français d'Algérie de toutes confessions » pendant la guerre d'Algérie.	*5 juillet :* l'agence de presse algérienne APS accuse la France d'avoir transformé « l'Algérie tout entière en camp de concentration ». Des membres des associations des « enfants de martyrs » sont arrêtés et traduits devant la Cour de sûreté de l'État pour avoir déposé des gerbes de fleurs à la mémoire de leurs pères en dehors des cérémonies officielles.
	6 juillet : l'hebdomadaire *Révolution algérienne* consacre un nouveau dossier à la torture, de seize pages. Il déplore que les officiers français Bigeard et Massu, « tortionnaires des dirigeants du FLN en mars 1957, jouissent de l'impunité » alors que la France a obtenu de juger Klaus Barbie.
	8 juillet : saisie du journal *Algérie-Actualité*, qui abordait l'histoire de l'Organisation spéciale (OS, branche armée du parti indépendantiste algérien en 1948-1950), dirigée à l'époque par H. Aït Ahmed et A. Ben Bella.
22 octobre : Mme Hélène Montetagaud qui occupait depuis le 17 juin des locaux de l'ambassade de France à Alger, avec 4 autres mères ex-épouses de ressortissants algériens, décide de rentrer en France et d'y poursuivre son action. Toutes réclament un droit de visite, ou le retour de leurs enfants en France.	
14 décembre : rassemblement de 5 000 mulsumans de France à Lyon, organisé à l'initiative de la Mosquée de Paris, appuyée par le gouvernement d'Alger.	*16 décembre :* accord entre H. Aït Ahmed et A. Ben Bella, à Londres, contre la politique de Chadli Bendjedid. Les deux anciens dirigeants du FLN adoptent une « proclamation pour l'instauration de la démocratie en Algérie ». Réplique, le 19 décembre, dans la presse

FRANCE	ALGÉRIE
	algérienne : « L'Algérie s'est faite sans eux. Ils étaient absents des grandes conquêtes arrachées par la Révolution. » *24 décembre :* mort de Ferhat Abbas, premier président du Gouvernement provisoire de la République algérienne.

1986

FRANCE	ALGÉRIE
15 janvier : la 11e chambre du tribunal de Paris accuse *Libération* de « partialité » dans ses révélations sur les méthodes d'interrogatoire utilisées autrefois par J.-M. Le Pen en Algérie. Commentaire du journal : « Qui croira un instant que la 11e chambre puisse ainsi imposer à la presse le silence des fosses communes ? » *22 février :* décès du général Jacques Paris de Bollardière, qui prit position en 1957 contre la torture en Algérie, et fut ensuite un militant de la non-violence. Il était âgé de 78 ans. *Mars :* dans la campagne pour les élections législatives, le RPR et l'UDF ouvrent le débat sur le Code de la nationalité française. Ils proposent de mettre fin à l'acquisition automatique de la citoyenneté à la naissance (article 23) et à 18 ans (article 44), pour des enfants d'étrangers nés en France. Supprimer l'article 23 exigerait une clause restrictive visant une ancienne colonie : l'Algérie ne serait plus considérée comme ayant fait partie de la France. La suppression de l'automatisme contenue dans cet article s'adresse en fait aux jeunes Algériens nés en France après le 1er janvier 1963 et dont les parents avaient	*7 janvier :* la nouvelle « Charte nationale algérienne » fait référence, pour la première fois depuis 1964, au courant de l'Étoile nord-afriaine dans l'histoire du nationalisme algérien.

FRANCE	ALGÉRIE
vu le jour en Algérie française, mais étaient devenus algériens après l'indépendance. Ni les Marocains ni les Tunisiens ne bénéficient de cet automatisme.	
	26 avril : polémique dans les colonnes d'*El Moudjahid* entre Mahfoud Kaddache et Mouloud Kassim Naït Belkacem sur l'histoire des origines de la nation algérienne.
Mai : parution aux éditions du Seuil du livre d'Ali Haroun *La 7e Wilaya* qui raconte l'histoire de la Fédération de France du FLN pendant la guerre d'Algérie.	
Juin : des questions touchant à la séquence guerre d'Algérie sont posées au baccalauréat dans neuf académies.	
18 juin : FR3 diffuse *Les Oliviers de la justice*, de James Blue, tiré de l'œuvre de Jean Pelegri (fixé en France depuis plusieurs années, le fils d'un colon découvre ce qu'est devenue l'Algérie de son enfance).	
Septembre : parution d'un livre sur *Fernand Iveton* (éd. L'Harmattant) de J.-L. Einaudi : enquête sur un employé pied-noir, communiste, guillotiné à la prison Barberousse.	
26 octobre : 13 militants benbellistes séjournant régulièrement en France se voient signifier un arrêt d'expulsion. Ils sont défendus par Me Ali Mécili.	
29 octobre : Pierre Vidal-Naquet et d'autres intellectuels français refusent de s'associer aux cérémonies organisées par l'Amicale des Algériens en France à l'occasion du 17 octobre 1961. Ils dénoncent les propos de J. Vergès dans le journal de l'Amicale.	
Novembre : grandes manifestations étudiantes en France contre le « projet Devaquet ». Après la mort de Malik Oussekine, le projet sera retiré en décembre.	*8 novembre :* de violentes manifestations de lycéens et d'étudiants ont lieu à Constantine et à Sétif. *El Moudjahid*, sous le titre « Oui au dialogue, non au désordre »,

FRANCE	ALGÉRIE
22 décembre : le journal benbelliste *El Badil* est interdit à la vente en France.	dénonce les « éléments hostiles à la révolution », qui, « profitant de certains problèmes conjoncturels, exploitent les sentiments des jeunes ».

1987

FRANCE	ALGÉRIE
	6 février : visite à Alger d'Edmond Balladur, ministre d'État chargé de l'Économie, au moment où se discute la libération des otages français au Liban.
	27 février : un colloque est organisé à Paris, par les autorités algériennes, au Centre culturel algérien, sur l'histoire de l'Étoile nord-africaine.
4 mars : mort de Georges Arnaud, romancier, auteur du *Salaire de la peur.* Il avait comparu en juillet 1960 devant le Tribunal permanent des forces armées, et fut condamné à deux ans de prison avec sursis au terme d'un procès retentissant que l'accusé (et son défenseur Me Vergès) voulut être celui de la mise au pas de la presse et de la torture en Algérie.	
19 mars : 25e anniversaire des accords d'Évian. Il reste 3 000 « pieds-noirs » en Algérie. Sortie dans *Le Point* d'un dossier, « 25 ans après, la réussite des pieds-noirs en France ».	
24 avril : parution dans *L'Express* d'un dossier de dix pages sur « La guerre entre Algériens en France pendant la guerre d'Algérie ».	*7 avril :* Ali Mécili, avocat au barreau de Paris, fondateur du journal *Libre Algérie* animé par le FFS, est assassiné de sang-froid devant son domicile. Le tueur, un agent de la Sécurité militaire algérienne, sera arrêté par la police française deux mois plus tard, et... expulsé vers l'Algérie.

FRANCE	ALGÉRIE
11 mai : ouverture du procès de Klaus Barbie aux Assises du Rhône, à Lyon.	
25 mai : lors du procès Barbie, à Lyon, J. Vergès, son défenseur, évoque la notion de « crimes contre l'humanité » à propos de l'armée française pendant la guerre d'Algérie. André Frossard lui répond en opérant « la distinction entre crimes de guerre et crimes contre l'humanité ».	
Juin : parution d'un album, textes et photos, *Les Juifs d'Algérie*, sous la direction de Jean Laloum et J.-L. Allouche (éd. Scribe).	*24 juin :* 202 inculpés, islamistes, comparaissent devant la Cour de sûreté de l'État de Médéa. C'est l'un des plus grands procès de l'histoire algérienne.
19 juin : sortie simultanée, dans *L'Express* et *Le Nouvel Observateur*, de deux dossiers, qui font la couverture : « La revanche des pieds-noirs », « Le pouvoir des pieds-noirs ».	
22 juin : mise en place d'une « Commission de la nationalité » composée de seize personnalités.	
16 juillet : vote d'une nouvelle loi proposée par le gouvernement de J. Chirac, relative au règlement définif de l'indemnisation des rapatriés. Elle prévoit de débloquer un crédit de 30 milliards de francs dont le versement aux intéressés s'étalera sur treize ans à partir de 1989.	*1er juillet :* publication dans *La Quinzaine littéraire* d'un texte de M. Harbi et H. Aït Ahmed, à propos du procès Barbie : « Si nous, Algériens, nous devons avoir une quelconque place dans ce procès, ce n'est pas comme témoin à décharge de Barbie, mais comme témoin à charge, au nom des droits de l'homme qui légitiment notre propre combat. »
	2 juillet : parution d'un sondage dans *Algérie-Actualité*, « L'Histoire enseignée dans nos écoles rend-elle suffisamment bien la guerre de libération nationale ? Oui : 41 % ; non : 54 %, sans opinion : 10 % ». « La France juge Klaus Barbie pour des faits commis entre 1942 et 1944 durant son occupation. Il faudrait aussi juger ceux qui, en son nom, ont commis les mêmes crimes entre 1954 et 1962 : 40 % ; le pardon doit l'emporter : 24 % ; l'oubli est préférable : 17 % ».

FRANCE	ALGÉRIE
30 septembre: Jacques Soustelle publie une mise au point dans *Le Monde*, à propos de son action en Algérie: « La politique que j'ai menée en Algérie tout au long de 1955 est demeurée dans ses grandes lignes conforme aux directives que j'avais reçues de F. Mitterrand, ministre de l'Intérieur, et de P. Mendès France, président du Conseil, lors de ma nomination, puis confirmées par E. Faure, chef du gouvernement. »	
Octobre: la revue *Historiens et géographes* (n° 316) rend compte d'un sondage réalisé par le Service d'information et de relations publiques des armées (SIRPA) auprès de 20 000 lycéens de 16 à 18 ans: 46 % d'entre eux pensent que « l'élément déclencheur d'un conflit mondial pourrait être l'accroissement d'actes terroristes et la montée de l'intégrisme musulman ».	
3 octobre: 20 000 ex-soldats d'Algérie manifestent à Paris, avec 5 000 de leurs drapeaux, afin d'obtenir « la reconnaissance des droits identiques de leurs aînés ».	
10 novembre: publication au *Journal officiel* du décret n° 87-904 qui ouvre un délai de dix-huit mois aux familles souhaitant la restitution des corps des anciens combattants et victimes de guerre morts pour la France, rapatriés d'Indochine en application de l'accord franco-vietnamien du 1er août 1986.	*Novembre:* à l'occasion du 25e anniversaire de l'indépendance, le gouvernement algérien publie une « liste des hommes de culture honorés ». Le 9 décembre, l'historien M. Harbi refuse de figurer sur cette liste: « J'ai trouvé cette distinction d'autant plus étonnante, sinon stupéfiante, que mes ouvrages ne circulent pas librement en Algérie »
Décembre: la *Revue française de sciences politiques* présente dans une série d'articles une constante dans l'opinion française: le caractère négatif des jugements concernant les Algériens qui occupent le bas de la hiérarchie des représentations.	

FRANCE	ALGÉRIE
12 décembre : l'UFAC, organisation d'anciens combattants, décide de lancer une « offensive » pour faire reconnaître par les pouvoirs publics « les troubles psychiques consécutifs à la guerre d'Algérie ». L'association évalue à 10 000 le nombre des anciens soldats d'Algérie qui pourraient revendiquer les dispositions prises par l'État.	

1988

FRANCE	ALGÉRIE
20 janvier : rencontre à Montpellier des « Français nés dans le Maghreb » (pieds-noirs et Beurs) organisée par l'association Coup de soleil sous la présidence de D. Mitterrand.	
17 février : décès d'Alain Savary. Nommé en février 1956 secrétaire d'État aux Affaires marocaines et tunisiennes dans le cabinet de G. Mollet, il donna sa démission le 31 octobre, pour marquer son désaccord sur l'arraisonnement de l'avion qui transportait des leaders de l'insurrection algérienne. A. Savary était né le 25 avril 1918 à Alger.	
19 mars : incidents à Saint-Louis des Invalides à une messe célébrée en l'honneur des morts d'Algérie. Des tracts sont jetés dans l'assistance : « 19 mars 1962 : la honte ! 150 000 Français musulmans, 10 000 pieds-noirs assassinés après cette date ».	*25 mars :* séminaire officiel sur « l'écriture de l'histoire » en Algérie. Des responsables du FLN expliquent que « l'histoire ne s'écrit pas uniquement avec des mots, mais aussi avec des noms. Notre Révolution n'a pas été faite par des fantômes [...]. Il faut connaître ses chefs ».
14 avril : décès de Daniel Guérin, écrivain, militant anticolonial qui fut dans les années trente l'un des premiers compagnons des militants nationalistes algériens. Il était âgé de 83 ans.	

FRANCE	ALGÉRIE
Mai : réélection de François Mitterrand à la présidence de la République.	
1er octobre : 50 000 ex-soldats d'Algérie manifestent à Paris avec 8 000 drapeaux pour « protester contre les prévisions d'un budget des anciens combattants s'avérant comme le plus mauvais depuis la Libération », et la « reconnaissance de leurs droits d'anciens combattants d'Afrique du Nord ». *11 octobre :* le journal *Libération* titre : « La Bataille d'Alger ». *13 octobre :* 3 000 personnes défilent de la Nation à la République, à Paris, contre la répression en Algérie. Une autre manifestation, sur le même thème, aura lieu sur le parvis du Trocadéro, le 15 octobre. *14 octobre :* couvertures de *L'Express* et du *Nouvel Observateur*, avec le même titre : « Algérie : la faillite sanglante ».	*4 octobre :* des jeunes manifestent le soir dans différents quartiers d'Alger. *5 octobre :* début des émeutes à Alger. Le centre commerçant d'Alger est saccagé : des dizaines d'interpellations. Le 6, plusieurs bâtiments publics et commerciaux sont incendiés. L'état de siège est décrété dans l'Algérois. Le couvre-feu est instauré de minuit à six heures. *7 octobre :* déploiement des blindés autour des bâtiments stratégiques. Fermeture des écoles « jusqu'à nouvel ordre ». Les manifestations s'étendent à plusieurs localités de l'intérieur. *8 octobre :* l'armée ouvre le feu à Kouba : 60 morts. *10 octobre :* l'armée tire sur des manifestants dans la capitale. Un bilan officieux des émeutes fait état de 500 morts. Le président Chadli Bendjedid apparaît à la télévision. *12 octobre :* le président algérien Chadli Bendjedid annonce un référendum et une modification de la Constitution. *30 octobre :* Mohammed Cherif Messaadia, le numéro 2 du FLN et Medjoub Lakehal Ayat, le chef de la Sécurité militaire, sont démis de leurs fonctions.
1er novembre : 2 000 personnes à la Mutualité à Paris dans un meeting pour « dénoncer la torture, exiger les libertés démocratiques en Algérie ». *30 novembre :* article de Jacques Roseau dans *Le Monde*, à propos des « événements d'Algérie », « Tristesse des pieds-noirs ». L'hebdomadaire *Jeune Afrique* publie les résultats d'un sondage	*10 novembre :* publication dans *Algérie-Actualité* (n° 1204) de témoignages faisant état de tortures pendant les journées d'octobre. *17-18 novembre :* six anciens dirigeants du PPA-MTLD lancent un appel pour la démocratie en Algérie.

FRANCE	ALGÉRIE
pour connaître l'opinion des Français sur l'Algérie, trois semaines après les émeutes qui ont secoué ce pays. Près de deux Français sur trois (66 %) considèrent l'Algérie comme un pays ami.	
9 décembre: diffusion sur TF1 de l'émission « Le Passé retrouvé » sur le retour de Guy Bedos en Algérie.	*5 décembre:* après la clôture du VIe congrès du FLN, Chadli Bendjedid procède à un remaniement important au sommet de la hiérarchie militaire.
15 décembre: colloque international du CNRS, organisé par l'IHTP, sur « la guerre d'Algérie et les Français ».	

1989

FRANCE	ALGÉRIE
10 janvier: le Front national annonce le décès, survenu le 5 janvier, du colonel Hervé de Blignières, l'un des officiers supérieurs partisans de l'Algérie française, qui devait être condamné par la Cour de sûreté de l'État en 1963 à six ans de détention. Il était âgé de 74 ans.	*17 janvier :* pour la première fois en Algérie, le journal en langue arabe *Ech Chaab* dresse un portrait flatteur de Messali Hadj, qui fut le leader de l'ENA-PPA et s'opposa, pendant la guerre d'Algérie, au FLN.
17 janvier: dans *Libération*, un article d'Annette Lévy-Willard, « Le choc des images étrangères », demande la diffusion à la télévision française du film anglais de P. Baty sur la guerre d'Algérie.	
Février: un écrivain genevois, Yves Laplace, monte au Théâtre de la Colline une pièce, *Nationalité française*, qui traite du nationalisme français pendant la guerre d'Algérie.	
18 février: les adhérents de la FNACA manifestent à Conflans-Sainte-Honorine, ville dont le maire est M. Rocard, Premier ministre. Ils veulent que soit réglé « le douloureux problème des anciens d'Afrique du Nord demandeurs d'emploi de plus de 55 ans en fin de droits ».	

FRANCE	ALGÉRIE
Mars: dans un livre-vérité, le commandant Hélie de Saint-Marc, qui participa en avril 1961 au putsch d'Alger, confie à Laurent Beccaria ses souvenirs d'Algérie. *8 mars:* diffusion sur Antenne 2 d'un téléfilm de Serge Moati, *L'Été de tous les chagrins*, dont l'histoire se déroule en Algérie en 1961. *9 mars:* Robert Lacoste, qui fut notamment ministre résident en Algérie (1956-1957) et ministre de l'Algérie (1957-1958) décède à l'hôpital de Périgueux, à l'âge de 90 ans. *30 mars:* ancien commandant en chef en Algérie pendant le putsch des généraux d'avril 1961, qu'il s'efforça de combattre, le général d'armée Fernand Gambiez meurt à l'hôpital militaire de Begin. Il était âgé de 86 ans. *5 avril:* sortie du film *Cher frangin*, de Gérard Mordillat: relation d'une opération de ratissage à laquelle participent des appelés à la frontière algéro-tunisienne; histoire d'un jeune soldat qui déserte. *26 avril:* colloque organisé à Paris par la « Délégation aux rapatriés » sur les difficultés d'insertion sociale et professionnelle des harkis en France.	*4 mars:* tous les officiers de l'armée se retirent du comité central du FLN.
	3 mai: décès du cheikh Abbas, recteur de la Mosquée de Paris, qui fut choisi, au début de la guerre d'Algérie, pour représenter le FLN en Arabie saoudite. *20 août:* une association de Larbaa Nath Irathen, en Kabylie, tient un colloque qui fait la lumière sur l'assassinat d'Abane Ramdane, responsable du FLN, par d'autres dirigeants du FLN en 1957.
Septembre: le philosophe J.-F. Lyotard et l'historien P. Vidal-Naquet publient, aux éditions Galilée et La Découverte, leurs écrits autour du thème guerre d'Algérie.	

FRANCE	ALGÉRIE
29 septembre: décès de Jean-Louis Tixier-Vignancourt, principal avocat des partisans de l'Algérie française à la fin de la guerre d'Algérie. Il avait obtenu les circonstances atténuantes pour Raoul Salan devant la Haute Cour de Justice.	
24 octobre: 27 associations d'immigrés veulent créer une Fédération démocratique des Algériens en France, dont l'éventuelle constitution est un défi à l'Amicale des Algériens, relais du FLN en France.	*5 octobre:* à l'occasion de l'anniversaire des émeutes d'octobre 1988, le FLN s'en prend à la presse française qui « trouve là l'occasion de se débarrasser du complexe de la guerre d'Algérie, et de tenter de blanchir la page du colonialisme français en noircissant celle de l'Algérie indépendante ».
	26 octobre: la Cour d'Alger décide de ne pas reconnaître l'existence du Parti du peuple algérien (PPA), qui se réclame de l'héritage de Messali Hadj en Algérie.
	28 octobre: mort de Kateb Yacine, grand écrivain algérien qui plaidait pour la reconnaissance de la culture berbère dans l'Algérie indépendante. Le 1er novembre, à Alger, son enterrement donne lieu à des incidents avec des islamistes.
Novembre: affaire du « foulard islamique », qui a débuté au collège de Creil. Plusieurs associations du mouvement beur se prononcent « contre l'assimilation », se référant au temps colonial en Algérie.	*12 novembre:* créé après les émeutes d'octobre 1988, le Comité national contre la torture annonce qu'il n'a pas reçu son agrément officiel par les autorités algériennes.
7 décembre: J. Julliard, G. Deleuze, P. Bourdieu, J. Lacouture, P. Vidal-Naquet s'adressent au président de la République « pour la vérité et la justice dans l'affaire Mécili ».	*15 décembre:* retour de Hocine Aït Ahmed en Algérie. Son parti, le FFS, avait obtenu sa reconnaissance officielle le 20 novembre.
9 décembre: un timbre est émis en « hommage aux harkis, soldats de la France ».	*21 décembre:* plusieurs dizaines de milliers de femmes en *hidjeb* (« foulard islamique ») convergent vers l'Assemblée nationale en réclamant l'application de la *charia* (loi coranique).

1990

FRANCE	ALGÉRIE
14 janvier : pour la première fois, l'équipe nationale d'Algérie de football joue en France, au stade de Saint-Ouen.	*16 janvier :* fusillade à Blida entre islamistes et police.
9 février : début de la diffusion sur FR3 du documentaire du réalisateur anglais P. Baty sur la guerre d'Algérie.	*15 février :* le journal *Algérie-Actualité* relance la polémique sur les expériences nucléaires françaises à Reggane (Sahara) en 1960.
10 février : sortie à Paris du film de Paul Carpita, *Rendez-vous des quais*, interdit depuis le 12 août 1955. Ce film, tourné au début de la guerre d'Algérie, relate une grève déclenchée par les dockers de Marseille contre la guerre d'Indochine.	
7 mars : l'association de rapatriés le Recours saisit en référé le tribunal de grande instance de Paris pour faire déprogrammer le dernier épisode de *La Guerre d'Algérie*, de P. Baty. La demande sera rejetée.	
Avril : parution de l'ouvrage *La Guerre d'Algérie et les Français*, sous la direction de J.-P. Roux (éd. Fayard), actes du colloque international organisé par l'IHTP en décembre 1988.	*20 avril :* 100 000 partisans du Front islamique du salut (FIS) manifestent à Alger, en réclamant, entre autres, l'abandon du bilinguisme.
Mai : parution d'un dossier dans la revue *Esprit* : « France-Algérie : les blessures de l'Histoire ».	*5 mai :* une « Fondation du 8-mai-1945 » est créée par Bachir Boumaza à Alger, afin d'engager des poursuites contre les responsables français de la répression dans l'Est algérien.
23 mai : des associations de rapatriés et de harkis perturbent une réunion tenue en présence de M. Benassayag, délégué du gouvernement aux Rapatriés.	*17 mai :* plusieurs dizaines de milliers de militants du FLN manifestent à Alger.
	31 mai : 100 000 partisans de H. Aït Ahmed défilent à Alger.
Juin : le service historique de l'armée de terre publie le tome I de *La Guerre d'Algérie par les documents*. Ce volume couvre la période 1943-1946.	*12 juin :* victoire du FIS, mouvement fondamentaliste musulman, aux élections municipales en Algérie.
28 juin : dans *Le Quotidien de Paris*, J. Roseau, responsable du Recours, demande l'abrogation des accords d'Évian.	*15 juin :* dans un prêche à la mosquée de Kouba, Ali Belhadj, le prédicateur du FIS, dénonce « la France coloniale » à propos des événements du 8 mai 1945 en Algérie.

FRANCE	ALGÉRIE
2 août : début d'une série d'émissions sur France-Culture consacrée à l'Algérie d'aujourd'hui, par Francis Jeanson. *8 août :* décès de J. Soustelle, gouverneur général de l'Algérie en remplacement de R. Léonard, en janvier 1955. Ses prises de position trop virulentes en faveur de l'Algérie française lui vaudront d'être poursuivi pour atteinte à la sécurité de l'État le 22 décembre 1962. Il était âgé de 78 ans.	
9 septembre : FR3 organise un débat sur la guerre d'Algérie. Absence d'anciens militants algériens indépendantistes à l'émission. *13 septembre :* sondage dans *Paris-Match* : les Français placent la guerre d'Algérie en tête de tous les événements nationaux depuis 1945.	*20 septembre :* Bachir Boumaza, ancien dirigeant de la Fédération de France du FLN et actuel membre du comité central du FLN, analysant la « crise du Golfe », affirme que « cette logique de guerre dans laquelle F. Mitterrand veut nous introduire rappelle la fameuse phrase, "avec le FLN la seule négociation, c'est la guerre" au moment du 1er novembre 1954 ». *27 septembre :* retour d'Ahmed Ben Bella en Algérie au terme de dix ans d'exil.
6 octobre : émeutes à Vaulx-en-Velin, banlieue à forte concentration de jeunes issus de l'immigration maghrébine. *17 octobre : Le Canard enchaîné* révèle que Paul Gaujac, nouveau responsable du Service historique de l'armée, a mis fin à la publication d'une série de 12 volumes consacrés à la guerre d'Algérie. A l'appel du Mouvement des Beurs civiques, commémoration de la journée du 17 octobre 1961, au métro Charonne. 200 personnes y participent. *18 octobre :* couverture de *L'Événement du jeudi* : « Algérie : Les Français ont-ils été des criminels de guerre ? Ce dossier historique que l'on ne voulait pas ouvrir. »	*31 octobre :* libre débat à la télévision algérienne sur « la préparation du 1er novembre » avec H. Aït Ahmed, A. Mahsas, M. Boudiaf, O. Boudaoud... tous « dirigeants historiques » du FLN, écartés du pouvoir depuis de nombreuses années.

FRANCE	ALGÉRIE
27 octobre: à la suite d'un conflit dans le camp de Bias, le gouvernement lance une « mission nationale de réflexion » sur les harkis.	
18 novembre: une quarantaine d'hommes appartenant au 3ᵉ régiment de parachutistes (dont la devise « Être et durer » lui a été donnée par le colonel Bigeard) s'attaquent à une cité de Carcassonne principalement habitée par des immigrés algériens et des harkis.	*5 novembre:* dans un Congrès d'anciens moudjahidin à Alger, un délégué est menacé d'être poignardé par un autre délégué pour avoir prononcé le nom de Messali Hadj.
19 novembre: le Premier ministre, Michel Rocard, dans son discours des « Journées Charles-de-Gaulle », rend hommage au général de Gaulle pour son action pendant la guerre d'Algérie: « De Gaulle sut imposer, au péril de sa vie, l'indépendance du peuple algérien à ceux-là mêmes qui avaient provoqué son retour au pouvoir dans l'intention inverse. »	
Décembre: parution d'un roman policier qui a pour cadre la guerre d'Algérie, *Un mort dans le Djebel* de Jacques Syreigol.	*25 décembre:* ouverture d'un colloque à Sétif sur « L'Homme; l'œuvre et l'histoire de H. Boumedienne ».
19 décembre: sortie sur les écrans de *Outremer*, de Brigitte Roüen, histoire de trois sœurs issues d'une riche famille de colons, au temps de l'Algérie française.	*26 décembre:* par une majorité écrasante (173 voix contre 8) les députés algériens adoptent le projet de loi sur la généralisation de l'utilisation de la langue arabe en Algérie.
28 décembre: titre du journal *Le Quotidien de Paris*, « La Nouvelle bataille d'Alger ».	*27 décembre:* 400 000 personnes défilent à Alger pour la démocratie, contre la généralisation de l'usage de la langue arabe en Algérie.

1991

FRANCE	ALGÉRIE
Janvier: parution d'un numéro spécial de la revue *L'Histoire*, « Le temps de l'Algérie française ». *2 janvier:* diffusion sur TF1 d'un documentaire de P. Abramovici, « L'OAS contre de Gaulle ». *15 janvier:* présentation d'un plan de paix par la France, à la veille de l'expiration de l'ultimatum adressé à l'Irak. *17 janvier:* début de la guerre du Golfe.	*3 janvier:* plusieurs dizaines de milliers de personnes participent à une marche de protestation contre les élus du FIS de la mairie d'Annaba (est algérien) qui voulaient imposer l'usage de la langue arabe pour toute correspondance. *15 janvier:* l'Algérie dénonce « les tentatives visant à détruire l'Irak ». *17 janvier:* début de la guerre du Golfe.

Index*

* Cet index recense les noms de personnes cités dans le texte, à l'exception des auteurs signalés dans les notes et la chronologie en fin de volume.

Table

III / 1962-1982: DÉSIRS D'OUBLI, BOUFFÉES DE MÉMOIRE

IV / 1982-1991 : LES REVANCHES IMAGINAIRES

Reproduction numérique et
impression réalisées par CPI Bussière
à Saint-Amand-Montrond (Cher).
Dépôt légal du 1er tirage : octobre 1998.
Suite du 1er tirage (6) : mai 2011.
N° d'impression : 111596/1.
Imprimé en France